ハヤカワ文庫NF

〈NF601〉

考える脳　考えるコンピューター

〔新版〕

ジェフ・ホーキンス＆サンドラ・ブレイクスリー

伊藤文英訳

早川書房

8970

ON INTELLIGENCE

How a New Understanding of the Brain Will Lead to the Creation of Truly Intelligent Machines

by

Jeff Hawkins with Sandra Blakeslee

Translated by
Fumihide Ito
Published 2023 in Japan by
HAYAKAWA PUBLISHING, INC.
This book is published in Japan by
arrangement with
LEVINE GREENBERG ROSTAN LITERARY AGENCY
through THE ENGLISH AGENCY (JAPAN) LTD.

目次

考える脳　考えるコンピューター〔新版〕

日本の文庫版への序文

　わたしには人工知能と脳科学についての二冊の著書がある。それぞれの書名を『考える脳 考えるコンピューター』（本書）、『脳は世界をどう見ているのか』（大田直子訳、早川書房、二〇二二年）という。どちらも同じ大前提にもとづいて書かれている。それは、「真の知能を備えた機械をつくるためには、まず人間の脳の仕組みを解明しなければならない」というものだ。脳を研究する目的は、その働きを知ることだけではなく、知能とは何かをあきらかにすることにある。現在の人工知能は、さまざまな点で人間の知能におよばない。だから、脳の仕組みの解明は、知能を備えた機械を生み出す最良の方法といえる。この『考える脳 考えるコンピューター』は、わたしがはじめて書いた本でもある。このたび日本で早川書房から出版されることになり、短い序文を寄稿することにした。日本では昔からロボット工学や人工知能の最先端の研究がおこなわれているので、わたしの考えを日本の読者に知ってもらえるのは、たいへんうれしく思う。

この本では、なぜ人工知能に脳の理論が必要なのかを説明し、その理論がどんなものになるべきなのかを提案する。科学的にもっとも重要な考えは、脳が現実世界のモデルを学習し、そのモデルを使って未来を予測することだ。このような脳内のモデルがあるからこそ、自分がいる場所や、自分がやっている行動を把握して、さまざまな問題を解くことができる。わたしの主張が正しいなら、人工知能が真の知能を備えるためには、人間の脳と同じ方法で、現実世界を予測するモデルを学習しなければならない。

この本を書いたあとに、わたしたちの研究でいくつかの発見があり、脳が学習する方法の詳細があきらかになった。重要な発見の一つは、人間が時間とともに身体を動かしながら、現実世界のさまざまな側面を異なる感覚器官によって学習していくことだ。これこそが知能の本質といえる。べつの重要な発見は、脳が知識を蓄積するために「座標系」を使っていることだ。わたしが共同で創業したヌメンタ社では、人工知能の製品とサービスを開発しているが、その原理はわたしたちの発見にもとづいている。この発見の詳細と、それが人工知能にもたらす衝撃を説明するために、わたしは新しく『脳は世界をどう見ているのか』を執筆した。べつに続篇というわけではないが、この『考える脳 考えるコンピューター』とあわせて読めば、わたしたちの研究の成果がよりはっきりと理解できると思う。

〈チャットGPT〉と人工知能の未来

近年になって、自然言語の大規模なモデルの研究に進展があり、〈チャットGPT〉などに応用されて大きな注目を集めている。このようなシステムによって、人工知能の機能がいちじるしく向上し、わくわくする未来の姿が久々にもたらされている。だが、この「大規模言語モデル」は、人工知能に人間の脳の機能が必要な理由を再認識させるものでもある。〈チャットGPT〉の能力は驚くほど高いが、それでも、人間にはありえない間違いをする。大規模言語モデルの構築には、テキストとして書かれている文章が使われる。どの単語とどの単語が並ぶかの相関を統計的に学習するが、個々の単語の意味は理解していない。たとえば、あなたやわたしがネコとは何かを学習するときには、毛に触ったり、鳴き声を聞いたり、じゃれあったりする。ネコだけでなく、現実世界に存在するもののモデルは、たいていは相互に作用することで構築される。よって、人工知能に学習させるときにも、同じような相互の作用がないかぎり、真の知能を備えることはないだろう。人工知能の最先端の研究をする人々の多くも、同じような結論に達している。

人工知能の研究における最近の進展によって、わたしが二冊の本に書いた考えは真実味を増している。〈チャットGPT〉のようなシステムは、人工知能の途方もない可能性を示すとともに、その恩恵をすべて社会に還元するためには、新しい発想が必要なことを教えてくれる。どんな未来が待っていて、どうすれば実現するのかを、『考える脳 考えるコンピューター』と『脳は世界をどう見ているのか』から知ってほしい。

二〇二三年五月

ジェフ・ホーキンス

まえがき

この本とわたしの人生には、二種類の情熱があふれている。

わたしは二五年にわたり、モバイルコンピューティングに情熱を注いできた。ハイテク産業の都《みやこ》のシリコンバレーで、パームコンピューティング社とハンドスプリング社を創業し、数多くのハンドヘルドコンピューターと携帯電話を設計して、〈パームパイロット〉や〈トレオ〉などの製品を世に送り出した。

だが、第二の情熱は、コンピューターに興味を持つ以前からのもので、思いはさらに強い。わたしは脳にほれている。その働きを解明したい。哲学の観点からでも、一般論としてでもなく、実用的な工学の立場から知能の本質を詳細にさぐり、脳の働きをあきらかにする。そして、その働きを人工の装置の上で実現したい。つまり、人間のように考える機能を持ち、真の知能を備える機械《マシン》をつくりたいのだ。

知能の問題は、日常で最後に残された未踏の大きな領域だ。科学のほかの重要な課題のほとんどは、きわめて小さな現象か、かなり大きな現象か、何十億年も前に発生した現象にかかわっている。だが、脳ならだれもが持っている。脳があるからこそ人間といえる。感情がなぜ起こるのか？ 現実世界がどうやって認識されるのか？ なぜ失敗をしてしまうのか？ どうしたら創造性を発揮できるのか？ 音楽や芸術になぜ感動するのか？ つまりは、人間の人間たるゆえんは何か？ こうした疑問に答えるには、脳を理解しなければならない。

さらに、知能や脳の働きが理論的に解明されれば、社会に大きな利益がもたらされる。脳の病気を治療する手段が見つかるだけではない。真の知能を備えた機械をつくることができる。それは小説やコンピューター科学の未来像に登場するロボットのようなものではない。むしろ、知能の本質をとらえた新しい原理から生み出されるものだ。その機械に助けられて、人間は知識を増やしたり、宇宙を探検したり、世界性を高めたりする。それと同時に、巨大な産業がたちあがる。

幸運なことに、わたしたちは知能の解明が可能な時代を生きている。脳のデータが何百年にもわたって集められ、いくらでも利用できるばかりか、ますます加速して増えていく。脳神経学者はアメリカ合衆国だけで何千人もいる。だが、知能とは何か、脳が全体としてどう働くのかといった問題には、有望な理論が見つかっていない。ほとんどの神経科学者は、脳全体の理論を真剣に考えることを避けている。ひたすら実験に没頭して、脳のさまざまな下部組織からデータを集めつづけるだけだ。また、コンピューターに知能を持たせる試みには、数多くのコンピューター科学者が挑戦して失敗した。脳とコンピューターの違いを無視しているかぎり、これからも失敗はつづくだろう。

では、脳が備えていてコンピューターが持たない知能とはなんだろうか？　六歳の子供は河床の岩から岩へと優雅に跳び移っていくのに、なぜ最新型のロボットの動きはゾンビのようにぎくしゃくとしているのか？　わずか三歳の子供でも言葉を順調に覚えていくのに、半世紀にわたる研究者の奮闘にもかかわらず、なぜコンピューターには不可能なのか？　人間は一秒とかからずイヌとネコを見わけられるのに、なぜスーパーコンピューターはまったく区別できないのか？　いずれの疑問も、大きな謎として解決が待たれている。手がかりはたくさんある。いま必要とされるのは、数は少なくていいから、鋭い洞察だ。

わたしのようなコンピューターの技術者が脳の本を書いていることに、違和感を覚える読者もいるだろう。あるいは、こう考えるかもしれない。そんなに脳にほれているなら、なぜ脳科学や人工知能の分野で研究しないのか？　じつをいえば、わたしはそれを試みた。それも一度や二度のことではない。

だが、知能の問題を研究するためにそれまでにとられていた方法は、どうしても使いたくなかった。わたしの考えでは、この問題を解明する最良の方法は、脳について生物学から得られる知見を取捨選択して参考にしながら、知能をなんらかの計算とみなすことだ。学問としては、生物学とコンピューター科学の中間のどこかに位置している。ところが、多くの生物学者は、脳の働きを計算として解釈する考えを否定するか、無視する傾向にある。一方、たいていのコンピューター科学者は、生物学が参考にならないと思っている。

さらに、学問の世界では、ビジネスの世界ほどリスクが受け入れられない。科学技術のビジネスでは、新しいアイデアを適切な方法で追求すれば、それが商品として成功したかどうかにかかわらず、本人の経歴として評価される。成功した起業家の多くは、初期の失敗を糧にしている。だが、大学においては、新しい考えを二年も研究し、それが間違いであるとわかれば、若い学者の未来が永久に閉ざされるかもしれない。

そこで、わたしは人生で二つの情熱を同時に追い求めることにした。ビジネスで成功すれば、脳の解明もうまくいくと思ったのだ。自分が望むような研究をするためには、資金が必要になる。世間に影響を与える方法や、新しい考えを売り込む技術も学びたい。そのすべてがシリコンバレーで得られると思った。

二〇〇二年八月、わたしはレッドウッド神経科学研究所を設立した。脳の理論を専門に研究する機関だ。神経科学の研究所は世界じゅうにたくさんあるが、人間の脳の中で知能が宿っている新皮質をとりあげ、全体の働きを理論的に解明しようとしている点では類がない。わたしたちはそれだけに取り組んでいる。多くの点で、レッドウッド神経科学研究所はベンチャー企業に似ている。とても達成できないような夢を追っていると思う人もいるかもしれない。だが、幸運にもすばらしい研究者が集まり、努力が実を結びはじめている。

この本でのわたしのもくろみは野心的だ。脳がどう働くかについて、包括的な理論を提案する。知能がいかなるもので、脳からどのように生み出されているのかを説明する。この本で提案する理論は、まったく新しいものというわけではない。これから述べる考えの多くは、すでに個別にはなんらかのかたちで存在している。だが、ばらばらのままなので、一貫した概念にまとめることに大きな意義がある。「新しい考え」には、古い考えを解釈し直したり、よりよく見せたりしたものも多い。この本で提案する理論もそうだ。だが、視点や観点を変えると大きな違いが生まれることもあるし、膨大な詳細の山と一つの明確な理論のあいだには雲泥の差がある。

わたしの理論を聞いた多くの人々は、たいていこんな反応をする。「なるほど、そのとおりだ。知能をそんなふうに考えたことはなかったが、いまの説明を聞いてみると、まったくつじつまがあっている」と。この本の読者にも同じ印象を与えたい。また、この知識を得たほとんどの人々は、自分自身の見方が少し変わる。自分の行動を観察し、分析しはじめる。「いま、頭の中で起こったことがわかったぞ」と考える。願わくは、この本を読み終えたあとに、自分の思考がなぜ生まれ、行動がなぜ起こったのかを、新しい認識で眺めるようになってほしい。さらには、この本をきっかけに、知能を備えた機械をつくる仕事につく読者があらわれ、これから概説する原理が使われることを望んでいる。

わたしはこの理論と知能の研究方法を説明するために、よく「真の知能」という言葉を使い、「人工知能」と区別している。人工知能の研究者は、知能というものや理解することの本質をあきらかにしないで、コンピューターが人間のように振る舞うプログラムを書いてきた。知能を備えた機械にもっとも重要な要素、つまり、「知能」を忘れているのだ。知能を備えた機械をつくろうとする前に、まず脳がどのように考えるのかの解明が必要であり、そこには「人工」の要素は何もない。「真の知能」という表現はこれをよくいいえている。

この本では、真の知能を理解したあとに、ようやくそれを備えた機械のつくり方を考えられる。まず歴史を振り返り、過去の挑戦が知能の解明や知的な機械の実現に失敗した理由をあきらかにする。つぎに、わたしの理論の核心である「記憶による予測の枠組み」を紹介し、議論を発展させる。第6章では、この枠組みが生体の脳でどのように実現されているか、つまり、実際の脳がどのように働くかを詳しく説明する。それから、この理論が社会などに与える影響を検討する。これはほとんどの読者にとって、もっとも興味をそそられる部分だろう。最後の話題として、知能を備えた機械について考える。どんな方法でつくることができ、どんな未来がもたらされるのか？　わくわくしながら読んでもらえれば最高だ。この本の全体をとおして、つぎのような質問に答えていく。

コンピューターは知能を持つことができるか？

人工知能の研究者の何十年にもわたる主張では、コンピューターの性能がじゅうぶんにあがれば知能を持たせられるという。わたしはそう思わない。この本ではその理由を説明する。脳とコンピューターの働きは、根本的に異なっている。

ニューラルネットワークは知能を備えた機械に発展しないのか？

もちろん、脳はニューロンのネットワークでできている。だが、その働きを解明することなく、単純な構造のニューラルネットワークに頼っているのでは、コンピューターのプログラムと同じように、知能を備えた機械に発展する見込みはない。

脳がどのように働くかを解明することは、なぜそれほど難しかったのか？

ほとんどの科学者は、脳がきわめて複雑なので、解明できるのはずっと先だと主張する。わたしの意見は違う。複雑だから解明できないのではなく、解明されていないから複雑に見えるだけだ。むしろ、いくつかの直観的な仮定が間違っていたために、研究者がまどわされてきたのだと思う。もっとも大きな誤りは、知能が知的な振る舞いによって定義されるという思い込みにある。

知能が振る舞いで定義されないのなら、その本質は何なのか？

脳は膨大な量の記憶を使い、現実世界のモデルを形成している。人間のあらゆる知識と認識は、このモデルの中に蓄えられている。脳は記憶にもとづくモデルを使い、将来の出来事を絶え間なく予測する。未来を予測する能力こそが知能の本質だ。脳がどのように予測をたてるのかは、この本の主題であり、徹底的に議論する。

脳は実際にどのように働くのか？

知能は新皮質に宿っている。新皮質はきわめて柔軟で、さまざまな種類の能力を発揮するが、細部の構造は驚くほど均一だ。部位によって、視覚、聴覚、触覚、言語などに機能が特化されていても、すべての働きはいくつかの同じ原理に支配されている。新皮質の謎を解く鍵は、これらの原理と、とくに、その階層的な構造の解明にある。そこで、新皮質をじゅうぶんに詳しく考察し、どのようにして現実世界の構造が記憶されるのかを示す。その説明はこの本の中でもっとも専門的な記述となるが、科学者でなくても興味をいだき、理解できる範囲のはずだ。

新しい理論によって、つぎに何がわかるのか？

この本で提案する理論は、数多くの問題を解く糸口になる。たとえば、創造性とは何か、意識とは何か、人間はなぜ先入観にとらわれるのか、どうやって学習しているのかなどだ。このような問題にも、新しい理論による説明を試みたい。突きつめれば、人間とは何か、その行動はなぜ起こるのかという考察だ。

知能を備えた機械をつくることは可能か？　その用途は？

もちろんつくることは可能だし、実際につくられるだろう。これから数十年のあいだに、そのような機械の実用化が急速に進み、面白い方向に発展していくはずだ。知能を備えた機械が人類に危害をおよぼすという意見もあるが、その考えには真っ向から反論する。ロボットに世界を席巻《せっけん》されるわけではない。知能を備えた機械は、物理学や数学といった高レベルの思索では人間の能力をしのぐものになるが、SF（サイエンスフィクション）に登場して話したり歩いたりするロボットよりは、はるかにつくりやすい。この技術の驚くべき発展の可能性を紹介したい。

わたしの目的は、だれにでも理解できる方法で、知能についての新しい理論を提案し、脳がどのように働くかを説明することだ。すぐれた理論は簡単に理解されるべきであり、専門用語やまわりくどい説明が邪魔をしてはいけない。そこで、はじめに基本的な枠組みを与え、だんだんと詳細を加えていく。論理的な推理だけにもとづく議論もあれば、脳神経を流れる具体的な信号の説明もある。提案の細部にはきっと誤りがあるだろうが、それはどんな科学の研究にもつきものだ。完全な理論の確立には何年とかかるかもしれないが、だからといって、根本にある考えの威力が損なわれるわけではない。

何年も昔、わたしがはじめて脳に興味を持ったとき、地元の図書館にいき、脳の働きがわかる良書を探した。一〇代のころから、いい本を見つけるのが得意で、どんな話題に興味を持ったときも、たいていうまく探すことができた。相対性理論、ブラックホール、手品、数学など、当時の好奇心はすべて本によって満たされた。ところが、脳については、目的にかなう本が一冊もない。だれ一人として、脳がどのように働くかの理論を持ちあわせていないのだろうか？　でたらめな考えや、立証されていない仮説さえもない。ただ単純に存在しない。まったく奇妙だ。たとえば、だれも恐竜の絶滅を見たことはないのに、その理由には多数の説があり、すべてを本で読むことができる。どうして脳だけが例外なのか？　はじめのうちは信じられなかった。これほど重要な器官なのに、なぜ働きがわかっていないのだろう？　脳についての過去の研究を調べていくうちに、わたしは簡単に説明できるに違いないと確信しはじめた。脳に魔力は感じないし、それほど複雑な働きをしているとさえ思えない。数学者のポール・エルデシュによれば、もっともわかりやすい証明はすでに「天空の書」に示されていて、同じように、知能の説明も「すでに示されている」のではないか？　そんな気がした。わたしも天空の書を読みたいと思った。

これまでの二五年のあいだ、脳について簡潔かつ単純明快に書かれた本のことばかり考えてきた。心に浮かぶ本の姿は、ウマの鼻先につるされたニンジンのように、わたしの意欲をかきたててきた。そして、いまや、あなたが手にしている本として結実した。科学にせよ技術にせよ、複雑なものは気に入らない。その思想はわたしが設計した製品にも反映されていて、しばしば使いやすいとの評価を受ける。もっとも強力なものは、おしなべて単純だ。だから、この本では知能についての単純明快な理論を提案する。ぜひ、楽しんで読んでいただきたい。

第1章　人工知能（ＡＩ）

脳を知りたい

一九七九年六月にコーネル大学を卒業したときには、人生に大きな目標があったわけではない。専攻が電気工学だったので、インテル社に就職し、オレゴン州ポートランドの新しい工場で技術者として働きはじめた。マイクロコンピューターの産業がたちあがったばかりで、インテル社はその中心にいた。主力製品はシングルボードコンピューターで、一枚の回路基板にコンピューターのすべての部品が載っている。インテル社のマイクロプロセッサーの発明によって実用化が可能になったものだ。わたしの仕事は、製品が使われて見つかった不具合を解析し、修正することだ。技術情報のニュースレターを発行し、何度か出張して顧客に会う機会もあった。若い盛りで仕事は楽しかったが、大学時代からの恋人がシンシナティで就職し、会えないのが寂しかった。

数か月たったときに、のちの人生を変える出会いが起こった。その相手は、発行されたばかりの《サイエンティフィック・アメリカン》誌九月号で、一冊まるごと脳の特集だった。読んでいて、少年時代の脳への興味が再燃した。わくわくしながら、さまざまな知識をむさぼった。脳の構造、進化、化学的性質をはじめ、視覚や運動などの個別の機能を実現する神経回路、精神疾患の生物学的な根拠、などなど。この雑誌の歴史の中で、最高のできばえの一冊に数えられるだろう。この号に影響されて職業を決めたという神経科学者が何人もいる。わたしもその一人だ。

特集の最後に、「脳を考える」と題された論文があった。著者のフランシス・クリックはDNA（デオキシリボ核酸）の分子構造を発見した科学者の一人だが、すでに当時は脳の研究に転じていた。その論文によれば、脳についての詳細な知識は着実に集まってきているものの、全体としての働きは依然として深い謎に包まれているという。科学者はふつう未解決の問題について書きたがらないが、クリックは気にしなかった。はだかの王様を指差した少年のようなものだ。神経科学には大量のデータがあるが、理論がない。正確に引用すれば、「あきらかに欠けているのは、広範な概念の枠組みである」と書かれていた。だが、これはイギリスの紳士ならではの表現で、わたしにはこんな言葉に聞こえた。「脳がどのように働いているのかは、だれにもわかっちゃいない」と。それが当時の実情であり、現在もそうだ。

クリックの言葉は、戦いの合図に聞こえた。脳の働きを理解し、知能を備えた機械をつくりたい。かねてからの望みが息を吹き返した。大学を卒業したばかりだったが、生涯の仕事を変える決心をした。脳について研究し、機能を解明するだけでなく、その知識をもとに新しい技術を開拓して、知能を備えた機械をつくろう。だが、その計画を実行に移すまでには、少し時間がかかることになる。

一九八〇年の春、会社のボストンの事務所に転勤になり、大学院で勉強をはじめていた恋人と再会して、のちには結婚する。新しい仕事は教育の担当で、マイクロプロセッサーが組み込まれたシステムの設計方法を顧客や同僚に指南する。だが、脳の理論を研究する方法を探すという、べつの目標も視野に入れていた。わたしは技術者としての直観で、脳はいったん働きが解明されれば人工的に実現することができ、そのときには半導体が使われるはずだと考えた。インテル社は半導体のメモリーチップとマイクロプロセッサーを発明した会社だ。うまく提案すれば、勤務時間の一部を知能についての思索や、脳に類似したメモリーチップの設計にあてられるだろう。そこで、会長のゴードン・ムーアに手紙を書いた。その内容を要約すれば、つぎのようになる。

ムーア会長殿

脳の働きを解明することに専念する研究グループの設置を提案します。最初は一人の社員、つまり、わたしだけではじめることが可能です。研究を成功させる自信があります。将来は大きな事業に成長するでしょう。

ジェフ・ホーキンス

ムーアのはからいにより、会社の首席研究員のテッド・ホフと会うことになった。カリフォルニア州に出向き、脳について研究する提案を説明した。ホフには二種類の業績があった。一つは、わたしも知っていたが、最初のマイクロプロセッサーを設計したことだ。もう一つは、当時のわたしは知らなかったが、初期のニューラルネットワークの理論的な研究だった。つまり、人工のニューロンを扱い、それを何かに応用した経験があった。その点を踏まえての準備が、わたしには欠けていた。提案を聞いたホフの回答は、脳の働きは当分のあいだ解明できないので、会社が支援する種類の研究ではないというものだ。この判断が正しかったことは、二五年後の現在も脳の解明はようやく大きな進歩をはじめたばかり、という事実が示している。ビジネスにおいては、何よりもタイミングが重要だ。

それでも、当時のわたしはかなり落胆した。

わたしは目標に向かうとき、もっとも面倒の少ない道を探す。インテル社で脳の研究ができるなら、いちばん簡単にことが運ぶ。その選択肢が消えたからには、次善の策を選ぶしかない。そこで、ＭＩＴ（マサチューセッツ工科大学）の大学院に願書を出した。人工知能の研究で有名な大学で、好都合なことに、自宅から車で少し走ればたどり着く。条件もぴったりじゃないか。わたしはコンピューター科学に造詣が深い――合格。知能を備えた機械をつくりたいと思っている――合格。脳を研究し、その働きを解明したい――うーん、ちょっと問題だ。この最後の望み、つまり、脳の働きを解明するという目標は、ＭＩＴの人工知能研究所の科学者にしてみれば、まったくお話にならないだろう。

わたしは壁にぶちあたった。ＭＩＴは人工知能（ＡＩ）の研究の母艦だ。わたしが出願したときには、聡明な研究者が何十人と集まり、プログラムによってコンピューターに知的な振る舞いをさせるという考えにとりつかれていた。これらの学者にとって、視覚、言語、ロボット、数学などはプログラミングの問題にすぎない。コンピューターには脳がやっていることも、それ以上のこともできる。それなのに、どうして乱雑な生体のコンピューターに束縛される必要があるのか？　脳の研究は、思考の自由度を制限する。それよりも、計算の理論をコンピューターですっきりと表現し、その限界を研究したほうがいい。

まず人間の能力に匹敵し、つぎにそれを超えるプログラムを書くことが、人工知能の究極の目標と信じられていた。「目的のためなら手段を選ばなくてよい」という方針のもとに、実際の脳の働きは見向きもされなかった。神経生物学を無視することを誇りにする研究者もいたほどだ。

あきらかに間違った方法で問題に取り組んでいる、とわたしは思った。ほぼ間違いなく、人工知能の研究は人間の能力をプログラムで実現できないし、知能の本質も解明できないだろう。なぜなら、コンピューターと脳は完全に異なる原理でつくられているからだ。前者はプログラムされ、後者は自分で学習する。一方は完璧な動作を必要とし、もう一方は生まれつき柔軟なので多少の不調には影響されない。かたや中心にプロセッサーがあり、かたやいっさいの集中的な制御がない。違いはいくらでもあげられる。わたしがコンピューターに知能がないと思った最大の理由は、コンピューターの動作をトランジスターの物理的な性質のレベルで知っていたからだ。この知識は、脳とコンピューターが根本的に別物であるという、強い直観をもたらした。論理的には説明できなかったが、人間に働くもっともたしかな直観だと思う。人工知能は最終的に有用な製品を生むかもしれないが、本物の知能を備えた機械をつくるのはおそらく不可能だろう。

それに対して、わたしは真の知能と知覚を解明したいと思っていた。脳の生理学と解剖学を研究し、フランシス・クリックが出した難問に挑戦して、脳の働きを説明する広範な理論の枠組みを提案したい。とくに、新皮質が重要だ。哺乳類でもっとも新しく発達した部分で、知能の中枢と考えられている。新皮質の働きを解明すれば、知能を備えた機械をつくることに着手できるが、それまでは無理だ。

不運なことに、わたしと面接したＭＩＴの教授や大学院生は、だれもこの考えに興味を示さなかった。知能を解明したり、知能を備えた機械をつくったりするためには、実際の脳を研究する必要はないという意見だった。そう明言された。一九八一年、わたしは不合格になった。

人工知能の研究の盛衰

多くの人々は、人工知能の研究がいまも活発につづいていて、コンピューターの性能が高くなりさえすれば、数多くの成果が実用化されるものと信じている。記憶容量がじゅうぶんに大きくなり、プロセッサーがじゅうぶんに速くなれば、人工知能の研究者は知能を備えた機械をつくれるというわけだ。だが、それは違う。人工知能には根本的な欠陥があり、知能とは何なのか、理解とはどういうことなのか、といった問題を適切に取り扱えていない。人工知能の歴史を簡単に振り返れば、誤った信条によって研究がいかに正しい針路から外れていったかがわかる。

人工知能の研究は、デジタル式のコンピューターの出現とともにはじまった。初期の活動の鍵を握る人物に、イギリスの数学者のアラン・チューリングがいる。汎用コンピューターを考案した一人であり、万能の計算という概念を明確に示すことで、大きな業績を残した。この概念にのっとったあらゆるコンピューターは、細部がどのようにつくられていても、根本的に同じことができる。その証明の過程で提案された仮想的な機械は、三つの基本的な部分からなる。処理をする箱、紙テープ、そして、テープを左右に動かしながら、その上の記号を読み書きする装置だ。テープには、コンピューターが扱う記号として有名な「1」と「0」のような形式で、情報が蓄えられる。記憶装置として紙テープが想定されたのは、まだメモリーチップやディスク装置が発明されていなかったからだ。箱は現在のコンピューターのCPU（中央処理装置）に相当し、いくつかの決まった規則にしたがって、テープの上の情報を読んだり書き換えたりする。規則を適切に選び、無限に長いテープを与えれば、計算として定義されるあらゆる問題が解けることを、チューリングは数学的に証明した。この仮想的な機械が現在では万能チューリング機械と呼ばれ、数多くのコンピューターとして実現されている。計算する問題が平方根、弾丸の軌跡、ゲームの勝敗、映像の編集、銀行の取り引きなどであっても、最後にはすべて「1」と「0」の操作に展開されるので、すべてをチューリング機械で解くことができる。情報の処理としての違いはない。すべてのコンピューターは、論理的に同じものなのだ。

チューリングの結論は疑いもなく正しく、驚くほど有益だった。これをもとに、やがてコンピューター革命がもたらされ、さまざまな製品が生まれていく。つぎに、チューリングは、機械に知能を持たせられるかという問題に目を向けた。コンピューターを使えばできると思ったが、可能かどうかの議論には巻き込まれたくなかった。また、「知能」の論理的な定義は不可能と考え、試みもしなかった。そのかわりに提案したのが、知能の存在を証明する方法として有名なチューリング・テストだ。すなわち、もしもコンピューターが人間の質問者をだまし、自分を人間と思わせることができれば、知能が備わっているものと定義される。こうして、チューリング・テストという尺度、チューリング機械という道具を追い風に、人工知能の研究がはじまった。その基本原理によれば、脳はコンピューターの一種にすぎない。人工知能のシステムをどのように設計するかは問題ではなく、人間のような振る舞いができさえすればいいのだ。

人工知能の研究の推進者は、コンピューターの計算と人間の思考の共通点を指摘した。「いいかい、人間の知能がもっとも顕著にあらわれる行為では、抽象的な記号の操作がはっきりと実行されている。まさしく、コンピューターと同じことをやっているんだ。人間

に明確という文法り、操を号記な的念観ういと葉言　？るいてしうど、きとるすを話会が

定義された規則を使う。チェスをするときは？　やはり、駒《こま》の種類と場所を記号であらわしている。ものを見るときは？　物体の位置や名前などの属性を抽象的な記号で表現している。もちろん、これらの行為はすべて脳でおこなわれていて、やり方はコンピューターと違う。だが、チューリングが示したように、実現手段や記号の操作方法は問題じゃない。歯車と変速機を使おうが、電子スイッチを組みあわせようが、脳のニューロンをつなげようが、なんでもかまわない。要求されるのは、万能チューリング機械と同じ機能だけだ」

この主張をあと押ししたのが、一九四三年に発表され、大きな影響をおよぼした科学論文だった。その著者である神経生理学者のウォーレン・マカロックと数学者のウォルター・ピッツは、ニューロンがいかにしてデジタル信号の処理を実行できるかを示した。つまり、コンピューターの内部でおこなわれる形式的な論理演算が脳内で実現できるはずだというのだ。その根拠は、論理ゲートと呼ばれる電子回路と同じ働きがニューロンにも可能なことにある。このゲートは、論理和（OR）、論理積（AND）、否定（NOT）といった単純な演算を実行する。コンピューターのチップには何百万という論理ゲートが組み込まれていて、すべてが精密につながって複雑な回路を構成している。CPUも論理ゲートの集まりにすぎない。

　この論文では、ニューロン同士が適切につながると、論理演算を実行できることが指摘された。ニューロンは入力として集まってくる刺激を検出して分析し、自身が興奮を出力するかどうかを決める。だから、生きた論理ゲートとみなしていい。そこで、脳をデジタル信号の電子回路にそのままなぞらえれば、論理和、論理積などのゲートがすべてニューロンで形成され、脳全体を構成しているという考えが成りたつ。マカロックとピッツが実際に脳を論理回路とみなしていたかどうかは定かではない。その可能性が主張されただけだが、理屈としては、ニューロンは論理ゲートのように働き、デジタル信号を処理することができる。だが、実際のニューロンのつながりがどうなのか、わざわざ脳の中を調べるものはいなかった。脳がコンピューターの一種であることは、生物学的な根拠が示されていないにもかかわらず、証明されたものとみなされた。

　人工知能の実現の方針が、二〇世紀の前半に心理学を席巻した行動主義に肯定されたとも、かえって足を引っ張った。行動主義の心理学者は、脳を閉ざされたブラックボックスとみなし、内部の活動は解明できないものと考える。だが、動物が置かれた環境とそのときの行動なら、観察し、測定することができる。感覚と行動、つまり、入力と出力だ。脳には条件反射の機構があるので、動物に新しい行動をしつけるときには、報酬と懲罰を与える手段が使われる。この現象だけは研究する価値があるが、それ以外の、とくに空腹や恐れのような主観的であいまいな感情や、何かを理解することの意味などは、考えるだけ無駄だとされた。当然のことながら、このような研究の方針は、二〇世紀の後半になって結局は衰退した。だが、人工知能のほうは行動主義にずっと長くしがみついていた。

　第二次世界大戦が終わり、コンピューターの用途が軍事にかぎられなくなると、人工知能の先駆者たちは本気になってプログラムを書きはじめた。自動翻訳？　簡単さ！　暗号の解読と同じ。ある言語のそれぞれの記号を、別の言語の対応する記号に変換するだけ。画像認識？　これも問題なし。幾何学の定理がわかっていて、移動も回転も拡大もできるから、コンピューターのアルゴリズムに書き換えるのは簡単。もう半分できたようなものだ。人工知能の専門家は大口をたたき、コンピューターの知能がいかに早く人間に追いつき、追い越すかを喧伝《けんでん》した。

　皮肉なことに、チューリング・テストの合格にもっとも近づいたのは、ジョークとして書かれたプログラムだった。〈イライザ〉と命名されたこのプログラムは、精神分析医をまねて、相手の言葉を別の表現にして返してくる。たとえば、被験者が「ボーイフレンドとはもう口をきかない」と入力する。〈イライザ〉は「ボーイフレンドについて、もう少し聞かせて」とか「なぜボーイフレンドとはもう口をきかないと思うの？」などと答える。機械的に応答するだけの単純なプログラムだが、それでも、実際に何人かの被験者が人間と会話しているとだまされた。

もっと真面目な研究の成果としては、「積み木の世界」のプログラムがある。さまざまな色やかたちの積み木が置かれた部屋を、コンピューターによってシミュレーションするものだ。人間は「緑の三角錐《かくすい》が大きな赤の立方体の上に載っているか？」と尋ねたり、「青の立方体を小さな赤の立方体の上に置け」と命じたりできる。プログラムは質問に答え、命令にしたがおうとする。すべてシミュレーションとはいえ、うまく動作する。だがそれは、積み木の世界という、高度に人為的な環境にかぎられていた。このプログラムを一般化し、実際の役にたたせることはできなかった。

人工知能の技術の成功はうわべだけのものだったが、ニュースで絶え間なく報じられたために、世間は強い印象を受けた。初期に反響を呼んだプログラムの一つは、数学の定理を証明するものだ。プラトンの時代以来、三段論法のような演繹《えんえき》的推論は人間の知能の最高点にあるものとみなされているので、最初は人工知能が大成功をおさめたように思われた。だが、積み木の世界と同じく、このプログラムの限界があきらかになった。きわめて単純な、すでに知られている定理しか証明できないのだ。

つぎに大評判となったのがエキスパートシステムで、事実を集めたデータベースを使い、人間が提示する質問に答えることができた。たとえば、医療のエキスパートシステムなら、患者の症状の一覧が与えられると、その病名を診断する。ところが、やはり用途はかぎられることが判明し、一般的な知能には少しも近づかなかった。

　また、ボードゲームの対戦においてはコンピューターがチェッカーで人間の専門家に匹敵する強さを発揮し、最後にはＩＢＭ社（インターナショナル・ビジネス・マシーンズ）の〈ディープ・ブルー〉がチェスで世界王者のガルリ・カスパロフを破って有名になった。もっとも、この成功はむなしい。コンピューターが勝ったのは人間よりも賢いからではなく、計算が何百万倍も速いからだ。〈ディープ・ブルー〉には直観がない。人間の名人は駒の位置を見て、ただちに優位な領域や危険な箇所を知る。コンピューターは重要性をかぎとる感覚を備えていないので、かなり多くの手の得失をいちいち計算しなければならない。さらに、〈ディープ・ブルー〉は過去に指した手を考慮しないし、相手のくせも理解しない。チェスをしていても、勝負を理解していない。ちょうど電卓が計算を実行していても、数学を理解していないのと同じように。

　人工知能の成功したプログラムは、どれも特定の仕事だけが得意で、その目的に最適となるように設計されている。一般性も柔軟性も示さないし、人間と同じ思考をしていないことは設計者自身も認めている。人工知能の課題の中には、最初は簡単に実現できると思われたのに、まったく歯がたたなかったものもある。二〇〇四年の時点でも、コンピューターには三歳児ほどの言葉を理解する能力も、ネズミほどの物体を認識する能力もない。

　多年の努力にもかかわらず、期待は裏切られ、文句なしの成功とは無縁のまま、人工知能は輝きを失っていった。研究者はほかの領域に移り、人工知能の技術を商品化するために設立された企業は倒産した。そして、研究への補助金が減らされた。認識、言語、行動のもっとも基本的な作業でさえ、コンピューターのプログラムによる実現は不可能に思われた。現在でも、その状況に大きな変化はない。それでも、先ほど述べたように、コンピューターがもっと高速になれば人工知能の問題は解けると信じている人々もいる。だが、ほとんどの科学者は、試みそのものに無理があると考えている。

　人工知能の失敗を、先駆者たちのせいにしてはいけない。アラン・チューリングはすばらしい才能の持ち主だった。チューリング機械が世界を変えることはあきらかだった。そして、実際にそうなった。ただし、人工知能を使わずに。

コンピューターは知能を持てるか

　人工知能に対するわたしの疑念は、ＭＩＴに願書を出したのと同じころに強まった。その当時、カリフォルニア大学バークレー校の権威ある哲学教授のジョン・サールが、コンピューターには知能がなく、それを持たせることもできないと主張していた。その証明として、一九八〇年に「中国語の部屋」と呼ばれる思考実験が提案された。これはつぎのようなものだ。

壁の一か所に隙間《すきま》のあいた部屋があり、中には英語しか話せない男がいて、机に向かって座っている。机上には一冊の大きな指示書と、必要なだけの鉛筆とメモ用紙がある。指示書は英語で書かれていて、漢字の操作、分類、比較などの方法が説明されている。断っておくが、言葉の意味については何も書かれていない。指示されているのは、文字を書き写したり、消したり、並べ替えたり、置き換えたりする方法だけだ。

壁の隙間から、一枚の紙が投げ込まれる。そこには中国語が書かれていて、内容は物語とそれについての質問だ。部屋の男は中国語の文章を読みあげることも理解することもできないが、紙をひろいあげ、指示書にもとづいて作業をはじめる。書かれているとおりに、せっせと手順をこなしていく。漢字をメモ用紙に書くこともあれば、消してべつの場所に移すこともある。まったく機械的に書いたり消したりする作業を、終了の指示を受けるまでつづける。作業が終わったときには、机上には一枚の紙が残っていて、書かれた漢字が並んでいる。それは質問の答えなのだが、男に意味はわからない。指示書の最後の要求は、その紙を隙間から返すことだ。男はそれにしたがったあと、この退屈な仕事はなんだったのかといぶかる。

部屋の外では、中国語を話す人が紙を読む。答えはまったく正しく、見識さえ感じられる。答えを書いた人に知能があり、物語を理解しているかと尋ねられれば、外の人は間違いなく肯定の言葉を返すだろう。だが、それは正しいのだろうか？　だれが物語を理解したのだろうか？　中の男でないことはたしかだ。中国語を知らないし、何の物語かもわかっていない。指示書も違う。なんの主体性もなく、机上に置かれて動かないまま、メモ用紙の山にうずもれて机上に置かれている。それならば、理解はどこで起こったのか？　サールの主張では、理解はいっさい起こっていない。やみくもにページがめくられ、文字が走り書きされただけだ。ここで、この思考実験のたねをあかそう。中国語の部屋でおこなわれることは、コンピューターの内部とまったく同じだ。男はＣＰＵで、機械的に命令を実行する。指示書はソフトウェアのプログラムで、ＣＰＵに命令を供給する。そして、メモ用紙は記憶装置だ。ということは、いかにコンピューターがうまく知能をシミュレーションし、人間と同じ振る舞いをするように設計されたとしても、何かを理解することはないし、知能を備えることもない。なお、知能の本質が何かは、サール自身もわからないと明言している。そして、それがなんであれ、コンピューターには持たせられないことだけを主張した。

中国語の部屋の提案によって、哲学者と人工知能の専門家を巻き込んでの大論争が起こった。何百という論文が書かれ、誹謗《ひぼう》や反目に発展したこともある。人工知能の支持者は、何十という反論を考え出して対抗した。たとえば、部屋のどの要素も中国語を理解していないが、全体として理解しているとか、部屋の男はじつは中国語を理解しているが、それを自覚していないとかいった主張だ。わたしはサールが正しいと思った。中国語の部屋の主張と、コンピューターの動作を考えあわせると、理解はどこにも起こっていない。そもそも、「理解」とはなんなのか？ それを定義しなければ、システムが知能を備えているかいないかの基準も、中国語を理解しているかいないかの区別も、あきらかにならないだろう。これらの違いは、行動からはわからない。

人間が物語を理解するためにはいっさいの「行動」を必要としない。わたしが静かに本を読むだけで、ほかの行動を何一つとらなくても、あきらかに理解して知識が得られると、少なくとも本人は思っている。一方で、周囲の人間には、わたしの静かな態度からは、物語を理解したかどうかがわからない。それどころか、物語の書かれている言語を知っているかどうかさえ、判断がつかないだろう。質問をして確かめることもできるが、理解したのは物語を読んだときであり、質問に答えた瞬間ではない。この本で主張することの一つは、理解したかどうかは外部から見える行動では判断できないというものだ。行動ではなく、以降の章で説明するように、脳がどうやって物事を記憶し、それを使って予測をたてているかという、内部の活動が基準になる。中国語の部屋も、〈ディープ・ブルー〉も、コンピューターのほとんどのプログラムも、脳内活動に相当する機能を持っていない。したがって、自分の働きを理解していない。コンピューターの行動、すなわち出力がどれだけ知的に見えたとしても、そこに知能は存在しない。

人工知能を支持する人々の究極の主張は、コンピューターが、理論的には、脳全体をシミュレーションできるというものだ。すべてのニューロンとそのつながりをモデル化すれば、実際の脳とシミュレーションのあいだに「知能」の差はない。実際にできるかどうかはべつにして、この主張には同意する。だが、人工知能の研究者は脳のシミュレーションをしていないから、つくられるプログラムが知能を備えることはない。そもそも、脳がどのように機能しているかを解明しなければ、シミュレーションは不可能だ。

ついに、脳の研究へ

インテル社に提案を却下され、ＭＩＴに入学を拒絶されると、わたしにはなすすべがなかった。何をすればいいかわからないときの最良の戦略は、たいていの場合には、状況が変わるまで何もしないことだ。そこで、とりあえずコンピューターの業界で仕事をつづけた。ボストンでの生活に不満はなかったが、一九八二年に妻がカリフォルニア州への引っ越しを望んだので、それにしたがった。これもまた、もっとも面倒の少ない道だ。シリコンバレーで、グリッド・システムズ社というベンチャー企業に働き口を見つけた。この会社が発明したノートパソコンは、外形の優雅さから、ニューヨーク近代美術館に収蔵された最初のコンピューターとなったほどだ。わたしははじめに市場開拓、つづいて技術の仕事につき、ついには〈グリッドタスク〉という高水準のプログラム言語を開発した。この言語のおかげで会社の業績がだんだんとあがり、わたしも出世していった。

それでも、脳への興味や、知能を備えた機械への好奇心は、頭から振り払うことができなかった。脳を研究したいという欲望のとりこになっていた。そこで、通信教育を申し込み、人間の生理学を独学で勉強しはじめた。通信教育なら、拒絶される心配はない。独学でかなりの知識を得たあと、大学院に入学して生物学の領域から知能を研究しようと決心した。コンピューター科学が脳の専門家を必要としなくても、おそらく、生物学はコンピューター科学者を歓迎するだろう。当時は理論生物学の専攻はなく、ましてや計算理論的神経科学の概念すらなかったので、わたしの興味には生物物理学が最適と思われた。熱心に勉強して入学試験を受け、履歴書を準備して推薦状を書いてもらった。すると、どうだ！　合格したではないか。こうして、カリフォルニア大学バークレー校の大学院で、正式な学生として生物物理学を専攻することになった。

わたしは興奮した。とうとう、脳の理論を本格的に研究できる。少なくともそう思った。会社を辞めるとき、二度とコンピューター業界で働くつもりはなかった。もちろん、それはかなりのあいだ給料がなくなることを意味する。妻が「そろそろ家を買って子供をつくるころ」と考えはじめていたところに、夫は喜び勇んで無収入になった。あきらかに、面倒の少ない道ではない。だが、これがわたしの最良の選択であり、妻も賛同してくれた。

退職する直前に、グリッド・システムズ社の創業者のジョン・エレンビーから社長室に呼び出され、こんな提案をされた。「きみがわが社や、コンピューター業界に戻る気がないことは知っている。だが、明日のことはだれにもわからない。完全に辞めないで、休職にしてはどうかな？　そうすれば、もしも一、二年後に復職することになったら、いまの給料と、地位と、ストックオプションを取り戻せる」と。なんともありがたい話だ。わたしはこの申し出を受け入れたが、コンピューターの仕事からは永久に離れるだろうと、このときは思っていた。

第2章　ニューラルネットワーク

ニューラルネットワークの理想と現実

一九八六年一月、カリフォルニア大学バークレー校に入ったあと、研究の手始めとして、知能と脳の働きについての理論の変遷をまとめた。解剖学者、生理学者、哲学者、言語学者、コンピューター科学者、心理学者によって書かれた何百という論文を読んだ。

　さまざまな学問の数多くの研究者が、思考や知能について幅広く報告している。それぞれの分野で独自の学術雑誌が発行され、固有の専門用語が使われる。それぞれの記述のあいだに一貫性はなく、すべてを集めても完全にならない。言語学者が知能について語るときは、構文《シンタックス》や意味《セマンティックス》といった言葉が使われる。彼らにいわせれば、脳や知能はすべて言語とのかかわりを持っている。視覚の研究者は、形状を二次元で描写するとか、二・五次元や三次元で描写するとか説明する。彼らにいわせれば、脳も知能も視覚のパターンを認識するためのものでしかない。コンピューター科学者は、スキーマだフレームだと、知識をあらわすために生み出した新語を勝手に使う。いずれの研究者も、脳がどういう構造で、自分たちの理論をどのように実現しているのかは説明しない。その一方で、解剖学者と神経生理学者は、脳の構造とニューロンの振る舞いを詳細に報告するものの、たいていは大規模な理論への展開を避けようとする。さまざまな取り組みと、そこで得られた膨大な実験データをまとめるなどという、困難でやっかいな研究には挑戦しない。

そのころ、知能を備えた機械を考えるにあたり、見込みのありそうな新しい研究が脚光を浴びた。ニューラルネットワークである。理論そのものは、一九六〇年代の終わりからさまざまなかたちで存在していたが、研究が人工知能と競合するために、政府から助成金が得られず、知名度も低かった。当時の人工知能は、体重五〇〇キロのゴリラのように絶大な力を持っていて、競争相手を執拗《しつよう》に押さえ込んでいた。ニューラルネットワークの研究者はブラックリストに載ったかのように、数年にわたって補助金をもらえなかった。それでも、研究は少数の学者によってつづけられ、一九八〇年代の中ごろ、ついに日のあたる時代がやってきた。なぜ急に注目を集めるようになったのかは定かではないが、人工知能のたび重なる失敗が一因になったことは間違いない。人々は人工の「知能」にかわるものを探し、人工の「神経回路網《ニューラルネットワーク》」の研究に目をつけた。

ニューラルネットワークは、きわめて大まかにではあるが実際の神経系をまねている点で、人工知能よりも大きく進歩していた。研究者は「コネクショニスト」とも呼ばれ、コンピューターのプログラムには興味を持たず、ニューロンの一群を相互につなげることで、どのような種類の振る舞いがあらわれるかを突き止めようとした。脳はニューロンからつくられている。つまり、ニューラルネットワークだ。この事実は疑いようがない。そこで、コネクショニストは考えた。ニューロンが作用しあう様子を調べて、知能のあいまいな性質をあきらかにしよう。ニューロンのつながりを正確に複製して、人工知能では歯がたたなかった問題を解決しよう。ニューラルネットワークには、コンピューターと違い、CPUも、情報を集中的に蓄える記憶装置もない。ネットワークの知識と記憶は、つながり全体に分散されていて、まさに実際の脳と同じだ。

第一印象では、ニューラルネットワークはわたしの目的にぴったりのように思われた。だが、すぐに幻滅してしまった。そのころまでに、脳の働きの解明には三つの要素が不可欠であるという自説ができあがっていた。

第一の要素は、時間の概念だ。実際の脳は急速に変化する情報の流れを処理している。入ってくる情報にも、出ていく情報にも、一定のものはない。

第二の要素は、感覚の処理とは逆方向に流れる情報の重要性だ。脳の中のつながりが双方向であることは、神経解剖学者のあいだで古くから知られている。たとえば、新皮質は大脳の下側にある視床と呼ばれる組織から感覚の入力を受けとるが、このための順方向の伝導路よりも、「逆方向」のほうが約一〇倍も多い。つまり、新皮質に情報を入力する神経線織の一本ごとに、視床に情報を戻す神経線維が一〇本もある。逆方向のつながりのほうが多いのは、新皮質全体にわたる特徴だ。その正確な役割は解明されていないが、報告されている研究では、あらゆる場所に存在することが明確に示されている。そこで、わたしはこの逆方向の流れが重要に違いないという結論に達した。

第三の要素として、どんな理論やモデルも、生体としての脳の構造を説明する必要がある。新皮質の構造は単純ではない。あとの章で説明するように、何段もの階層になっている。ニューラルネットワークもこの構造にのっとらないかぎり、けっして脳のように働かないだろう。

だが、ニューラルネットワークが爆発的に流行するにつれて、ほとんどのモデルはこれらの要素を一つも含まない、いちじるしく単純なものに落ち着いていった。たいていは、少数のニューロンが三列に並べられる。最初の列が、入力のパターンをあらわす。これらのニューロンは、「隠れユニット」と呼ばれる二番目の列とつなげられる。隠れユニットはさらに最後の列、すなわち出力とつなげられる。ニューロンのあいだのつながりは強さが変わり、それに応じて、あるニューロンの興奮がつぎのニューロンの興奮を強めたり、弱めたりする。つながりの強さが変わることで、ネットワークは入力と出力のパターンの対応を学習する。

これらの単純なニューラルネットワークは、静止したパターンだけを学習し、逆方向の情報を使わず、まったく脳のような構造をしていない。もっとも一般的なニューラルネットワークである「誤差逆伝播《バックプロパゲーション》ネットワーク」は、学習の過程で、出力の列から入力の方向に誤りが伝達していく。これは逆方向の流れのように見えるが、実際には違う。誤りが戻されるのは学習の期間にかぎられる。ニューラルネットワークの訓練が終わり、通常の働きがはじまると、情報は一方向にしか流れない。もはや出力から入力には向かわない。さらに、このモデルには時間の概念が欠けている。静止した入力パターンが、静止した出力パターンに変換される。それが終わったあとで、べつの入力パターンが与えられる。直前に起こったことであっても、履歴や記録は残っていない。そして何より、脳の複雑な階層構造と比べ、たった三列の構造はまったくお粗末だ。

わたしはニューラルネットワークがすぐに実際の神経回路網に近づいていくと考えていたが、そうはならなかった。このような単純なモデルでも興味深い実験ができたので、研究は何年もつぎの段階に進まなかった。新しい面白い道具を手に入れ、一夜のうちに、何千人もの科学者、技術者、学生が補助金を得て、博士号をとり、本を執筆した。会社がつぎつぎと設立され、株価の予測、ローンの申し込みの審査、署名《サイン》の照合など、何百というパターン分類の作業に活用された。先駆者の目的はもっと一般的なものだったかもしれないが、いまやニューラルネットワークの研究は、脳の働きにも知能の解明にも興味のない人々に席巻《せっけん》されていた。

一般向けのジャーナリズムは、脳との違いをよくわかっていなかった。新聞、雑誌、テレビの科学番組は、ニューラルネットワークを「脳のような」あるいは「脳と同じ原理で働く」といった表現で紹介した。すべてをプログラムで書かなければならない人工知能と違い、実例から学習する点では、ともかくも、より知能が高いように思えた。はなばなしく実演されたのが、〈ネットトーク〉だ。このニューラルネットワークは、文字の並びと発音の対応を学習する。印刷された文章を使っての訓練が進むと、コンピューターの声が単語を読んでいるように聞こえる。もう少し時間をかければ人間との会話がはじまるような気がするのも、無理なことではない。朗読を学習する機械という誤解を受け〈ネットトーク〉は全米のニュースをにぎわした。見せ物としてはすぐれているが、実体は子供だましに近い。読んでいるわけでも理解しているわけでもなく、ほとんど実用性に欠ける。文字の組みあわせと、あらかじめ決められた音声のパターンを突きあわせているだけなのだ。

ニューラルネットワークが実際の脳とどれくらい違うかを示すために、一つのたとえ話をしよう。脳の働きを解明するかわりに、コンピューターの動作を理解するものと仮定する。何年もの研究によって、コンピューターがすべてトランジスターでできていることが発見される。それらが内部に何億個と存在し、たがいに精密かつ複雑につながっている。だが、コンピューターの働きは解明されていないし、トランジスターがそのようにつながっている理由もわからない。そこで、ある日、数個のトランジスターをつなげ、何が起こるかを調べてみる。おやおや、たったの三個でも、うまくつなげると増幅器《アンプ》になるぞ。一方の端に小さな信号を入れると、もう一方から大きくなって出てくる（ラジオやテレビの増幅器は、実際にこれと同じ方法でつくられている）。これは大きな発見で、たちまち産業が一つ誕生する。トランジスターの増幅器を使い、ラジオ、テレビなどさまざまな電子機器を製造しはじめる。それはそれでかまわないが、コンピューターについて何かが解明されたわけではない。増幅器とコンピューターがともにトランジスターでできていても、それ以外の類似性はほとんどない。まさにこれと同じように、実際の脳と三列のニューラルネットワークは、ともにニューロンで構成されているが、ほかの共通点は皆無に等しい。

一九八七年の夏、すでにさめていたニューラルネットワークへの期待に、さらに水をかけられる経験をした。ある会議に参加したとき、ネスター社という企業の発表を聞いた。ニューラルネットワークを応用して、タブレットで手書き文字を認識するプログラムを開発し、売り込みをかけていた。一〇〇万ドルでライセンスするという。わたしは興味を引かれた。ネスター社の説明によれば、ネットワークのアルゴリズムを洗練させたことで、性能が飛躍的に向上したらしい。だが、わたしの印象では、手書き文字の認識はもっと単純に、従来の方法を使って実現できそうに思える。その夜に家に帰ってから考えはじめ、二日後には、高速で、小規模で、順応性のあるプログラムの設計を終えていた。ニューラルネットワークは使わなかったし、脳のような働きはいっさいしない。このときの会議がきっかけとなって、ペン型の入力装置を備えたコンピューターの設計に興味をかきたてられ、一〇年後に〈パームパイロット〉が誕生する。同時に、ニューラルネットワークが既存の技術から大きく前進したものではないことも確信した。わたしがつくった手書き文字認識プログラムは、最後には文字入力システムへと発展し、〈グラフィティ〉と名づけられて初期のパーム製品に使われた。ネスター社は文字認識の事業から撤退してしまった。

単純なニューラルネットワークとは、この程度のものだ。機能のほとんどはほかの方法でも容易に実現でき、いつしかマスメディアの騒ぎはおさまっていった。少なくともニューラルネットワークの研究者は、自分たちのモデルに知能があるとは主張しない。結局のところ、その構造はきわめて単純で、できることは人工知能よりもかぎられる。ただし、すべてのネットワークが三列のニューロンからなるとは、考えないでほしい。もっと複雑なモデルを使った研究は、ずっとつづいている。現在では、「ニューラルネットワーク」という言葉で一くくりにされるものにはさまざまな種類があり、生体の神経回路網に近いものもあれば、そうでないものもある。だが、新皮質全体の機能や構造を再現しようとする試みは、ほとんど一つもない。

わたしの考えでは、ニューラルネットワークのもっとも根本的な問題は、人工知能と同じところにある。どちらも、振る舞いに焦点をあてているのが致命的なのだ。振る舞いを意味する言葉は「応答」「パターン」「出力」などと異なるが、いずれにせよ。そこに知能があらわれるものと決め込み、プログラムあるいはネットワークの処理で、与えられた入力からそれを生み出そうとする。人工知能やニューラルネットワークでは、最大の目的が望みどおりの出力を正しく得ることにある。アラン・チューリングから示唆されたままに、知能を行動になぞらえている。

だが、知能とは知的に振る舞い、動きまわるだけの能力ではない。行動には知能があらわれるが、だからといって、知能が行動にしかあらわれないわけではない。少し考えればわかるように、暗闇で横になっているだけでも、思案と推理をめぐらすことで、知能は発揮できる。頭の「中」の働きを無視し、外にあらわれる行動に重点を置くことは、知能の解明と、それを備えた機械の実現において、大きな障害となっている。

自己連想記憶

知能の新しい定義をさぐる前に、ニューラルネットワークのべつのモデルで、実際の脳の働きがかなりうまく説明できるものを紹介しておく。この研究の重要性は、困ったことに、ほとんど気づかれていない。

ニューラルネットワークが脚光を浴びていたときに、一部の研究者が主流を離れ、振る舞いを重視しないモデルを構築した。それは「自己連想記憶」と呼ばれ、やはり単純な「ニューロン」がたがいにつながれていて、ある閾《いき》値を超えると興奮する。だが、そのつながりに特色があり、数多くが逆方向に戻るようになっている。情報が前に流れるのは誤差逆伝播ネットワークと同じだが、それぞれのニューロンの出力がふたたび入力されてくる。まるで、自分自身に電話をかけるようなものだ。この逆戻りによって、いくつかの面白い特徴があらわれる。

すでに述べたように、ふつうのニューラルネットワークは入出力の組みあわせを学習する。そして、あるパターンが入力されると、それに対応するパターンを出力するようになる。ところが、自己連想記憶は入力パターンそのものを記憶し、入力と同じパターンを出力してくる。これが「自己連想」と呼ばれるゆえんだ。

この特徴は、はじめはこっけいに思えるかもしれない。蓄えたパターンをとりだすには、それと同じパターンを与える必要があるからだ。青果店にいき、バナナを買う場合にたとえてみよう。店の人に支払い方法を尋ねられて、バナナで払うと答える。こんな買い方のどこに意味があるのだろうか？　だが、この記憶には、実際の脳で見つかる数少ない重要な性質が備わっている。

もっとも重要な性質は、とりだすために与えるパターンが完全でなくてもよいことだ。一部しかなくても、いくらか崩れていてもかまわない。部分的に間違っていても、自己連想記憶からは、はじめに記憶されたままの正しいパターンが返ってくる。まるで、青果店に食べかけの茶色くなったバナナを持っていき、丸ごとの新鮮なものと交換するようなものだ。たとえが悪ければ、銀行に使い古しの破れた紙幣を持っていくと考えよう。銀行員はいう。「おやおや、ずいぶんとぼろぼろの一〇〇ドル札ですね。それをいただいて、こちらの手が切れるような新札をお渡ししましょう」

自己連想記憶の第二の重要な性質は、ほかの多くのニューラルネットワークと違い、パターンのシーケンス、すなわち、時間的なパターンを蓄えるように設計できることだ。この特徴は、逆方向の情報を遅らせることで実現される。この遅れによって、パターンのシーケンスを与えると、そのシーケンスが記憶される。たとえば、童謡の「きらきら星」のメロディーを記憶させ、最初の音をいくつか与えると、歌が最後まで返ってくる。シーケンスの一部をきっかけに、全体が思い出されるのだ。あとで述べるように、人間のあらゆる記憶は、実質的にパターンのシーケンスとなっている。そして、脳に自己連想記憶と類似した回路が存在することを、わたしはこの本で主張する。

自己連想記憶では、逆方向の流れと、時間とともに変化する入力の重要性が暗示されていた。だが、人工知能、ニューラルネットワーク、認知科学の研究者の大多数は、時間も逆方向の情報も無視してきた。

神経科学者も、だいたいにおいては似たり寄ったりだった。逆方向の流れの存在は、自分たちが発見者なのだから、もちろん知っている。だが、その研究のほとんどは「局面」とか「調整」とかのあいまいな理論にとどまり、脳でそれほど多くの情報が戻されている理由は説明されない。さらに、脳全体の機能において時間の概念が重要視されることは、まったくないか、きわめてまれだ。脳の機能はどこで何が起こるかによって分類され、時間とともに影響しあう神経の興奮のパターンが、いつ、どのように起こるかは示されない。

このような傾向が生まれた原因の一つは、現在の測定の技術に限界があるからだ。「脳の一〇年」と呼ばれる一九九〇年代にもてはやされた技術に、機能画像法がある。これを使った測定装置は、人間の脳の興奮を映像化する。しかし、急激な変化は記録できない。

そこで、被験者は一つの作業に集中し、繰り返し実行することを求められる。写真を撮るときに動かないように指示されるようなものだが、撮影の対象は知能の働きだ。その結果、特定の作業が脳の「どこ」でおこなわれるかを示すデータは大量に集まるが、刻々と変化する現実の入力が「どのように」流れるのかはわからない。機能画像法は、脳の興奮がある瞬間にどこで起きているかの洞察には役だつが、時間とともにどのように変化するのかは、ほとんど記録できない。このようなデータは科学者も望んでいるが、収集するための技術が未熟すぎる。その結果、認知神経科学者の多くは、入力から出力への一方通行という間違った考えから脱却できない。変化しない入力を与え、そのときに得られる出力を調べているために、新皮質のつながりは単純な流れ図で示される傾向がある。視覚、聴覚、触覚がはじめに一次感覚野から入り、高次の分析や立案をおこなう領域をへて運動野に到達していたり、筋肉に命令が送られる、というものだ。このモデルでは、何かを感じたあとに、はじめて行動が起こる。

だれもが時間と逆方向の流れを無視してきたと主張するつもりはない。大きな研究分野では、どのような考えにもたいていは支持者があらわれる。近年、逆方向の情報、時間、予測などを重要と考える意見が増えている。だが、人工知能や従来のニューラルネットワークの声高な主張が、長年にわたってほかの研究を抑圧し、その評価を不当に低めてきたのも事実だ。

知能と行動

知能が行動によって定義されるという考えを、素人から専門家までが一様にいだくのも無理はない。二〇〇〇年以上も前から、脳の働きは発条《ぜんまい》、ポンプとパイプ、蒸気機関などにたとえられ、最近ではコンピューターとみなされている。何十年にわたるSFの歴史を見ても、アイザック・アシモフの「ロボット工学の三原則」から『スター・ウォーズ』のC－3POまで、人工知能の発想が目白押しだ。知能を備えた機械が何かを「する」という概念から、人間の思考は離れられない。あらゆる機械は、実在のものも想像上のものも、何かをするように設計される。考える機械ではなく、動く機械がつくられる。それどころか、人間が他人を観察するときでさえ、注目するのは行動であって、その裏にある考えではない。こんなわけで、知能の尺度は行動に違いないと、直観的に思ってしまう。

ところが、科学の歴史を振り返ってみると、しばしば人間の直観が真理を発見する最大の障害になってきた。自然の法則を見つけるのが難しいのは、それが複雑だからではなく、直観から生まれた誤解のために、正しい答えが無視されるからでもある。ニコラウス・コペルニクス（一四七三〜一五四三）より前の時代の天文学者は、地球が宇宙の中心に止まっているという間違った考えを持っていた。止まっているように「感じる」し、中心にあるように「見える」からだ。すべての星が巨大な球面に貼りつき、わたしたちの周囲をまわっているという考えは、直観的に理解しやすい。地球がこまのように回転し、地表の動きが時速一六〇〇キロにもおよぶとか、地球全体も宇宙を高速で移動しているとか、ほとんどの星とは何兆キロ以上も離れているなどと主張すれば、気が狂ったとみなされただろう。だが、結局はそれが正しいことが示された。考えてみれば単純な理屈だが、直観には反している。

チャールズ・ダーウィン（一八〇九〜一八八二）が進化論を唱えるまで、生物は形状を変えないのが当然と思われていた。ワニとハチドリはつがわない。まったく種類が異なり、相いれる要素がない。生物が進化するという考えは、聖書の教えに逆らっただけでなく、常識も否定した。進化論によれば、人間もミミズも台所で花を咲かせている植物も、地球上のあらゆる生物は共通の祖先を持つことになる。現在では正しいことがわかっているものの、直観とのあいだにずれがある。

これらの有名な例をあげたのは、知能を備えた機械をつくる試みにおいても、直観的な仮定が重荷となり、技術の進歩が阻害されていると思うからだ。知能を備えたシステムは何をするのか？　それを自問したときに、直観的に行動との関連を考えてしまう。人間の知能は、話して、書いて、行動することで発揮されるのではないのか？　そのとおり。だが、それは一部にすぎない。知能は頭の中の活動であり、行動はおまけとしてついてくる。この仮説は直観としてわかりづらいかもしれないが、まったく理解できないことはないだろう。

発想の転換

一九八六年の春、わたしはくる日もくる日も机に向かい、論文を読んでいた。知能についての過去の研究をまとめ、人工知能とニューラルネットワークの発展を追いながら、細事の山にうずもれていく自分を感じた。読んで検討する材料は際限なくあらわれるが、脳全体が実際にどのように働いているのか、あるいは、何をおこなっているのかさえ、明確な理解がまったく得られない。一年に何千という研究が報告されるが、その成果は体系的に整理されず、ほし草のように積み重なっていく。いまだに全体的な理論も枠組みもなく、脳で何が、どのようにおこなわれるのかを説明できない。

この問題の解決策はどんなものになるのだろうかと、わたしは考えはじめた。脳が込みいっているのだから、それを解明するプロセスもきわめて複雑なのだろうか？　脳の機能を記述するためには、一〇〇ページにわたる数式の展開が必要なのだろうか？　何か意味のある説明をするまでに、神経のつながりの絵を一〇〇種類、あるいは一〇〇〇種類と描かなければならないのか？　そんなはずはない。科学の問題の最適な答えが単純で洗練されたものであることは、歴史が証明している。枝葉末節が邪魔をして、最終的な理論にいたる道は険しいかもしれないが、究極の概念は得てして単純なものだ。

収集した膨大な細目を一枚の絵にまとめようにも、その手引きとなる基本的な解釈が存在しないために、神経科学者にはほとんどなすすべがない。脳は信じられないほど複雑で、おびただしい数の細胞のからみあいに嫌気が差してしまう。一見したところでは、野球場がゆでたスパゲッティでいっぱいになっているようなものだ。あるいは、電気工事士の悪夢、つまり、こんがらがった配線にたとえてもいい。だが、近づいて注意深く調べると、でたらめに積みあげられてはいないことがわかる。まとまった組織や一定の構造は数多く存在する。それでも、脳はあまりにも大きすぎて、全体を研究の対象にしようものなら、粉々に割れた花瓶の破片をもとどおりに組みあげるような気持ちになる。問題はじゅうぶんなデータがそろっていないとか、正しいデータが得られていないとかではない。研究者に必要とされるのは、視点の切り替えだ。適切な枠組みを用意すれば、詳細は意味を持ち、体系的に説明されるだろう。つぎのようなＳＦのたとえ話で、わたしがいう意味を理解してほしい。

いまから数千年後に人類が絶滅し、高度な文明の異星人が地球に探検隊を派遣してきたとしよう。目的は地球人の生活を調べることだ。異星人はとりわけ、道路網に当惑した。この奇妙で複雑な構造物はなぜ存在するのだろうか？　衛星軌道と地上の両方から、あらゆる記録の収集がはじまった。考古学の入念な調査のようなものだ。アスファルトがはがれた場所から、腐食によって倒れて路肩を転がり落ちた道路標識まで、目につくものはすべて克明に記録された。道路網には場所によっていくつかの違いがある。曲がりくねって道幅がせまく、ほとんどでたらめに延びるところもあれば、正確に碁盤目状のところもある。ある区間では広くなり、砂漠を何百キロも横切っている。詳細は山のように集まったが、意味がさっぱりわからない。すべてを説明する新しいデータがいつかは見つかることを期待して、ますます詳細の収集に拍車がかかる。だが、長い時間がすぎても進展は起こらない。

やがて、ようやくだれかが叫ぶ。「そうか！　わかったぞ。この星の生物は、われわれのようにテレポーテーションできなかったのだ。あちらこちらに動くときに、おそらく、工夫をこらした乗り物を使ったのだろう」と。この基本的な洞察によって、多くの詳細が意味を持ちはじめる。小規模な曲がりくねった街路は、輸送手段が低速だった初期の時代につくられたものだ。広く長い道路は、長距離を高速で移動するために使われる。そうすると、標識に違う番号が振られている理由も説明できる。科学者は住宅地と工業用地の区分や、商業施設と交通手段のかかわりなどを推定しはじめる。記録された詳細の多くがさほど重要ではなく、歴史的な偶然や、地形の制約の結果にすぎないこともわかってくる。未検討のデータはなおも多く残っているが、もはや当惑することはない。

脳についても同じような進展が起こり、詳細の意味が一気に解明されるのは間違いない。

機能主義から見た知能

残念なことに、全員が全員、脳の働きを解明できると信じているわけではない。少数の神経科学者を含め、驚くほど多くの人々が、どういうわけか、脳や知能を人知のおよばない領域にあるものとみなしている。さらには、たとえそれらが説明できても、同じように働く機械をつくることは不可能であり、知能には人間の身体と、ニューロンと、おそらく新しい未知の物理法則が必要だと考える人もいる。このような主張を聞くたびに、過去の知識人が天空の研究や、身体の機能を調べるための死体の解剖に反対したことを思い出す。「そんな研究にかかずらう必要はない。ろくな成果はあがらないだろうし、もしも何かがわかったところで、そんな知識は使いようがない」と。このような主張には、方法論の一つである機能主義の立場から反論できる。それをもって、「考えること」について考えてきた歴史の大まかな紹介を終わりたい。

機能主義の立場では、知能を備えているとか、心を持っているとかの状態は、純粋にその性質だけが重要で、実体が何であるかはまったく意味を持たない。知能というものは、構成要素が適切な順序で作動するシステムとして規定され、その要素はニューロンでも、半導体チップでも、そのほかの何であってもかまわない。この概念は、あきらかに、知能を備えた機械をつくろうとする人々すべてのよりどころだ。

例をあげよう。チェスのナイトの駒《こま》を紛失し、食卓塩の容器で代用したら、勝負の価値がさがるのだろうか？ 絶対にそんなことはない。食卓塩の容器は盤上での動きやほかの駒におよぼす影響について「本物」のナイトと機能的に同じだ。それはチェスの正式な勝負で、単なるシミュレーションなどではない。あるいは、いまわたしがパソコンに打ち込んでいる文字をすべて消して、あらためて入力し直したら、結果は同じ文章といえるだろうか？ さらにわかりやすい例をあげるなら、人間の身体を構成する原子が、何年かごとにほぼ入れ替わっていることを考えよう。この事実にもかかわらず、あなた自身のあらゆる重要な性質は引き継がれている。一個の原子がほかのどの原子であっても、身体の分子構造で同じ機能を果たすかぎり、まったくかまわない。同じ説明は、脳についてもあてはまる。もしもあなたがマッドサイエンティストによってすべてのニューロンを同じ機能の微細機械《マイクロマシン》に置き換えられたとしても、自分自身の本性は以前と少しも変わらないと感じるはずだ。

この原理によって、知能を備えた生身の脳と機能的に同じ構造の人工システムは、やはり知能を備えている。単に見せかけたものではなく、正真正銘の知能を。

人工知能の支持者も、コネクショニストも、そしてわたしも、脳の知能にいっさいの特殊な魔法の力を前提としていない点で、全員が機能主義者だ。知能を備えた機械がいつかは、なんらかの方法で実現できると信じている。だが、機能主義の解釈に違いがある。すでにわたしの意見として、人工知能とニューラルネットワークの最大の失敗が、知能を入出力の関係で規定できるという誤った信念にあることを述べた。知能を備えた機械が設計できていない理由は、もう少し議論しておく価値がある。いずれもわたしの考えだが、人工知能の支持者は強硬路線のために自滅しかけているし、逆にコネクショニストはあまりにも引っ込み思案だった。

人工知能の研究者は主張する。「われわれは技術者だ。進化がたまたま見つけた解決策に、なぜ縛られる必要があるのか？」と。基本的には、この考えにも一理がある。生物の脳や遺伝子といった機構は、洗練されていないことで悪名が高い。よく引き合いに出されるのが「ルーブ・ゴールドバーグの機械」だ。もともとは世界大恐慌の時代の漫画家がこっけいに描いたものだが、いまでは平凡な仕事をするための不必要に複雑な機械の代名詞になっている。ソフトウェアの設計者は、これとよく似た意味の「クラッジ」という言葉を使う。これはなんの洞察もなく書かれたために、煩雑で意味なく複雑になってしまい、しばしばつくった本人にも理解できないプログラムのことだ。人工知能の研究者は、脳も同じようにこんがらがっているのではないか、と懸念する。数億年の歴史を持ったクラッジに、非効率的な進化の「遺産」がつまった姿を想像している。もしもそうなら、無用ながらくたはきれいに捨てて、最初からつくり直せばいいのではないか？

多くの哲学者や認知心理学者も、この考えを支持している。彼らの好きなメタファーは、知能をコンピューターのソフトウェアになぞらえ、ハードウェアに相当する生体の脳で実行されるものとみなすことだ。コンピューターにおいては、ソフトウェアとハードウェアが完全に独立している。同じソフトウェアは、あらゆる万能チューリング機械で動作するように設計できる。〈ワードパーフェクト〉のプログラムは、たとえば、ウィンドウズ系OS（オペレーティングシステム）のパソコンでも、〈マッキントッシュ〉でも、クレイ社のスーパーコンピューターでも実行できる。この三つはハードウェアの構造がまったく違うが、それは問題にならない。さらに、〈ワードパーフェクト〉の操作を覚えようとするとき、ハードウェアの知識はまったく必要がない。この類比で考えれば、知能を理解するために、脳の知識はまったく必要がない。

また、人工知能の支持者は歴史を振り返って、工学の解決策が大自然と根本的に異なっている例をあげるのも好きだ。たとえば、飛行機の製作にどうやって成功したのか？　翼のある動物が羽ばたくのをまねたのか？　違う。翼は固定しておいて、プロペラや、のちにはジェットエンジンで推進したのだ。大自然と違う方法を使っているのに、きちんと機能するばかりか、翼を羽ばたかせるよりもはるかに速い。

同じように、地上の乗り物がチーターより速く走るのは、四本足の機械をつくったからではなく、車輪を発明したからだ。平らな地面で動きまわるためには最適な道具で、人間が見事に活用しているのだから、進化がたどり着けなかったことを問題にする必要はない。心の精神哲学の分野では、「認知の車輪」というメタファーが好んで使われる。ある問題を人工知能が解決するとき、脳とまったく違う方法を使ってもいっこうにかまわない。つまり、ある仕事をするプログラムが人間と同じか、それ以上の成果をあげるなら、その作業に特化して効率化された方法が使われていても、機能としては脳に匹敵する。

このように機能主義を「目的のためなら手段を選ばなくていい」と解釈したために、人工知能の研究者は道を誤ったのだと思う。サールが中国語の部屋で示したように、同じ行動をとっているかどうかは説得力のある基準ではない。知能は脳の内部の性質であるから、解明するためには、頭の中の、とくに、新皮質を観察する必要がある。このとき、進化の過程で「たまたま生じてそのまま残っている」だけの細かな特徴は、慎重に除外しなければならない。間違いなく、重要な特徴の中に、ループ・ゴールドバーグの機械のような処理が数多く紛れ込んでいる。だが、このあとすぐに説明するように、そこには最大のコンピューターよりも強力な洗練された原理が横たわっていて、神経回路から引き出されるのを待っている。

コネクショニストは直観的に、脳がコンピューターではなく、つながれたニューロンの振る舞いに秘密があることを感じとった。出だしはよかったが、研究は初期の成功からつぎの段階にほとんど進まなかった。何千人という研究者が三列のネットワークに取り組んだし、いまも多くの人々がつづけているが、実際の新皮質に近いモデルの研究は、過去も現在も少ない。

半世紀にわたって、コンピューターに知能を持たせるプログラムを書く試みに、多くの研究者が全力を尽くしてきた。その過程で、ワードプロセッサー、データベース、テレビゲーム、インターネット、携帯電話、本物のように動くCG（コンピューターグラフィックス）の恐竜が生まれた。だが、知能を備えた機械は、まだどこにもあらわれていない。これを実現するためには、大自然がつくった知能の源泉、すなわち新皮質から、多くの秘密を盗む必要があるだろう。文字どおり、脳の中から知能を引き出すのだ。それ以外に、成功にいたる道はない。

第3章　人間の脳

驚異の組織、新皮質

人工知能のプログラムやニューラルネットワークが脳と似ても似つかないのは、どうしてだろうか？　脳の構造のどこが独特で、なぜそれが重要なのだろうか？　これからの章で説明するように、脳が実際にどのように働き、なぜそれがコンピューターと根本的に異なるのかは、解剖学的な構造に端的にあらわれている。

脳という生体組織の全体から説明をはじめよう。解剖台の上に脳が置いてあり、これから解剖するところを想像してほしい。はじめに気づくのは、表面がきわめて均質に見えることだ。桃色がかった灰色をしていて、かたちはでこぼこの少ないカリフラワーに似ているが、おびただしい数のしわがあり、隆起は回《かい》、くぼみは溝《こう》と呼ばれている。触れるとやわらかく、ぶよぶよしている。それが新皮質で、神経の細胞が薄い膜をつくり、脳の進化の過程で古くに発達した組織のほとんどを包んでいる。この本の以降では、新皮質にもっとも注目する。知能の働き、つまり、認識、言語、想像、数学、美術、音楽、立案などにかかわる活動は、ほとんどすべてがここで起こっている。いま本を読んでいるのも、あなたの新皮質だ。

さて、ここで、わたしが新皮質を偏愛していることは、認めておかなければならない。この点で批判を受けることが予想されるから、いざこざに巻き込まれないように自分の立場を弁護しておく。脳のあらゆる部分には、そこを専門に研究する科学者の集団がいる。したがって、新皮質を解明するだけで知能が説明できるという提案には、気を悪くする研究者から抗議の声があがるのは間違いない。おそらく、こんな反論だ。「脳の××部を理解せずして、新皮質などとうてい解明できるはずがない。なぜなら、二つの部分はかくかくと密接にかかわっていて、しかじかのために××部が必要なのだから……」うんぬん。この点に異論はない。たしかに、脳はさまざまな組織から構成されていて、そのほとんどは人間にとって不可欠の働きをしている。面白いことに、その例外は小脳だ。脳のニューロン中の大部分が存在する組織なのに、先天的に欠けていたり、後天的に損傷を受けたりしても、きわめてふつうの生活を送ることができる。だが、脳のほかの組織はそうではなく、ほとんどが生存そのものや感覚の処理に欠かせない。

さて、わたしの反論は、人間をつくることに興味がない点につきる。目指すものは、知能の解明と、その先にある知能を備えた機械だ。人間であることと知能を備えていることとは、根本的に違う。知能を備えた機械には、性欲も、飢えも、脈拍も、筋肉も、感情も、人間の姿をした身体も必要ではない。人間は知能を備えた機械よりも、はるかに複雑な存在だ。生物としての長い進化の結果、あらゆる必要な機能と、ときには邪魔な性質を持つようになった。知能を備えた機械に人間のような振る舞いをさせ、チューリング・テストに文句なく合格させたいのなら、人間を人間たらしめているほかの要因の多くを再現しなければならない。だが、あとで述べるように、まぎれもなく知能を備えているが、あまり人間くさくない機械をつくるだけなら、脳の中で厳密に知能とかかわる部分だけに注目すればいい。

新皮質だけをとりあげることが気に入らない人々には、脳幹、大脳基底核、扁桃《へんとう》体といった脳のほかの組織が、新皮質の機能にとって実際に重要だということを認めておく。そのことに疑問の余地はない。しかし、知能にとって本質的なすべての活動に新皮質がかかわっているということは、納得してもらうしかない。この本でのちほど説明するように、脳を構成するほかの二つの組織、視床と海馬も重要な役割を果たしている。知能の研究を長い目で見れば、脳のあらゆる部分の機能を解明する必要もあるだろう。だが、その場合にも、新皮質の機能を包括する適切な理論の枠組みで考えることが、解決への最短経路だと信じている。差し出がましいかもしれないが、以上がわたしの意見だ。それでは、新皮質へと話を戻そう。

六枚の名刺か六枚のトランプを用意し、一つに重ねよう。想像するだけでなく実際にやってみると、このあとの説明が本当によくわかる。できあがったものは、まさに新皮質の構造をあらわしている。六枚あわせて二ミリほどの厚さなら、実際の新皮質と同じなので、いかに薄いかが実感できるだろう。そして、新皮質の約二ミリの厚さには、名刺やトランプの一枚ずつに相当する六つの層が重なっている。

人間の脳の新皮質を平らに広げると、三〇〇〇平方センチ、つまり、大きめの食事用ナプキンほどの面積になる。ほかの哺乳類ではもっと小さい。ネズミは切手ほどしかなく、サルでも便箋《びんせん》くらいの面積だ。だが、広さに違いがあっても、たいていは人間と同じように六つの層からなる。人間のほうが賢いのは、身体の大きさと比較しても新皮質がより広いからであり、層が厚いわけでも、何か特殊な「知能細胞」が存在するわけでもない。その広さは、脳のほかの部分をほとんど取り囲み、覆っているという点できわめて印象的だ。人類は大きな脳を収容するために、進化によって全身の構造を変えた。古人類学者の考えでは、二足歩行をはじめると同時に、女性の骨盤の幅が広がり、大きな頭の子供を産むことが可能になったという。だが、それだけではない。新皮質は折り重ねられ、しわくちゃの紙がブランデーグラスに押し込まれるように、人間の頭蓋骨《ずがいこつ》の中につめ込まれた。

人間の新皮質には、ニューロンがぎっしりとつまっている。あまりにも密度が高いために、正確な個数はわかっていない。解剖学者の見積もりによると、典型的な人間の新皮質の上面に一辺一ミリの正方形を描けば、その下には約一〇万個のニューロンがあるという。そんなものを一個ずつ正確に数えていくことなど、実質的に不可能だ。この見積もりからは新皮質全体で約三〇〇億個のニューロンがあると計算される。だが、実際の個数がはるかに大きかったり小さかったりしても、まったく驚く必要はない。

この三〇〇億個のニューロンが、あなた自身だ。記憶も知識も技能も人生経験も、ほとんどすべてがここにつまっている。二五年にわたって脳のことを考えつづけてきても、この事実にはいまだに驚かされる。細胞の薄い膜が、見て、感じて、世界観を生み出しているとは、どこか信じがたい。春の日の暖かな印象も、理想の世界を追い求める夢も、なんらかのかたちで、これらのニューロンの産物だ。フランシス・クリックは《サイエンティフィック・アメリカン》誌に記事を書いた何年もあとに、脳についての著作として、『DNAに魂はあるか――驚異の仮説』（中原英臣訳、講談社）を上梓《じょうし》した。副題の「驚異の仮説」とは、心が脳の細胞によってつくられたものであるという主張にすぎない。魔法も特製のソースもいっさいなく、ただニューロンがあって、情報が飛び跳ねている。この現実がいかに驚くべきものか、理解してほしい。哲学の世界では、細胞の集まりと人間の意識のあいだに大きな隔たりがあるように思われている。だが、心と脳はまったく同じものだ。クリックが「仮説」と呼んでいるのは、科学の伝統にのっとった表現にすぎない。脳の細胞が心をつくっていることは事実で、仮説ではない。いまこそ、三〇〇億個の細胞が果たしている機能と、その実現の方法を解明する必要がある。さいわいにも、新皮質は細胞がでたらめに集まったものではない。構造を詳しく調べれば、人間の心を生み出している原理が見つかるはずだ。

新皮質の領域と階層

解剖台に戻り、脳の観察をつづけよう。肉眼で見るかぎり、新皮質には目印がほとんどない。たしかに、数少ない特徴として、大きな亀裂《きれつ》が左右の大脳半球を隔てているし、深い溝《こう》で前後の領域にもわかれている。だが、左から右へ、後ろから前へと視線を動かしても、入り組んだ表面はどの部分も実質的に同じに見える。目に見える境界線や色の違いがあって、異なった感覚の情報や、違った種類の思考に特化された領域を区分しているわけではない。

ところが、どこかに境界があることだけは、ずっと昔から知られていた。神経科学者が新皮質の神経回路に有用な特徴を見つける前から、心の機能の一部が脳の特定の領域に局在するとわかっていた。脳卒中で右側の頭頂葉が破壊されると、身体の左半分や自分の周囲の左側についての感覚を失うばかりか、それらの存在を想像すらできなくなる。一方、左側の前頭葉にあるブローカ野が損傷を受ければ、言葉の意味を理解する能力や語彙《ごい》は変わらないのに、文法規則がうまく使えなくなる。紡錘状回《ぼうすい》と呼ばれる領域が機能しなくなると、顔が認識できなくなり、母親も、子供も、写真の中の自分もわからない。このような顕著な障害によって、初期の神経科学者は、新皮質が多数の機能領域から構成されるという考えを持つにいたった。

機能領域については二〇世紀にたくさんのことがわかったが、まだまだ不明な点も多い。それぞれがある種の知覚や思考に特化していることから、なかば独立していると考えられる。並んでいる順序に個人差はほとんどないものの、実際の位置はふぞろいの布をつぎはぎしたパッチワークのように入り組んでいる。機能領域の境界はあいまいだが、全体としては木のように枝わかれした階層構造になっている。

階層という概念は、これ以降の説明でいたるところにあらわれる。階層構造の中では、要素のあいだに抽象的な意味での「上位」と「下位」の関係がある。たとえば、会社の組織では、中間管理職は事務員よりも上位に、副社長よりも下位に位置している。この上下関係は、オフィスの物理的な高さとは無関係だ。管理職が事務員よりも下の階で働いていたとしても、「上位」の階層にいることに変わりはない。この点を強調しておくのは、ある機能領域が上位または下位にあるという表現を使うときに、その意味を明確にするためだ。この場合にも、脳における実際の位置には関係がない。新皮質のすべての機能領域は、ひだになった同じ膜の上にある。二つの機能領域の「上下関係」は、それらがどうつながっているかによって決まる。新皮質の階層では、下位の機能領域が神経の経路の一つを介して情報を上位に供給し、上位の領域がべつの経路によって下位の活動を調整する。さらには、異なる枝に属する機能領域のあいだでの横方向のつながりも存在する。ちょうど、ある支社の中間管理職がほかの支社の中間管理職と連絡をとるようなものだ。サルの新皮質については、神経科学者のダニエル・フェレマンとデーヴィッド・ヴァンエッセンによって詳細な構成図が作成されている。図においては数十の機能領域が相互につながり、複雑な階層構造を形成している。人間の新皮質も、同様の構造をしているものと考えていい。

　では、ここで倍率の高い顕微鏡を用意することにしよう。新皮質の膜を縦に薄く切り、細胞の一部を染色して、レンズをとおして眺めてみる。切片の細胞をすべて染色すると、濃い色のかたまりにしか見えない。細胞があまりにも密集し、重なりあっているためだ。だが、細胞の一部だけを染色すれば、先に述べた六つの層を見ることができる。これらの層は、細胞の密度と種類、つながり方の違いによって区分される。

あらゆるニューロンには、共通の特徴がある。もっともふくらんでいる部分が細胞体で、生物の細胞に一般的な機能を備える。そこから伸びる枝わかれした針金のような構造には二つの種類があり、軸索および樹状突起と呼ばれている。ある細胞の軸索がほかの細胞の樹状突起と触れ、シナプスと呼ばれる小さな結合をつくる。シナプスを介して、あるニューロンの興奮がほかのニューロンの活動に影響を与える。興奮がパルス状の信号として軸索側からシナプスに到達すると、ふつうは樹状突起の側のニューロンでパルスが発生しやすくなる。シナプスによっては逆の効果があり、受け手のニューロンでパルスを発生しにくくする。このように、シナプスには興奮を伝達するものと抑制するものがある。シナプスのつながりの強さは、両側のニューロンの活動に応じて変わる。つながりの強さが変わるだけでなく、二つのニューロンのあいだにまったく新しいシナプスが形成されるという証拠もある。科学的に議論の余地はあるものの、このような変化はつねに起こっていると考えられる。強さを変える実際の機構がどうであれ、シナプスの形成と強化によって記憶が蓄積されることはたしかだ。

新皮質のニューロンには数多くの種類があるが、全体の八割を占めているのが錐体《すいたい》細胞だ。細胞体が円錐のようなかたちをしていることから、この名前がついている。新皮質を形成する六つの層のうち、軸索が張りめぐらされているがニューロンはきわめて少ない第一層を除いて、どの層にも錐体細胞が存在する。それぞれの錐体細胞は、すぐそばにあるほかの多数のニューロンとつながるとともに、新皮質の内部でもっと離れた領域や、視床などの脳の下部にある組織へと、きわめて長い軸索を伸ばしている。

典型的な錐体細胞は何千個ものシナプスでつながっている。その正確な数を知ることは、微小な結合がきわめて密集していることから、やはり難しい。シナプスの数は、ニューロンによっても、層によっても、機能領域によってもばらつきがある。錐体細胞が実際につくるシナプスの数の平均は、おそらく五〇〇〇から一万個と思われる。これを控えめに見積って、出ていく軸索によって一〇〇〇個のシナプスがつくられるとしても、新皮質全体でおおよそ二四兆個が存在することになる。これは天文学的数字であり、直観で把握できる大きさをはるかに超えている。人間が一生をかけて学習するすべての知識も、じゅうぶんに記憶できる数だろう。

マウントキャッスルの発見

かつてアルベルト・アインシュタインが語ったといううわさだが、特殊相対性理論の構築はなんの変哲もない簡単な作業だったらしい。観測によって得られる一つの事実から、当然の結果として導かれるのだという。その事実とは、どんな速度で動いていても、測定される光の速度はつねに同じ値になることだ。これは直観に反している。まるで、ボールがどれほど勢いよく投げられようが、投げる人や見る人がどんなふうに動いていようが、飛んでいく速さは変わらないと主張しているようなものだ。あらゆる状況に置かれているだれにとっても、動いているボールの相対的な速度が同じに見える。とても真実とは思えない話だ。だが、光を見る場合にはこれが真実であることが証明されたので、賢明なアインシュタインは、この奇妙な事実から何が導き出せるかを考えた。光の速度が一定であればどのような結果になるかを系統的に追求したところ、さらに奇妙な特殊相対性理論が導かれた。つまり、速く動くにつれて時間の進行が遅くなり、運動エネルギーが質量に変換される。相対性理論の解説書では、列車、弾丸、閃光《せんこう》といった日常の例を使って、アインシュタインの考えが大まかに説明される。理屈は難しくないが、直観とはまったく相いれない。

　神経科学にも、これと類似の発見がある。新皮質についての事実だが、あまりにも意外なために、信じようとしない科学者もいるし、ほかの大多数も解釈に困って無視している。だが、このきわめて重要な事実から何が導き出せるかを注意深く系統的に追求すれば、新皮質の働きや、その実現の方法の謎が解けるだろう。この意外な発見は、新皮質を解剖するだけで簡単に得られるはずだが、その重要性に気づくためには並外れた洞察力が必要になる。それを持っていたのが、ボルチモアにあるジョンズ・ホプキンズ大学の神経科学者のヴァーノン・マウントキャッスルだ。一九七八年の「大脳機能の構成原理」と題された論文で、マウントキャッスルは新皮質の見た目と構造がきわめて均質なことを指摘した。聴覚と触覚を処理する領域はよく似ていて、筋肉を動かす運動野も、言語をつかさどるブローカ野も、新皮質のほかのあらゆる部分も、実質的に見た目が変わらない。さらに、これらの領域がすべて同じに見えることから、基本的な処理も同じなのではないかという仮説が提示された。つまり、新皮質が実行するあらゆる処理には、同一のアルゴリズムが使われているということだ。

新皮質がどの場所でも同じに見えることは、その当時も、それ以前の何十年間も、あらゆる解剖学者が気づいていたほどの否定しようがない事実だ。だが、なぜ同じなのかを考えるかわりに、領域のあいだでの違いを見つけることに時間が費やされてきた。言語と視覚がべつの場所で処理されるのだから、そこには何か差があるだろうと考えたのだ。じゅうぶんに詳しく調べれば、たしかに違いは見つかる。新皮質のそれぞれの領域には、膜の厚さ、ニューロンの密度と種類ごとの比率、水平方向の軸索の長さ、シナプスの密度をはじめ、ほとんど識別できない微妙な違いが多数ある。この状況は、一八〇〇年代の生物学の研究に似ている。種のあいだのわずかな違いの発見に、血まなこになったのだ。その成果は、ほとんど同じに見える二種類のネズミが、まったく異なる種であるとわかったことだけだろう。ダーウィンもまた、長年にわたってほかの研究者と同じ道筋をたどり、たび たび軟体動物の研究をした。だが最後には、偉大な洞察を得て、あらゆる種がなぜこんなに似ているのかを考えるにいたった。本当に意外で興味深いのは類似性であって、違いなどはるかにおよばない。

マウントキャッスルもダーウィンと同じことに気づいた。領域のわずかな差を探す解剖学者たちを尻目《しりめ》に、たしかに違いはあるものの、新皮質がきわめて均質であることに注目した。同じ層、細胞の種類、つながりが、いたるところに存在する。どこもかしこも、六枚の名刺のように見える。差異はきわめて微妙なため、経験豊富な解剖学者のあいだでもしばしば意見が食い違う。それほど似ているのなら、あらゆる領域は同じ処理をおこなっているはずだ。視覚野が視覚を処理し、運動野が運動を起こすのは、新皮質のほかの領域や、中枢神経系のほかの部分とのつながりが違うからだ。

実際、マウントキャッスルは、それぞれの機能領域がわずかに異なっているのは、基本的な機能に差があるからではなく、つながりに違いがあるからだと主張している。結論として、新皮質には共通の機能、共通のアルゴリズムがあり、あらゆる領域がそれを実行する。視覚と聴覚の処理に違いはなく、運動を起こす処理とも変わらない。領域のつながりが機能の違いや動物の種類によってかなり異なっているため、そこに遺伝の働きがあることは認めなければならないが、新皮質の組織そのものは、いたるところで同じ処理をおこなっている。

この点について、もう少し考えよう。わたしには、視覚、聴覚、触覚はきわめて異なったものに感じられる。それぞれに備わっている特徴が根本的に違うからだ。視覚では色彩、模様、形状、奥行き、広がりなどが認識される。聴覚は音の高低《ピッチ》、リズム、音色などで構成される。両者の感覚はまったく違う。それなのに、どうして同じだといえるのか？ マウントキャッスルは、感覚そのものが同じなのではなく、目からの信号でも耳からの信号でも新皮質がそれを処理する方法が同じだと主張する。さらには、運動の制御も同じ原理でおこなわれると述べている。

科学者や技術者の大部分は、マウントキャッスルの提案に気づかなかったか、気づかないふりをしてきた。視覚を解明する研究や、コンピューターに「見る」能力を与える挑戦では、視覚に特有の専門用語や技術が使われる。境界線、表面の質感、三次元の表現などが話題になる。話し言葉を理解しようとするときには、文法、構文《シンタックス》、意味《セマンティックス》にもとづいたアルゴリズムを構築する。だが、もしもマウントキャッスルの主張が正しいなら、このような方針では人間の脳が使っている方法は実現されないので、おそらく失敗するだろう。新皮質のアルゴリズムは、いかなる能力や感覚にも適用できなければならない。見るときも聞くときも、脳は同じ手順を使うはずだ。その普遍的な処理方法は、あらゆる種類の感覚系や運動系を働かせている。

はじめてマウントキャッスルの論文を読んだとき、わたしはあやうく椅子《いす》から転げ落ちそうになった。ここに、神経科学のロゼッタ石がある。たった一つの論文とたった一つの考えによって、人間の脳のさまざまなすばらしい能力がすべて結びつけられてしまう。過去の手法、つまり、人間の振る舞いを異なった能力の集まりと解釈し、それを人工的に実現しようとする試みは、すべて間違いであったのだ。マウントキャッスルの提案がきわめて大胆で、信じられないほど美しいことは、しっかりと認識してほしい。科学の主要な概念は、どれも単純で美しく、意外なものだ。この提案もその一つに数えることができる。わたしの考えでは、過去、現在、そしておそらく未来にわたっても、神経科学で最大の発見だろう。ところが、驚くべきことに、ほとんどの科学者と技術者は信じようとしないか、無視を決め込むか、あるいは気づいてさえもいない。

柔軟な新皮質

マウントキャッスルの主張が軽視された原因の一つは、新皮質の六層の中で情報がどのように流れるかを調べるための適当な道具がないことだ。現在の装置はもっと広い範囲の大まかな測定に向いているので、新皮質のさまざまな能力が「いつ」あるいは「どのように」発生するのかではなく、「どこ」で発生するのかを突き止めることに主眼が置かれている。たとえば、神経科学の分野で一般に報告される論文の多くは、脳が高度に特殊化された要素の集まりであるという考えを、暗黙の前提にしている。ｆＭＲＩ（核磁気共鳴機能画像法）やＰＥＴ（陽電子放出断層撮影法）といった撮影技術は、ほとんど例外なく、脳の地図を機能領域に塗りわけるために使われている。このような実験の多くでは、被験者が横になり、撮影装置の中に頭を入れた状態で、頭か身体を使って特定の作業をおこなう。テレビゲームで遊んだり、動詞の活用を唱えたり、文章を読んだり、顔を見たり、絵に描かれているものを答えたり、何かを想像したり、項目のリストを暗記したり、投資の判断をしたりする。こうした作業のあいだに、撮影装置は、脳のどの領域がふだんよりも興奮しているかを検出し、被験者の脳の映像に色つきの斑点《はんてん》を重ねていくことで、その位置を正確に表示する。このような実験は何千回とおこなわれてきたし、これからも何千回とおこなわれていくだろう。これらの結果を集めれば、ある機能が典型的な成人の脳のどこで実現されているかを示す地図が、だんだんとできあがっていく。「ここが顔を認識する領域、ここが数学の問題を解く領域、ここが音楽を楽しむ領域」などと、簡単に指摘できる。脳がこれらの仕事をおこなう機構はわかっていないから、機能ごとに異なった方法がとられていると考えてしまうのも無理はない。

だが、本当にそうだろうか？　マウントキャッスルの提案を裏づける証拠は、量的にも質的にも増えている。いくつかの好例は、新皮質のずば抜けた柔軟性にある。じゅうぶんな栄養を与えられ、適切な環境に置かれれば、人間の脳は何千種類もの話し言葉のどれでも覚えることができる。さらに、脳は書き言葉も、手話も、楽譜も、数式も、プログラム言語も、身振りによる合図も習得できる。凍りついた極地でも、焼けつくような砂漠でも、生活の方法を学んでいく。チェスや釣りの名人にも、農業や理論物理学の権威にもなれる。視覚野の中には、もっぱら書かれた文字や数字に関与していると考えられる機能領域がある。この事実は、人間が生まれながらに言語野を持ち、文字や数字の処理に備えていることを意味するのだろうか？　それはありえない。書き言葉が発明されたのはずっと最近のことなので、それを使いこなすための機構を遺伝子が進化させている時間はなかったはずだ。ということは、新皮質は幼児期になっても、純粋に経験にもとづいて、作業ごとに特化した機能領域へと分化をつづけていると考えるしかない。人間の脳は信じられないほど高い学習能力を持ち、つい最近まで存在しなかった数多くの環境に適応していく。このときに必要とされるのは極端に柔軟な機構であって、一〇〇〇〇種類の問題に対応した一〇〇〇個の解決法ではない。

新皮質の神経網が驚くほど「柔軟」に形成されることも、神経科学者は発見した。つまり、流れ込む入力の種類に応じて、つながりと機能を変える。たとえば、生まれたばかりのフェレットの脳に手術をほどこし、目からの信号がふつうは聴覚野として発達する領域に送られるようにする。その結果、驚くことに、聴覚野の中に視覚を伝達する経路がつくられる。つまり、本来なら音を聞くために使われる領域であっても、ものを見ることができるのだ。同じような実験は、ほかの感覚や脳の領域についてもおこなわれている。例をあげれば、ネズミが生まれた直後に、視覚野の一部を触覚が扱われる領域に移植する。そのネズミが成長したときには、移植された組織が視覚ではなく触覚を処理している。このように、ニューロンの役割は、視覚、聴覚、触覚などと生まれながらに決まっているわけではない。

人間の新皮質も、あらゆる点で同じように柔軟だ。生まれつき耳が聞こえない人は、ふつうは聴覚野になる領域でも視覚の情報を処理するようになる。先天的に目の見えない人が点字を覚えるときには、新皮質のいちばん後ろの通常は視覚野になる部分が使われる。点字は触れて読むからといって、触覚の領域が優先的に使われるわけではない。新皮質のいかなる領域も、何もしない状態には満足できないのだ。視覚野が目からと「想定」される入力を受けとれないときには、それにかわるほかの入力パターンを探しまわる。そして、この場合には、新皮質のほかの領域から入力を得るようになる。

以上の例が示すように、脳の領域がどのような機能に特化するかは、成長の過程で流れ込む情報の種類に大きく依存する。地球の現在の国家配置があらかじめ決まっていたものではないように、新皮質の領域が果たす機能も、厳密には決まっていない。新皮質の機能分布は、世界の政治勢力と同じように、過去の環境の違いによって変わりうる。

遺伝子には新皮質全体の構成が記述され、領域同士のつながりも厳密に決まっている。だが、その構造の枠内では、組織はきわめて柔軟なのだ。

マウントキャッスルの主張は正しかった。新皮質のあらゆる領域では、単一の強力なアルゴリズムが実行されている。それらの領域を適切な階層につなぎ、感覚入力を流し込めば、周囲の環境が学習される。したがって、将来あらわれる知能を備えた機械には、人間と同じ感覚や能力を持たせなくてもいい。新皮質のアルゴリズムは、いままでにない種類のセンサーから入力を受けとり、いままでにない種類の問題を解くことができる。その結果、柔軟な真の知能が、生物の脳を離れて人工の皮質の上に出現する。

パターンとしての感覚

マウントキャッスルの提案に関連して、同じくらい衝撃的な話題に移ろう。それは、新皮質への入力が、基本的にすべて同じであることだ。そんなはずはない、それぞれの感覚はまったく異なっている、と反論されるかもしれない。突きつめれば、景色は光、音は空気の疎密波、感触は皮膚が受ける圧力になる。視覚はおもに立体的で、聴覚は時間的で、触覚は平面的だ。リンゴの姿と、ヤギの鳴き声と、野球のボールの感触ほど明白に違うものが、いったいなぜ同じなのだろうか？

だが、もう少しよく調べてみよう。外部の世界からの視覚情報は、視神経の一〇〇万本の線維によって脳に運ばれる。脳の中で古くに進化した視床を短時間で通過し、新皮質の中で最初に視覚情報が処理される機能領域、すなわちV1野（一次視覚野）に到達する。音は、聴神経の三万本の線維を介して入ってくる。同じく視床を経由し、聴覚の情報の入り口であるA1野（一次聴覚野）にたどり着く。皮膚と体内からの感覚は、脊髄《せきずい》から一〇〇万本の線維をとおって運ばれてくる。その情報を、触覚のもっとも基礎的な処理をおこなうS1野（一次体性感覚野）が受けとる。感覚の情報が入ってくる機能領域は一次感覚野と総称され、新皮質の階層では最下位に位置している。以上が脳への情報のおもな入力経路だ。人間が現実世界を理解する手段でもある。

これらの入力は、電線や光ファイバーの束になぞらえることができる。光ファイバーを使った照明装置を見た経験があれば、それぞれのガラス繊維の先端に色のついた光があらわれるのに気づいたはずだ。脳への入力は、この光に似ている。脳の場合、ガラス繊維にあたる部分が感覚器官のニューロンからの軸索で、光にあたるものが神経の信号だ。この信号は「活動電位」あるいは「スパイク電位」と呼ばれるパルスで、なかば化学的、なかば電気的な反応によって発生する。信号はさまざまな感覚器官から送られてくるが、いったん脳に向かう活動電位に変わってしまうと、すべて同じになる。つまり、単なるパターンにすぎない。

たとえば、イヌを見ると、あるパターンの集合が視神経の線維をとおり、視覚野に流れ込む。イヌがほえるのを聞くと、パターンのべつの集合が聴神経の線維から聴覚野に入ってくる。イヌをなでれば、手からの触感のパターンの集合が脊髄の神経線維を抜け、体性感覚野の領域へ到達する。イヌの姿、鳴き声、感触それぞれのパターンは、新皮質の階層を異なる経路で流れるため、違った体験に感じられる。このような印象の違いは、信号が脳のどこに入ってくるかによって生み出されている。だが、抽象的なレベルで感覚の入力を眺めれば、本質的にどれも同じ形式で、新皮質の六層の中ですべて同じように処理される。光を見て、音を聞いて、圧力を感じても、脳の内部では情報の種類による根本的な違いはなく、活動電位はそれ以外の何物でもない。この一瞬のパルスは、そもそもの発生の原因がなんであれ、まったく同一だ。人間の脳には、パターンしかわからない。

現実世界についての認識と知識は、これらのパターンによって形成される。頭の中に光はない。ただ暗いだけだ。脳には音も入らない。内部は静寂に支配されている。実際のところ、身体の中で脳だけにはいっさいの感覚がない。外科医が脳に指を突っ込んでも、患者はそれを感じないだろう。人間に認識される情報は、軸索から入ってくる空間的、時間的なパターンにかぎられている。

空間的、時間的なパターンとは、正確にはどんなものだろうか？　人間の主要な感覚を順番に見ていこう。視覚が運んでくる情報は、空間と時間の両方にかかわっている。「空間的なパターン」は、ある瞬間に同時にあらわれている情報のことだ。同じ感覚器官で、複数の受容器が同時に興奮して発生する。視覚の場合、感覚器官は網膜だ。光の像が瞳孔《どうこう》に入り、水晶体で反転して網膜にあたると、空間的なパターンが生成される。このパターンが脳へと送られる。一般には現実世界の小さな逆さまの絵が視覚野に入っていくように思われているが、実際には違う。絵はどこにもない。もはや映像ではないのだ。基本的には、電気信号の発生のパターンにすぎない。情報は新皮質で処理されるにつれて、映像としての性質をきわめて急速に失っていく。パターンの成分は異なる領域のあいだを行き来しながら、入れ替えられたり、取捨選択されたりする。

視覚は「時間的なパターン」でもある。なぜなら、目に入ってくるパターンは時間とともに絶えず変化しているからだ。ただし、空間のほうは直観的にわかりやすいが、時間のほうはややわかりづらい。人間の目は一秒ごとに約三回、サッカードと呼ばれる急激な動きをする。一点に固定されている視線が、急にほかの点に移るのだ。目が動くたびに、網膜の像が変わる。すると、脳に運び込まれるパターンも、サッカードのたびに完全に変わることになる。じっと座って変化のない光景を眺めているだけでも、そんなことが起こっている。さらに、現実の生活では、人間は絶え間なく頭や身体を動かしたり、歩きまわったりするので、周囲の状況はつねに変わっていく。ところが、あなたの意識としては、世界は安定していて、多数の人物や物体が存在していて、とくに苦労しなくても見失うことはない。だが、そんな印象を受けるのは、網膜の像が同じパターンの繰り返しでなくても、そこに脳が同一性を見つけるからだ。自然な状態での視覚のパターンは、川の流れのように移り変わりながら脳に入ってくる。それは絵というよりも歌に近い。

視覚の研究者の多くは、サッカードによって映像のパターンが急激に変化するのを無視している。麻酔をかけた動物を使い、意識のない状態で一点を見つめさせ、視覚の信号がどのように発生するかを研究する。つまり、時間の要素を取り除いているのだ。方針としては、まったく悪いとはいえない。変数を減らすことは、科学の手法の基本だ。だが、視覚の中枢にあり、まさにそれを構成する要素を捨ててはいけない。神経科学の観点から視覚を説明するときには、時間を中心に据える必要がある。

聴覚の研究者は、音の時間的な側面を考えることに慣れている。物音、話し言葉、音楽が時間とともに変化するのは、直観的にあきらかだ。歌を一瞬のうちに聴くことも、演説を即座に聞きとることもできない。時間の流れがあってこそ、歌や話し言葉は存在する。こうした印象から、ふつうは音を空間的なパターンとは考えない。ある意味で、視覚とは逆だ。時間的な側面はすぐに理解できるが、空間的な側面には気づきにくい。

聴覚は空間的な要素も持っている。音を活動電位に変えているのは、両耳にある蝸牛殻《かぎゅうかく》と呼ばれる湾曲した器官だ。小さく不透明で渦巻き状をしていて、身体でもっとも硬い骨である側頭骨にうもれている。蝸牛殻の機能は、半世紀と少し前、ハンガリーの物理学者のゲオルク・フォン・ベケシーによって解明された。内耳の機構を推定するとともに、耳に入った音の成分に応じて蝸牛殻の異なる部位が実際に振動することを発見したのだ。周波数の高い音では、硬い中心部が震える。周波数が低くなると、弾性があって幅広い外側の部位が振動する。中くらいの周波数なら、中間あたりが反応する。蝸牛殻のいたるところに、振動に応じて興奮するニューロンが存在している。日常の生活では、つねに多数の周波数の音が同時に到着し、さまざまな部分を震わせている。そのため、どの瞬間にも、蝸牛殻の端から端までを使った空間的なパターンの興奮が発生する。そのたびに、新しいパターンは聴神経を脳へと流れていく。つまるところ、聴覚もまた、空間的、時間的なパターンなのだ。

触覚はふつう時間的な現象とはみなされない。だが、実際は空間的であると同時に、あらゆる点で時間的だ。これは、簡単な実験によって確かめられる。友達に頼んで、手のひらを上向きに差し出して、目を閉じてもらおう。その手のひらに、小さなありふれた物体を置く。指輪でも、消しゴムでも、なんでもいい。そして、手をいっさい動かさずに、それが何かをあててもらう。友達が手がかりにできるのは、重さと、おそらく全体の大きさだけだろう。つぎに、目は閉じたまま、指先で物体をなでてもらう。すると、友達はおそらくすぐに正解をいいあてる。指先の動きを許すことで、触覚に時間的なパターンが加わったからだ。鋭い感覚を持つ指先は、視覚と対比すれば網膜の中央の中心窩《か》に相当する。このように、触覚もまた歌を聴くのと変わらない。暗闇の中でも複雑な動作をおこない、シャツのボタンをはめたり玄関のドアの鍵をあけたりできるのは、時間とともに連続して変わる触覚のパターンがあるからだ。

子供のころから、人間には五つの感覚があると教えられる。視覚、聴覚、触覚、嗅覚《きゅうかく》、味覚のことだ。実際には、感覚の種類はもっと多い。視覚はむしろ三つの感覚の総称であり、運動覚、色覚、光覚（明暗の感覚）からなる。触覚は圧覚、温覚、冷覚、痛覚、振動感覚に細分される。関節の角度や身体の位置を知ることに特化した感覚もあり、これがなければ身体を動かすことはできない。また、内耳には前庭と呼ばれる組織があり、平衡感覚をつかさどっている。これらの感覚は精度や存在感に差があるものの、すべて空間的、時間的なパターーンの流れとして、軸索をとおって脳に入ってくる。

実際のところ、新皮質はありのままの現実世界を認識していないし、感じとってもいない。唯一の入力は、軸索から流れ込むパターンだ。それによって認識される世界には、自分自身の存在も含まれる。じつは、脳の中では、自分の身体と周囲の環境が厳密には区別されていない。自己の身体がどのように意識されるのかを研究する神経科学者は、人間の認識が実際の感覚よりもはるかに柔軟なことを知っている。たとえば、小さな熊手《くまで》を渡されれ、ものを触ったり引き寄せたりするために手のかわりに使っていると、すぐにそれが身体の一部になったように感じはじめる。触覚の新しい入力パターンに適応して、脳が認識を変えたのだ。もはや、熊手は身体の一部に組み込まれている。

パターンの等価性

異なる感覚から生じるパターンが脳で同等に扱われるという考えはきわめて意外で、事実として理解されているわりには、重要性を認識されていない。さらに例をあげていこう。まず、自宅で簡単にできる実験を紹介する。厚紙と偽物の手を用意し、友達か家族に助手を頼む。はじめて実験するときには、おもちゃ屋で買えるようなゴム製の手があると理想的だが、白紙に手の輪郭をなぞったもので代用しても、じゅうぶんにうまくいく。机の上に偽物の手を置き、一〇センチほど離して自分の手を同じかたちにして並べる。手のひらの向きや、指の曲げ方を同じにするわけだ。それから、二つの手のあいだに厚紙をたて、偽物の手しか見えないようにする。実物が隠れた状態で、助手に両方の手の同じ場所を同時にたたいてもらおう。たとえば、小指の付け根からつめにかけて同じ速さで位置を変えながら、つぎに、人差し指の第二関節を同じタイミングで三回、そして、手の甲に円を描くように。しばらくすると、複数の感覚野からの情報をまとめて受けとる連合野のうち、視覚と体性感覚のパターンが出会う機能領域が誤解をはじめる。偽物の手に与えられた刺激を、本物が受けているように感じてしまうのだ。

このような「パターンの等価性」の興味深い例として、ある感覚をほかの感覚で代用する方法が考えられている。うまくいけば、幼児期に失明した人々の生活に大変革が起こるだろうし、いずれは生まれつき目の見えない人にも活用されるだろう。人類一般にとっても、機械との新しいインターフェースを生む技術となるはずだ。

ウィスコンシン大学の生物工学教授のポール・バキリタは、あらゆるパターンが脳で処理されることに気づいて、視覚の情報を人間の舌に表示する装置を開発した。視力を失った人でも、この装置を使うと、舌への刺激によって「見る」ことを学習できる。

その原理はこうだ。被験者は小型のカメラを額に、電極が縦横に並んだ装置を舌につける。カメラの映像は、画素ごとに対応する電極の電圧に変換される。テレビの画面に数百の画素として粗く表示される光景が、電気刺激のパターンとして舌に与えられるわけだ。脳はすぐに、このパターンを正確に解釈するようになる。

この実験に参加した初期の被験者に、世界的な運動選手のエリック・ヴァイエンマイヤーがいる。一三歳で視力を失いながら、くじけることなく大望を果たし、その体験を各地で講演している人物だ。二〇〇二年には、盲人としてはじめてエヴェレストへの登頂に挑戦し、成功までおさめた。二〇〇三年、ヴァイエンマイヤーはこの装置を舌につけ、子供のとき以来、はじめて世の中を見ることができた。床を転がってくるボールに触れたり、机の上のジュースに手を伸ばしたり、じゃんけんで遊んだりした。さらには、廊下を歩くと開いているドアに気づき、その大きさを調べて、かかっている標示板を見つけた。はじめは舌への刺激でしかなかったものが、すぐに空間をあらわす映像として認識されていった。

このような例も、新皮質がきわめて柔軟性に富むことと、脳への入力が単なるパターンにすぎないことを示している。パターンはどこから入ってきてもかまわない。その時間的な変化に一貫性があるかぎり、脳は正しく意味を理解する。

パターンの処理と知能

脳がパターンしか理解しないという見方をすれば、これまでの説明にさほど驚く必要はない。脳はパターンを処理する機械だ。その機能を視覚や聴覚の観点から説明するのも間違いではないが、もっとも根本的なレベルでは、パターンだけが重要になる。新皮質のさまざまな領域の活動がどれほど異なって見えようとも、そこには共通の基本的なアルゴリズムがある。パターンの入り口が視覚だろうが、聴覚だろうが、そのほかの感覚だろうが関係はない。一つの感覚器官が受けとった場合でも、四つの感覚器官から集められた場合でも同じだ。あるいは、現実世界をソナー、レーダー、磁気センサーで認識したり、両手のかわりに触角を使ったり、さらには住む世界が三次元ではなく四次元だったりしても、いっこうにかまわない。

このことは、人間のいかなる感覚や、それらのどのような組みあわせも、知能の必要条件ではないことを意味している。ヘレン・ケラーは見ることも聞くこともできなかったが、言葉を学習し、健常者のほとんどよりもすぐれた著述家になった。人間の主要な感覚の二つを欠きながら、きわめて高い知能を発揮したのだ。脳の途方もない柔軟性によって、五感がそろっている人と同じように世界を認識し、理解していたことだろう。

このようなめざましい柔軟性から、脳に着想を得た技術の開発に大きな期待をいだくことができる。知能を備えた機械をつくろうと思うとき、わたしは自問する。人間になじみのある感覚にこだわる必要があるのだろうか？　新皮質のアルゴリズムを解読し、パターンの使い方がわかったら、知能を持たせたいシステムのすべてに適用すればいい。さらに、新皮質をまねた機構のすぐれた特徴の一つは、工夫をこらしたプログラムを書く必要がないことだ。手術によってフェレットの聴覚野が「視覚野」になるように、目の見えない人々の視覚野がほかの用途を探し出すように、新皮質のアルゴリズムを実行するシステムの知能は、どのような種類のパターンを選んで与えるかによって決まる。それでも、システムの主要なパラメーターをうまく決め、訓練と教育を繰り返す必要は残る。だが、人間の脳が持つ複雑で創造的な思考に匹敵する能力は、何十億という人工のニューロンやシナプスを与えられた機械の中では、子供の知能のように自然に発達していくだろう。

最後に、知能がパターンさえあれば育つという考えからもたらされる、哲学的に面白い問題をとりあげる。部屋の中で友達と座っているとき、相手がそこにいて、しかも本物であることは、どうしてわかるのだろうか？　脳の中には、過去の経験と整合するパターンの集合が流れてくる。知っている人物に一致した顔、声、行動のくせなど、あらゆる種類の情報だ。それらのパターンが決まった組みあわせで起こることは、すでに学習しているので予測できる。だが、なぜ可能なのかの本質を突きつめると、モデルがあるからということになる。森羅万象の知識は、すべてがパターンにもとづくモデルでしかない。それなのに、なぜ、この世界が本物だと断言できるのか？　考えるほどに、面白く奇妙に思う。SFの小説や映画には、このテーマがよく登場する。わたしはべつに、人々や物体が本物でないというつもりはない。すべては間違いなく実在している。そして、世界が存在すると信じられる理由は、パターンに一貫性があると解釈できることにある。何かをありのままに認識することは不可能だ。「人間」を検知する感覚器官は存在しない。脳が暗く静かな箱で、神経線維から時々刻々と流れ込んでくるパターン以外には、なんの知識も得られないことを思い出そう。世界の認識はこれらのパターンから形成されたもので、ほかの何物でもない。存在することが事実でも、脳が頼れるものは、軸索の束から流れ込んでくる空間的、時間的なパターンだけだ。

この種の議論のハイライトとして、しばしば幻覚と現実の関係が問題になる。ゴムの手への刺激を本物と感じ、舌への刺激で景色を「見る」ことができるのなら、自分の手で触れて、目で見ているときにも、同じように「思い違い」をしているのではないか？　現実世界の姿だと思っているものは、はたして信じられるのか？　もちろん、信じていい。この世界は、人間の認識にきわめて近いかたちで、まぎれもなく存在している。だが、そのような完全な世界でも、脳は直接には知ることができない。

脳は複数の感覚をとおして世界を知るが、その情報には現実の一部しか反映されていない。感覚器官が生成したパターンは新皮質に送られ、共通のアルゴリズムによって処理されて、現実世界のモデルを形成する。その過程において、たとえば、話し言葉と書き言葉は感覚のレベルでまったく異なるにもかかわらず、きわめて類似したものとして認識される。同じように、ヘレン・ケラーの感覚はいちじるしく限定されていたが、世界のモデルはあなたやわたしのものにかなり近かったはずだ。パターンをとおして、新皮質は実物に類似したモデルを構築し、さらに重要なことに、それを記憶に蓄える。記憶とは、パターンが新皮質に入ったあとの姿だ。このことをつぎの章でとりあげよう。

第４章　記　憶

一〇〇ステップの法則

あなたがこの本を読んでいるとき、街路の人ごみをとおり抜けるとき、交響楽を聴くとき、泣いている子供をあやすとき、あらゆる感覚をとおして、空間的、時間的に広がるパターンが脳に流れ込んでいる。この世界には絶えず変化するパターンがあふれていて、脳に押し寄せ、覆いかぶさる。この猛襲に、人間はどんな方法で対抗しているのか？　流れ込んでくるパターンは脳のさまざまな部分をとおり抜け、最後には新皮質に到達する。だが、そのとき、そこで何が起こるのか？

産業革命の黎明《れいめい》期から、脳はある種の機械と考えられてきた。頭の中に歯車もベルトもないことはあきらかだが、それは最適なたとえだった。情報がなんらかの方法で脳に入ってくると、この機械は身体が起こすべき反応を決定する。コンピューターの時代になってからは、もちろん、プログラム可能なデジタル式のコンピューターとみなされるようになった。第1章で説明したように、人工知能の研究者はこの考えにしがみついていて、研究が進展しない理由のすべてを、コンピューターは人間の脳に比べて記憶容量が小さく、処理速度が遅いからだと主張する。現在のコンピューターの性能はおそらくゴキブリの脳と同じくらいで、もっと大型で高速になれば、人間のような知能を持たせられるというわけだ。

だが、このように脳とコンピューターを同一視する見方では、ある大きな問題が無視されている。ニューロンはコンピューターのトランジスターと比べ、きわめて反応が遅い。シナプスから入力を集め、それらを組みあわせ、ほかのニューロンにパルスを出力するタイミングを決めるという一連の処理に、たいていは五ミリ秒ほどかかる。つまり、一秒間に約二〇〇回の処理だ。速いと思うかもしれないが、半導体を使った現在のコンピューターなら、一秒間に一〇億回の演算を実行できる。つまり、基本的な操作では、コンピューターはなんと脳より五〇〇〇万倍も速いのだ。これはものすごく大きな違いだ。それなのに、脳はなぜ最速のコンピューターよりも速くて有用な処理を実行できるのか？　「簡単なことだ」と、脳をコンピューターとみなす人々はいう。「脳は並列コンピューターだ。何十億個という細胞が一斉に計算をする。この並列処理によって、生体の脳の処理能力ははるかに高くなっている」

かねてからわたしはこの主張を詭弁《きべん》だと思っているし、それを簡単な思考実験で示すことができる。それは、「一〇〇ステップの法則」と呼ばれるものだ。人間は一秒とかからずに、意味のある仕事を実行できる。たとえば、写真を見せられ、ネコが写っているかどうかを判断する実験がある。ネコがいればボタンを押し、クマやイボイノシシや野菜のカブなら何もしないように指示される。現在のコンピューターにとっては困難か、不可能かもしれない作業だが、人間は〇・五秒以内に正解を出す。しかも、ニューロンは反応が遅いから、その〇・五秒のあいだでは、脳に入った情報は一〇〇個の細胞を通過するだけだ。つまり、脳がこの問題を解くときには、全体として何個のニューロンが関与したとしても、一〇〇回以下の「計算」しかできない。目に光が入ってからボタンを押すまでの時間に情報が経由するニューロンの数は、わずか一〇〇個なのだ。同じ問題を解こうとするコンピューターは、何十億というステップを必要とするだろう。一〇〇回の演算では、画面に一文字を表示するのがやっとであり、意味のある仕事をするどころではない。

だが、何百万個ものニューロンが同時に反応するなら、それは並列コンピューターと同じようなものではないのか？　そうではない。脳と並列コンピューターはどちらも並列に処理をおこなうが、共通点はそれだけだ。並列コンピューターは、数多くの高速なコンピューターをつなげたもので、翌日の天気を計算するような大規模な問題に適している。天気予報をするためには、地表の数多くの地点における大気の状態を計算しなければならない。個別のコンピューターが同時に実行するのは、異なる地点の計算だ。何百台、あるいは何千台もが並列に動作することもあるが、それぞれのコンピューターが遂行する仕事には、相変わらず何億、何兆というステップの計算を必要とする。どれほど大型で高速の並列コンピューターを使ったとしても、一〇〇ステップでは有用な作業を何もおこなえない。

こんなたとえ話もできる。一〇〇個の石材を砂漠の向こうまで運ぶ仕事があるとしよう。一度に一個しか持つことができず、目的地まで一〇〇万歩の距離がある。一人でやりとげるには途方もない時間がかかるので、一〇〇人の労働者を雇い、並列に作業させる。これで仕事の速度は一〇〇倍になったが、それでも、砂漠の横断にかかる一〇〇万歩の時間だけは必要だ。さらに労働者を雇い、一〇〇〇人を使ったとしても、まったく効果は得られない。何人が作業にあたろうが、一〇〇万歩にかかる時間よりも早く終わることはない。同じことが並列コンピューターにもあてはまる。ある限界を超えると、つなげるコンピューターの数を増やしても、処理の総時間は短くならない。コンピューターの場合、どれだけ台数を集め、どれほど高速に動かしても、難問の答えを一〇〇ステップで「計算」することは不可能だ。

では、考えられる最大の並列コンピューターが何億、何兆というステップをかけても計算できない難問を、なぜ脳は一〇〇ステップで解くことができるのか？　その理由は、脳が問題の答えを「計算」するのではなく、記憶の中から引き出してくるからだ。本質的に、答えはずっと昔から記憶されている。何かを記憶からとりだすだけなら、数ステップでできる。ニューロンの処理速度は遅いといっても、この作業を実行するにはじゅうぶんだ。さらに、ニューロン自身が記憶の形成もおこなっている。新皮質全体は一つの記憶システムであって、けっしてコンピューターなどではないのだ。

記憶による運動

問題の答えを「計算する」ことと、同じ問題を解くために「記憶を使う」ことの違いを、簡単な例によって説明しよう。飛んでくるボールをつかむという行為がある。だれかにボールを投げてもらい、飛んでくるのを見ながら、一秒とたたないうちに捕球する。人間にはさほど難しくないが、ロボットの腕で同じ作業をしようとすると、事情が一変する。何人もの大学院生たちの悪戦苦闘を見るにつけ、これはほとんど不可能な挑戦に思えてくる。技術者やコンピューター科学者がこの問題に取り組むときには、まずボールが飛来する経路を計算し、腕に到達するときの位置を決定しようとする。この計算には、高校の物理で習うような連立方程式を解く必要がある。つぎに、ロボットの腕のあらゆる関節を一斉に調節し、手をボールが到達する地点に移動させる。このときに計算しなければならない数式は、最初のものより複雑だ。最後に、これらの計算を何回も繰り返す。なぜなら、ボールがロボットに近づくにしたがい、位置や軌道についての情報の精度がどんどんあがっていくからだ。どこに飛んでくるかが正確にわかってから動かしたのでは、つかむのに間にあわない。ボールの大まかな位置しか検知できないうちに動かしはじめ、接近にあわせて絶えず微調整する必要がある。捕球をするまでに、コンピューターは何百万回ものステップの計算をし、多数の方程式を解かなければならない。だが、このようなプログラムを首尾よくつくったとしても、一〇〇ステップの法則からわかるように、それは脳が問題を解く方法とは違う。なぜなら、記憶が使われていないからだ。

では、記憶を使った場合には、どのようにボールをつかむのだろうか？　捕球するために筋肉を動かす命令は、そのほかの数多くの学習された行動とともに、脳の記憶に蓄えられている。ボールが投げられると、三つのことが起こる。第一に、ボールを見ることによって、過去の同じような光景の記憶が自動的に呼び戻される。第二に、光景の記憶から筋肉への命令の記憶が引き出され、それが実行に移される。第三に、その瞬間に固有の特性、すなわち、ボールの実際の経路や身体の位置に適応するように、引き出された命令が絶えず調整される。ボールをつかむ方法は、脳に組み込まれた手順ではなく、何年にもわたる訓練の繰り返しによって学習された記憶だ。ニューロンはそれを蓄えるのであって、計算するのではない。

あなたはこう反論するかもしれない。「ちょっと待った。捕球の動作は、毎回いささか違う。呼び戻された記憶が、実際のボールの位置のばらつきにあわせて絶えず調整されるとなると……結局は、コンピューターと同じ方程式を解かなければならないんじゃないか？」と。見た目は同じかもしれないが、自然界はこのばらつきの問題を、もっと違ったきわめて賢い方法で解いている。この章の後半で説明するように、新皮質は「普遍の表現」と呼ばれるかたちで記憶を形成し、現実世界のばらつきを自動的に吸収する。たとえば、ウォーターベッドに寝たときのことを想像してもらえると、説明がしやすい。まくらの位置や人間の姿勢がどのように変わっても、ベッドは自然に形状を変える。物体をどの高さで支えるかが計算されているからではなく、マットレスのビニール製の袋や中の水の柔軟性によって、水圧が自動的に均等になるからだ。つぎの章で説明するように、新皮質の六つの層は、大まかにいって、流れる情報をこれと同じような方法で処理している。

新皮質の記憶

すでに述べたように、新皮質は並列コンピューターでも、それ以外のいかなるコンピューターでもない。問題の答えを計算するかわりに、蓄えた記憶を使って問題を解き、行動を起こす。コンピューターにも記憶があり、ハードディスクやメモリーチップに蓄えられる。だが、新皮質とコンピューターの記憶には、つぎの四つの根本的な違いがある。

- 新皮質はパターンのシーケンスを記憶する。
- 新皮質はパターンを自己連想的に呼び戻す。
- 新皮質はパターンを普遍の表現で記憶する。
- 新皮質はパターンを階層的に記憶する。

この章では、はじめの三つの違いを説明する。新皮質の階層構造は第3章でも紹介したが、その重要性と働きは第6章でとりあげる。

シーケンス

このつぎにだれかに何かを話す機会があるとき、自分を客観的に眺めて、一度に一つの出来事しか話していないことに注意してみてほしい。同時に起きたことでも、複数の出来事を並行して話すのは、いかに早口でまくしたて、聞き手がそれについてこようとも不可能だ。ある話題を終えないと、つぎの話題に進めない。言葉が順番にしか話せないからといって、これをあたり前だとは思わないでほしい。書くことと話すことと身振りを総動員しても、それぞれがべつの話題について語ることは不可能だ。一つの出来事しか話せない本当の原因は、物語が頭の中にシーケンスとして記憶されていて、それと同じ順番でしか呼び戻せないことにある。物語の全体を一度に思い出すことはできない。実際のところ、シーケンスのかたちをしていない複雑な出来事や概念は、人間には理解さえできない。

あるいは、気づいたことがあるかもしれないが、話をするときただちに核心に入れない人がいる。枝葉末節にとらわれ、脱線ばかりしているように思えてくる。いらいらして、「早く要点をいえ！」と叫びたくなる。だが、そういう人は経験した出来事を時間を追って語っているのであって、ほかの順序では話せないのだ。

べつの例をあげよう。いま、あなたの自宅を思い浮かべてほしい。目を閉じ、心に描いてみよう。想像の中で、玄関の前にたつ。入り口が見える。ドアをあける。中に入る。左側を向く。何が見える？　右側を向く。何がある？　洗面所にいこう。右側は？　左側は？　右上の引き出しの中は？　浴室には何が置いてある？　ほかにもたくさんのことを知っていて、きわめて詳細に思い出すことができる。これらの記憶は新皮質に蓄えられている。自宅なのだから、あらゆる場所を覚えていても不思議ではない。だが、すべてを一斉に思い出すことはできない。記憶同士はあきらかに関連しているが、すべての詳細を同時に思い浮かべることは不可能だ。自宅のことを完全に記憶していても、それを思い出すためには、実際に歩きまわるのとほとんど同じように、順番に場所をたどっていかなければならない。

この性質は、あらゆる記憶に共通のものだ。どの記憶を引き出すときにも、現実の行動と同じ時間のシーケンスをたどる必要がある。あるパターン（たとえば、ドアに近づく）がつぎのパターン（たとえば、ドアをとおり抜ける）を呼び覚まし、さらにつぎのパターン（たとえば、廊下を進んだり、階段をのぼったり）へとつながっていく。どのシーケンスも、以前に実際に行動したものだ。もちろん、意識して努力すれば、説明の順序を変えることができる。順番にはとりあげないと決めれば、地下室から二階に飛びあがることも不可能ではない。それでも、どれかの部屋や内装を選んで話しはじめると、順番をたどる説明に戻ってしまう。本当にランダムな思考は存在しない。記憶が呼び戻されるときには、ほとんどかならず連想がおこなわれる。

アルファベットをご存じだろう。では、逆順に発声してみてほしい。ふつうはそんな練習はしていないから、できないはずだ。アルファベットをはじめて学習する子供の気持ちになりたかったら、後ろから順に読みあげてみるといい。子供はまさにこの苦労を体験している。きわめてやっかいな作業だ。アルファベットの記憶も、パターンのシーケンスだ。

即座に全体をとか、任意の順序によってとかでは、覚えることも思い出すこともできない。同じことは、曜日の名前や電話番号など、ほかの多数の記憶にもあてはまる。

記憶における時間のシーケンスがよくわかる例に、音楽がある。知っている曲を思い浮かべよう。わたしは『虹《にじ》の彼方《かなた》に』という歌が好きなので、よく例に使うが、どんな曲でもかまわない。音楽の記憶を呼び覚ますときに、曲の全体を一斉に思い出すことは不可能で、順を追う必要がある。前奏あるいは歌声の最初の部分からはじまり、曲の進行とともに音がどんどん浮かんでくる。曲を逆向きに思い出すことも、同じように不可能だ。『虹の彼方に』をふつうに聴いて覚えたなら、ふつうに前から順に思い出すしかない。

同じことは、きわめて詳細な感覚の記憶にもあてはまる。手が感じる触覚を考えてみよう。新皮質には、砂利を握ったとき、ビロードの生地の表面をなでたとき、ピアノの鍵盤《けんばん》をたたいたときなどの感触が蓄えられている。これらの触覚は、シーケンスの記憶という点で、アルファベットや歌とまったく同じだ。ただし、シーケンスの期間は、数秒とか数分ではなく、一秒に満たないほど短い。あなたが眠っているあいだに、バケツに入った砂利の中に片手を埋められたとする。目が覚めたとき、指を動かすまでは、何に触れているのかわからないはずだ。砂利の手触りの記憶は、皮膚が感じる圧力と振動のパターンのシーケンスになっている。砂や、粒状の発泡スチロールや、枯れ葉の中に手を突っ込んだときとは、違ったシーケンスなのだ。指を曲げた瞬間、砂利がこすれたり回転したりして、その特有のパターンのシーケンスが発生し、体性感覚野の適切な記憶が呼び覚まされる。

このつぎにシャワーを浴びたあと、タオルでどのように身体をふいているかに注意してみよう。わたしは毎回ほとんど正確に同じシーケンスで肌をこすり、水滴をぬぐい、腰をひねらせていることがわかった。さらに、妻もなかば固定された手順にしたがっていることも、観察を楽しみながら発見した。おそらく、あなたもそうだろう。シーケンスが見つかったら、それをちょっと変えてみよう。意図すれば可能だが、つねに意識を集中させておく必要がある。少しでも気が散れば、いつものパターンに戻ってしまう。

すべての記憶は、ニューロンをつなぐシナプスに蓄えられる。新皮質に記憶される物事の数はきわめて多いのに、どの瞬間にも覚えていることのわずかな断片しか思い出せないことを考えると、記憶の呼び戻しにある時点で実際に関与するニューロンとシナプスは、脳の中の少数だと推定できる。自宅の様子を思い出しはじめると、まずニューロンの一部の集団が興奮し、それによってべつの集団がつぎに興奮し、という具合につづいていく。成人の新皮質は信じられないほど大きな記憶容量を持っているが、どれほど数多くの物事を記憶していても、一度にはわずかな数しか思い出せないし、順に連想することでしか呼び覚ませない。

過去のことを詳しく思い出してみよう。住んでいた場所や、旅行した土地や、知り合いだった人々のことなど、その存在すら何年も忘れていた記憶が、どれでもよみがえってくるはずだ。脳のシナプスには、何千という詳細な記憶が、めったに使われることもなく蓄えられている。いかなる時点にも、人間が思い出すのは知識のごく小さな断片にすぎない。ほとんどの情報はただじっとそこにいて、適切なきっかけによって呼び覚まされるのを待っている。

コンピューターの記憶には、ふつうはパターンのシーケンスは格納されない。そうするためにはソフトウェアによるさまざまなしかけが必要になる。たとえば、音楽は特別なデータ形式に変換してから格納される。コンピューターの記憶が自動的に蓄えるわけではない。これに対して、新皮質はまさに自動的にシーケンスを蓄える。そうすることが、脳の記憶システムに備わった生来の性質なのだ。

自己連想

つづいて、人間の記憶の第二の主要な特徴、すなわち、自己連想的な性質へと話を進めよう。第2章で説明したように、自己連想的な記憶システムでは、入力したパターンと同じパターンが出力される。しかも、与えられる入力がゆがんでいたり、一部が欠けていいたりしても、記憶から完全なパターンを引き出すことができる。そのパターンは空間的でも時間的でもかまわない。自分の子供の靴がカーテンの下からのぞいていれば、自動的に全身の姿を想像する。空間的なパターンの一部から、完全なものを引き出したのだ。あるいは、バスを待っている人が見えるが、身体のほとんどが生け垣のかげに隠れているとしよう。あなたの脳は少しも困惑しない。目は身体の一部しか見ていないが、脳が残りの部分を補い、完全な姿の人間として認識されている。その印象があまりにも強いので、全身が見えていないことにすら気づいていないかもしれない。

同じように、時間的なパターンを補うこともできる。はるか昔の経験の細部を一つ思い出しただけで、記憶の完全なシーケンスがあふれるようによみがえることもある。マルセル・プルーストの有名な長篇小説『失われた時を求めて』は、マドレーヌの香りの思い出からはじまる。そして、一〇〇〇ページ以上におよぶ主人公の回想がつづいていく。あるいは、騒々しい場所で会話をしているとき、言葉がすべては聞こえないことがよくある。だが、問題はない。脳は聞こえなかった部分を、聞きたかったように補う。極端な場合には、耳に入っていたはずの言葉でさえ、勝手に置き換えてしまう。他人の話をさえぎって自分の考えを差しはさむ人がいるが、頭の中でだけなら、それと同じことをだれもが絶えずおこなっている。言葉が補われるのは文の終わりにかぎらず、途中や、はじまったばかりのときでさえも起こる。たいていの人は、パターンをいつも補っていることに気づいていない。だが、これは新皮質が記憶を蓄える方法に欠くことのできない、根本的な特徴だ。どんなときも、部分から全体を思い出せる。これが自己連想記憶の本質なのだ。

人間の新皮質は、複雑な生体によってつくられた自己連想記憶だ。目覚めているあいだのどの瞬間にも、あらゆる領域は持ち前の機能を発揮しようと、知っているパターンやその断片が入ってくるのを油断なく待ち構えている。何かの思索にふけっていても、友人の顔が思い浮かんだ瞬間、関心がそちらに向く。思考が切り替わるのは、それを選んだからではない。だれかのことがふと頭をよぎっただけで、関連するパターンがつぎつぎに思い出されていく。それは避けられない。思索が中断されたあと、「あれ？　もともとは何を考えていたんだっけ？」と思ってしまうことはよくある。あるいは、友人との夕食での会話が、つぎつぎに起こる連想で進んでいくことがある。はじめは目の前の料理について話していたのに、野菜から自分の結婚式のときに母親がつくったサラダの思い出になり、そこから友人の結婚式での出来事に変わり、その夫婦が新婚旅行に出かけた国や、その地域の政治問題へと話が展開していく。思考と記憶は連想によってつながっていて、すでに述べたように、ランダムな思考はけっして現実には起こらない。脳は自己連想によって現在の入力を補い、自己連想によってつぎに何が起きるかを予測する。このような記憶のつながりが「思考」の本質だ。それはどのようにも展開するが、その方向を本人が完全に決められるわけではない。

普遍の表現

つぎに、新皮質の記憶の第三の大きな特徴を考えよう。普遍の表現と呼ばれるものは、どうやって形成されるのだろうか？　この章では基本的な概念だけを示し、新皮質がどのようにそれを形成するかについては第6章で詳細に述べる。

コンピューターには、与えられた情報がそのまま正確に記憶される。プログラムをCD（コンパクトディスク）からハードディスクにコピーすると、両者は一〇〇パーセント同じになる。一か所でも相違があれば、ハードディスクのプログラムは動作しないだろう。だが、新皮質の記憶は違う。人間は、見たり、聞いたり、触れたりしたものを正確に記憶するのではない。覚えるときも、思い出すときも、完全な精密さには欠ける。だからといって、新皮質やニューロンの機能が劣っていて、人間の記憶があてにならないわけではない。脳は現実世界の重要な関係だけを、細部にかかずらうことなく記憶している。この点を、いくつかの例を使って説明しよう。

第2章で述べたように、自己連想記憶の単純なモデルは何十年も前から存在するし、この章で説明しているように、脳は記憶を自己連想的に呼び覚ます。だが、ニューラルネットワークの研究者が構築する自己連想記憶には、新皮質との大きな違いがある。普遍の表現が使われていないので、いくつかのきわめて基本的な機能が欠けているのだ。たとえば、たくさんの白黒の画素で描かれた顔を考えよう。この画素のパターンは、人工の自己連想記憶に数多く格納できる。その状態で、どれかの顔の半分とか目だけとかを提示すると、完全な顔と正しく対応づけて、欠けている部分を補う。このことは数多くの実験で確かめられていて、その意味で、人工の自己連想記憶は高性能だ。ところが、提示する顔の画素を左右のどちらかに五つもずらすと、もはや対応づけられない。格納されているどの顔とも画素のパターンが一致しないために、まったく新しい顔と解釈されるのだ。人間には、もちろん、ずれたパターンでも同じ顔だと簡単にわかる。いや、ずれていることにすら気づかないかもしれない。移動、回転、縮小など、パターンに一〇〇〇種類の異なる変形をほどこすと、人工の自己連想記憶はことごとく認識に失敗するのに、脳は苦もなく対処する。何かの入力パターンが新しかったり、変化しつづけたりするときに、なぜ人間は同一で不変だと認識できるのか？　べつの例を見てみよう。

いまこの瞬間、あなたは手で本を持っているかもしれない。この本を動かしたり、電灯の明るさを変えたり、椅子《いす》に座り直したり、ページの異なる部分に視線を移したりすれば、網膜に映る光のパターンは完全に変化する。視覚の入力は一瞬ごとに変わり、けっして再現されることはない。実際のところ、一〇〇年にわたってこの本を持っていても、網膜上のパターン、すなわち、脳が受けとるパターンは、まったく同じになることが一度もないだろう。ところが、あなたは本を持っていることに、さらには、それが同じ本であることに、一瞬たりとも疑問を感じることはない。脳の中で「この本」を表現するパターンは、感覚の刺激が絶えず変化していても、普遍的に本の存在を示している。このことから、脳の内部の表現を「普遍の表現」と呼ぶことにする。

つぎの例として、親しい友人の顔を思い浮かべよう。その相手には、会えばかならず気づく。無意識の反応であり、一秒とかからない。一メートル離れていようが、二メートル離れていようが、部屋の反対側にいようが同じだ。近くにいれば、その顔が網膜のほとんどを占める。遠く離れていれば、ごく一部しか占めることはない。こちらを向いているときも、少し横向きのときも、完全に横顔のときもある。微笑《ほほえ》んでいるかも、横目でにらんでいるかも、あくびをしているかもしれない。明るい光に照らされていることも、かげになっていることも、ディスコの照明が変な角度からあたっていることもある。見るときの位置や条件の違いは数え切れない。どの場合にも、網膜に映る光のパターンは異なる。それなのに、友人を見ていることがすぐにわかる。

この驚くべき離れ業がどのようにおこなわれているのか、ちょっと頭の中をのぞいてみよう。新皮質が視覚の信号を最初に受けとる領域、すなわちV1野を実験によって観察すると、顔の見え方が変わるたびに、ニューロンの興奮の状態が変化していることに気づく。顔が動いたり、視線がべつの場所に移ったりするたびに、網膜の像の変化に呼応して、V1野の興奮のパターンが変わる。ところが、顔を認識する領域、すなわち、V1野から新皮質の階層をいくつかあがったところにある特定の機能領域の一つを観察すると、ニューロンの興奮は安定している。つまり、友人の顔が視界のどこかにあるかぎり、あるいは、想像の中にあらわれている場合でさえ、その大きさ、位置、向き、表情などがどうであれ、顔を認識する領域では、細胞の同じ集団がずっと興奮を保っている。この安定性こそが、普遍の表現の正体だ。

考えるにつけ、顔の認識はあまりにも楽々とおこなわれていて、問題として扱う価値などないように思えてくる。呼吸と同じくらい無意識の活動なのだ。起こっていることに気づかないほど、ありふれた行為なのだ。実際、一〇〇ステップの法則を考えればわかるように、脳にとってはすぐに解決できてしまう平凡な作業といえる。にもかかわらず、新皮質がどうやって普遍の表現を形成するのかは、あらゆる科学における最大の謎の一つに数えられている。世界最大のコンピューターを使ったくらいでは歯がたたない、いまだだれにも解かれていない問題なのだ。しかも、この問題は太古から存在していた。

　いまから二三世紀前、古代ギリシアの哲学者プラトンは、人間が現実世界について考え、理解できることを不思議に思った。現実の事象や概念はつねに不完全で、いつもばらつきを持っている。たとえば、「完全な円」という概念があるが、だれも実物を見たことはないはずだ。作図されたあらゆる円は、不完全である。製図用のコンパスで描かれたものでも、黒い線であらわされているが、本当の円の円周に厚みはない。それなのに、なぜ完全な円という概念が獲得されたのか？　あるいは、もっと世俗的な例をあげるなら、イヌの概念を考えよう。あらゆるイヌはたがいに異なっているし、特定のイヌも見るたびに姿が変わる。同じイヌは一匹もいないし、あるイヌの同じ姿も二度と見ることはない。ところが、イヌについてのさまざまな経験はすべて「イヌ」という一つの概念に集約し、その概念はあらゆる人間に共通だ。プラトンは困惑した。無限に異なるかたちがあって、つねに見た目が変わっていくこの世界で、なぜ人間は概念を学習し、適用することができるのか？

　この疑問に対するプラトンの考えが、有名なイデア論だ。崇高な精神は現実を超越した空間とつながりを持ち、そこにはイデアと呼ばれる永遠に不滅の完全なかたちが存在しなければならない。人間の魂は生まれる前に、この不思議な空間でイデアを学ぶ。生まれたあとも、その知識が潜在的に残っている。学習と理解は、現実世界の事物によって対応するイデアを思い出すことにほかならない。円やイヌの概念を理解できるのは、それぞれが魂の記憶にある「円のイデア」と「イヌのイデア」を呼び戻すからだ。

現代の視点からは、まったく突拍子もない考えに映る。だが、形而上学《けいじじょう》の仰々しい表現を取り去れば、プラトンがじつは普遍性について語っていることがわかるだろう。説明の仕方は完全に見当違いだったが、人間の本質にかかわる重要な疑問に着目した点で、プラトンの洞察はまさに的を射ている。

普遍の表現はどうやって働くのか

普遍性が視覚に固有の特徴であるような印象を与えないために、ほかの感覚の例もとりあげよう。触覚を考えてみてほしい。車のダッシュボードに手を伸ばし、サングラスを探すとき、指先がちょっとでもあたれば、見つかったことがわかる。親指、人差し指、手のひらなど、どこが触れてもかまわない。レンズでも、フレームでも、どこに触れてもいい。手の一部がサングラスの一部をちょっとでもかすめれば、脳は問題なく識別する。それぞれの場合で、触覚器から入ってくるパターンの流れは、空間的にも時間的にもまったく違っている。皮膚の異なる場所が対象のべつの部分に触れているのに、人間は迷うことなくサングラスをつかみとる。

あるいは、感覚と運動の両方がかかわる操作として、車のキーを差し込んでエンジンをかけるときのことを考えよう。座席、身体、腕、手などの位置は、毎回わずかながら異なっている。くる日もくる日も単純な同じ行為を繰り返しているように感じるのは、脳に普遍の表現ができているからだ。ロボットを車に乗せて、キーを差すように動かそうとすれば、いつも正確に同じ位置に乗せ、つねに厳密に同じ動作を反復させないかぎり、ほとんど不可能なことがすぐにわかる。そして、なんとかこれに成功したとしても、車種が変われば最初からやり直す必要がある。ロボットとコンピューターのプログラムは、人工の自己連想記憶と同じように、ばらつきの扱いがきわめて不得意なのだ。

べつの面白い例は署名《サイン》だ。前頭葉の運動野のどこかには、名前を書くための普遍の表現がある。そして、署名をするたびに、同じ字形、筆順、筆圧のシーケンスが使われる。先のとがったペンを使って細字で書いても、ひじを振って空中に大きく描いても、足の指にはさんだ鉛筆をぎこちなく動かしても変わらない。もちろん、毎回の署名はいくらか違っているし、とりわけ最後の例のように、難しい条件のもとではなおさらだ。それでも、署名の大きさ、筆記用具、身体のどの部分が使われるかにかかわらず、人間はいつも同じ「運動のプログラム」を実行している。

この署名の例から、運動野と感覚野の普遍の表現は、いくつかの点で対称だとわかる。感覚のほうは、さまざまに異なるパターンが入力されても、ある抽象的なパターン、たとえば、友人の顔やサングラスを表現する決まった細胞の集まりが興奮する。運動のほうでは、ある抽象的な運動の命令、たとえば、捕球や署名を表現する決まった細胞の集まりが、さまざまに異なる筋肉群を使い、さまざまに異なる制約のもとで具体的な行動を起こす。感覚と運動のこの対称性は、マウントキャッスルの提案どおりに新皮質があらゆる領域で単一の基本的なアルゴリズムを実行しているなら、当然のことと考えられる。

最後の例として、感覚野に戻ってふたたび音楽をとりあげよう。音楽の記憶をたびたび持ち出すのは、新皮質が解決しなければならない問題のすべてを簡単に説明できるからだ。音楽における普遍の表現は、メロディーがどの主音《キー》で演奏されても認識できる能力にうかがえる。曲の主音は、メロディーの中心となる音階を示している。同じメロディーでも主音が変われば、異なる音で演奏がはじまる。いったん主音を選べば、曲の音の高さはすべて決まる。どのメロディーをどの主音で演奏してもいい。「同じ」メロディーが新しい主音で演奏されるたびに、実際の音のシーケンスは完全に変わってしまう。蝸牛殻《かぎゅうかく》のまったく異なる場所が刺激され、空間的にも時間的にもまったく異なるパターンの流れが聴覚野をのぼっていく。それなのに、いつも同じメロディーだとわかる。それどころか、絶対音感の持ち主でもなければ、同じ曲が異なる主音で歌われても、連続して聞かないかぎり区別できない。

たとえば、『虹の彼方に』なら、たいていは映画『オズの魔法使』でジュディ・ガーランドが歌うのを聴いて覚える。だが、絶対音感がなければ、主音が何であったかは思い出せないだろう。答えは「ラのフラット」だ。もしもわたしがピアノの前に座り、まったく違う主音、たとえば、「レ」で演奏をはじめたとしても、同じ曲に聞こえるはずだ。知っている歌と音がすべて異なることに気づきもしないだろう。ということは、歌の記憶は音の高さを無視する形式になっているはずだ。覚えなければならないのは、歌の中の重要な関係であって、実際の音ではない。いまの場合、重要なのは音の高さの相対的な差、すなわち「音程」だ。『虹の彼方に』の場合、はじめに一オクターブあがり、つぎに半音さがって、それから長三度さがり、というようにつづいていく。メロディーにおける音程の並びは、どの主音で演奏するときも同じだ。主音が違っても歌を簡単に認識できる能力は、脳に記憶される形式が、あらゆる音の高さに普遍的であることを示している。

同じように、友人の顔の記憶も、あらゆる特定の見え方から独立している必要がある。顔の識別に使われるのは、すべて相対的な寸法、色、比率などであって、先週の火曜日に昼食の席で一瞬どう見えたかではない。音に「高さの隔たり」があるように、顔の特徴にも「位置の隔たり」がある。友人の顔の幅は目の間隔のわりには広い。鼻の長さは目の幅に比べて短い。髪と目の色は照明によって実際にいちじるしく変わっても、やはりよく似ている。顔の記憶は、このような相対的な性質なのだ。

同じような抽象化が新皮質全体にわたり、あらゆる領域で起こっていることを、わたしは確信している。新皮質に共通の性質なのだ。記憶される形式は、関係の本質をとらえたものであり、ある瞬間の詳細ではない。人間が何かを見たり、聞いたり、触れたりするとき、新皮質はきわめて具体的で詳細な入力を受けとって、それを普遍の表現に変換する。記憶も、それと比較される新しい入力パターンも、普遍の表現なのだ。記憶を蓄え、思い出し、比較する作業は、すべて普遍の表現のレベルで起こっている。これに相当する概念は、コンピューターには存在しない。

普遍の表現と予測

記憶の抽象化からは、面白い問題が生じる。つぎの章では、新皮質の重要な働きが、記憶を使って予測をたてることにあると主張する。だが、新皮質の記憶が普遍の表現なら、どうやってそこから具体的な予測をたてられるのか？　この問題とその解決策を説明するために、いくつかの例をあげよう。

いまが一八九〇年で、あなたがアメリカ合衆国西部の辺境の町にいるものとしよう。やがて恋人が汽車に乗って東部からやってきて、開拓地の家で新しい生活がはじまる。もちろん、恋人は駅で出迎えたい。そこで、到着する日の何週も前から、列車が発着する時刻を調べはじめる。だが、列車の運行には決まった時刻表がなく、毎日の発着時刻がいつも違う。恋人が乗ってくる列車の到着時刻を予測することなど、ほとんど不可能ではないか。そのとき、列車の行き来に規則性があることに気づく。東部からの列車が到着するのは、東部に向かう列車が出発した四時間後なのだ。時刻そのものが大きく変わっても、この四時間という間隔は毎日同じだ。恋人が到着する日、あなたは東部に向かう列車を見張っていて、それが出発したときに時計の針を確認する。四時間後に駅を訪れ、ちょうど到着した列車を出迎える。このたとえ話には、新皮質の直面する問題が、その解決の方法とともに示されている。

人間の感覚がとらえる世界はけっして一定ではなく、列車が発着する時刻のようにいつも異なっている。現実世界を理解する方法は、絶えず変わりつづける入力の中に、普遍的な規則を見つけることだ。だが、この規則性だけでは、具体的な予測をたてるためのよりどころにならない。出発の四時間後に列車が到着することを知っているだけでは、正確な時間にプラットホームにたち、恋人を抱きしめることはできない。脳が具体的な予測をたてるためには、普遍的な規則の知識を最新の事実と組みあわせる必要がある。列車の到着時刻を予測するためには、列車の運行に規則的な「四時間の差」があることを発見するとともに、最後に東部に向かった列車の発車時刻という、具体的な知識と組みあわせなければならない。

よく知っているピアノ曲を聴いているとき、新皮質はつぎの音を演奏される前に予測する。だが、音楽の記憶は、これまで説明してきたように、あらゆる音の高さに普遍の表現だ。つぎの音程は記憶されているが、本質的にそれ自体からは、実際の音について何もわからない。つぎの音の高さを正確に予測するためには、普遍的な音程と具体的な最後の音を組みあわせる必要がある。つぎの音程が長三度で、最後に聞いた音がドなら、つぎの音をミと具体的に予測できる。あらかじめ頭に響くのはミであって、「長三度」ではない。そして、あなたがべつの曲と間違えていたり、ピアニストが指をすべらせたりしないかぎり、この予測は的中する。

友人の顔を見るときには、その特定の状況に応じて、新皮質は無数の特徴を補いながら予測する。目がしかるべき位置にあり、鼻や唇や髪が正確にあるべき姿をしていることを確認する。新皮質の予測はきわめて具体性が高い。いままでに見たことのない顔の向きや明るさでも、かなり細部まで予測している。友人の顔の構造を知っていて、現在の目と鼻の位置が厳密にわかれば、唇のあるべき場所は一目瞭然なのだ。夕焼け空の光で肌が紅く染まれば、髪がどんな色に見えるのかもわかる。脳はこれらの予測をする場合に、友人の顔の普遍的な記憶と、目下の特別な体験を組みあわせている。

列車の到着時刻の予測は単なるたとえ話だが、音楽と顔の例は実際の新皮質の働きだ。普遍の表現と現在の入力を組みあわせ、詳細な予測をたてることは、まさに脳の中で起こっている。新皮質のあらゆる領域で、広くおこなわれている活動だ。だから、現実にいま自分が座っている部屋について、具体的な予測がたてられている。他人が話す内容を予測できるだけでなく、口調や、言葉づかいや、聞こえてくる方角もわかっている。足が床や階段の踏み板にあたるタイミングを正確に知ることができる。署名を足で書いたり、投げられたボールをつかんだりすることが可能になる。

新皮質の記憶が備える主要な特徴のうち、三つをこの章で説明した。シーケンスの記憶、自己連想による呼び出し、普遍の表現は、過去の記憶にもとづいて未来を予測するために、いずれも不可欠な要素だ。つぎの章では、予測をたてる能力こそが、知能の本質であることを提案する。

第５章　知能の新しい定義

コーヒーカップのひらめき

一九八六年四月のある日、何かを「理解」するとはどういう意味かと、わたしは考え込んでいた。この根本的な疑問との悪戦苦闘は、何か月もつづいていた。行動を起こしていないとき、脳は何をしているのだろうか？　講演を聞いているだけのときは？　まさにこの本を読んでいる、あなたの脳は何をしているのか？　情報は脳に入ってくるが、出てはいかない。そのとき何が起こるのか？　いまこの瞬間、あなたはたいした行動をしていないだろう。おそらく息をしていて、目を動かしているだけだ。だが、あきらかに、脳はそれ以上のはるかに多くの作業をしている。なんといっても、この本の字句を読んで理解しているのだ。この理解が脳の活動の所産であることは間違いない。だが、どんな活動なのか？　理解するとは、いったい、ニューロンがどのように変わることなのか？

その日、部屋の中を眺めながら、見なれた椅子、ポスター、窓、鉢植え、鉛筆などへと視線を移していった。周囲の小物や室内の特徴は何百もある。それらはざっと見まわすことで目に入ってくるが、眺めるだけなら身体は動かない。なんの行動も起こらないし、起こす必要もないが、それでもどういうわけか、部屋とその中を「理解」している。サールの中国語の部屋にできないことをしているのに、隙間から紙を返す必要がない。理解をしているのに、それを行動では証明していない。いったい、「理解」とは何なのか？

まさにこのジレンマにおちいっていたとき、「あっ」という直観がひらめいた。頭を殴られたような衝撃とともに、不意にもつれが解け、混乱が消え去る瞬間だ。そのきっかけになったのは、こんな単純な自問だった。もしも新しい何かが、つまり、いままでに見たことのない物体が部屋にあったら、何が起こるのだろうか？　たとえば、青いコーヒーカップがあったら？

答えは単純だ。それがこの部屋のものでないことに、わたしは気づくだろう。それは新しい物体として、注意を引くだろう。コーヒーカップが新しいものかどうかを、自分自身に意識的に問いかける必要はない。あるはずがないものとして、目に飛び込んでくるだけだ。ところが、うわべは平凡に見えるこの答えの下に、強力な概念が隠れている。何かが違うことに気づくのだとすれば、脳のニューロンでそれまで興奮していなかったものが、興奮しなければならない。それらのニューロンは、部屋に何百もある物体の中で青いコーヒーカップだけが新しいことを、どうやって知るのか？

この問題への答えには、いまだに驚きを禁じえない。つまり、人間の脳は蓄積した記憶を使って、見たり、聞いたり、触れたりするものすべてを、絶えず予測しているのだ。わたしが部屋の中を眺めるとき、脳はいつも記憶を使い、何を見るはずであるかの予測を、実際に見る前にたてている。その行為のほとんどすべては、無意識のうちにおこなわれる。脳のさまざまな部分が勝手に独り言をしゃべるなら、おそらくこんな感じだ。「コンピューターは机の真ん中にあるか？　ある。それは黒いか？　黒い。電気スタンドは机の右側のすみにあるか？　ある。辞書はわたしが置いた場所にあるか？　ある。窓は四角く、壁は垂直になっているか？　なっている。太陽の光は日中のこの時間に射し込むべき方角から射し込んでいるか？　射し込んでいる」などなど。だが、新皮質に記憶されていないなんらかのパターンが目に入ったとき、予測はくつがえされる。そして、わたしの意識はその予想外の何かに引きつけられる。

もちろん、脳は予測をたてながら独り言をつぶやかないし、一つずつ順番に予測していくわけでもない。また、コーヒーカップのような個別の物体だけが予測の対象ではない。脳は人間が暮らす現実世界の構造そのものについて、並列に予測をたてている。異様な触感も、ゆがんだ鼻も、ふつうでない動きも、同じようにたやすく検知する。これらのほとんど無意識の予測が日常茶飯事としておこなわれていることには、少し考えないと気づかない。長いあいだ予測の重要性が見落とされてきたのも、おそらくそのためだ。あまりにも無意識に、あまりにも楽々とおこなわれているために、脳の活動であることが見抜けない。だが、これがきわめて重要な活動であることを、わたしは強調しておきたい。予測はあらゆる場合におこなわれているので、もはや人間の「認識」は、感覚だけから生み出されるものとはいえない。現実世界の姿は、感覚器官からの入力とともに、脳の記憶から引き出された予測が決めているのだ。

ドアの改造

直観がひらめいた数分後には、自分の考えをうまく伝えるための思考実験を思いついていた。それは「ドアの改造」とでも呼べるものだ。

毎日、あなたは帰宅したとき、玄関なり裏口なりから、ふつうは数秒で家に入るだろう。手を伸ばしてノブをまわし、中に入って後ろでドアを閉める。しっかりと確立された習慣で、何度も繰り返したために、ほとんど注意を払わなくなった行為だ。では、あなたの外出中にわたしが家に忍び込み、ドアのどこかを改造したと仮定しよう。どんな改造でもかまわない。ノブなら位置を数センチずらしても、丸型から細長い取っ手に交換しても、真《しん》鍮《ちゅう》の握りをステンレスに変えてもいい。樫《かし》の厚い板を中空の扉に変えて軽くしたり、逆に重くしたりもできる。蝶番《ちょうつがい》をきしらせて動きを悪くすることも、摩擦を減らしてなめらかに動かすことも考えられる。ドアの幅を枠ごと広げたり、せばめたりするかもしれない。違う色に塗ることも、のぞき穴をノッカーでふさぐことも、新しいのぞき窓をあけることもあるだろう。内緒でおこなう改造を、一〇〇〇種類は考えつく。さて、その日にあなたが帰宅してドアをあけようとすると、すぐに何かがおかしいことに気づくはずだ。正確にどう変わったかまで認識するには数秒かかるかもしれないが、どこが変わったかは一瞬でわかる。ずらされたノブに手を伸ばせば、位置がおかしいことに気づく。新しいのぞき窓を見れば、異様に感じる。ドアが軽くなっていれば、押したときの力が大きすぎて、驚くかもしれない。重要な点は、一〇〇〇種類の改造のいずれであっても、きわめて短い時間のうちに気づくことだ。

なぜこれができるのか？　どうすれば、これらの改造に気づくのだろうか？　人工知能やコンピューターの専門家が使う方法は、ドアのあらゆる特徴を並べあげ、データベースに入れることだ。ドアが一般的に備えうる特徴と、あなたの家のドアに特有の性質が、すべて集められる。そして、ドアをあけるとき、コンピューターはデータベースをすみからすみまで検索し、幅、色、高さ、ノブの位置、重さ、音など、さまざまな特徴を調べる。

うわべだけで判断すると、部屋を眺めているときに脳が無数の予測を丹念に確かめていく様子と同じに思われるかもしれないが、両者は本質的にまったく違うものだ。人工知能の戦略は実現性に欠ける。まず、ドアのすべての特徴をあらかじめ羅列することはできない。特徴は無限に考えられる。第二に、同じような特徴の一覧は、人生で遭遇するあらゆる対象に必要になる。第三に、生体の脳やニューロンについて知られているいかなる事実も、人工知能の戦略を示唆していない。そして最後に、コンピューターと同じデータベースを実現するためには、ニューロンはまったく遅すぎる。改造に気づくのに二秒ではなく二〇分はかかるので、とっくにドアをとおり抜けてしまっている。

改造されたドアに対する人間の反応を説明する方法は、一つしかない。脳は感覚器官からの入力を細部まで予測をし、あらゆる瞬間に何を見て、聞いて、触れるかを前もって知っているのだ。しかも、それらは並列におこなわれる。新皮質のどの領域も、つぎに何を体験するかを予測しようとする。視覚野は、境界線、形状、対象、位置、動きを予測する。聴覚野は、音のさまざまな性質、聞こえてくる方向、発生のタイミングを予測する。体性感覚野は、接触のタイミング、手触り、輪郭、温度を予測する。

ここでいう「予測」とは、ドアについての感覚にかかわるニューロンが、入力を実際に受けとる前に興奮することを意味する。そして、現実の入力が到達したとき、予測された興奮と比較される。あなたがドアに近づくとき、新皮質は過去の経験にもとづいて、およびただしい数の予測をたてている。手を伸ばしながら、いつ指先がノブに触れるか、どんな感触を受けるか、触れたときに関節がどう曲がっているかを予測する。ドアを押しはじめたとき、重さはどれくらいで、どんな音がするかを予測する。すべてが予測どおりであれば、それが意識にのぼることはなく、あなたはドアをとおり抜ける。予測が正しいのは、理解していることにほかならない。そこにあるのは、自分が思っているとおりのドアだ。そして、理解しているからこそ、予測が外れると困惑する。予測と実際の差によって、注意が喚起される。取っ手があるべき位置にない。扉が軽すぎる。中心からずれている。ノブの手触りがおかしい。人間はあらゆる感覚について同時に、詳細な予測を絶え間なくたてる。

だが、それだけではない。わたしははるかに大きな主張を展開するつもりだ。予測は脳の単なる一つの働きではない。それは新皮質の「もっとも主要な機能」であり、知能の基盤なのだ。新皮質は予測のために存在する生体組織といってもかまわない。知能とは何か、創造性とは何か、脳はどのように働いているのか、知能を備えた機械はどうすればつくれるのかを知りたいなら、予測の本質をあきらかにし、それが新皮質でどのようにたてられているかを解明しなければならない。人間の行動でさえ、予測の副産物と解釈すると、もっともうまく説明できる。

「予測」という枠組みの由来

知能を解明する鍵が「予測」にあることは、だれが最初に提案したのだろうか？　科学や産業の世界では、完全に新しい考えは少ない。そのかわりに、既存の知識が新しい枠組みで解釈される。新しい考えが発見される場合でも、それを構成する要素がたいていは前もって議論されている。要素をうまく組みあわせるところに新しさがあるのだ。この例にもれず、新皮質の第一の機能が予測をたてることだという考えも、完全に新しいものではない。さまざまなかたちで、しばらく前から存在している。だが、まだ正当な評価を与えられているわけではなく、脳科学の理論の主役とも、知能を定義するものともみなされていない。

皮肉なことに、コンピューターで現実世界のモデルをつくり、それを使って予測をたてるという考えは、人工知能の研究がはじまったころから存在していた。たとえば、一九五六年、認知科学者のD・M・マッケイは、知能を備えた機械は「観測される状況を目標に一致させる」ように意図された「自分自身で反応を起こす機構」を持っていなければならないと主張した。「記憶」や「予測」という言葉は使われていないが、発想は同じだ。

一九九〇年代の中ごろから、「推論」「発生モデル」「予測」といった用語が科学の世界にじわじわと浸透しはじめた。これらはすべて、類似した概念をあらわしている。たとえば、ニューヨーク大学の医学部のロドリフォ・リナスは、二〇〇一年の著作『自己の渦』(*I of the Vortex*) の中で、「未来の出来事の結果を予測することは、首尾よく動くために不可欠の才能であり、ほぼ間違いなく、脳全体の根本的でもっとも一般的な機能である」と述べている。ブラウン大学のデーヴィッド・マンフォード、ワシントン大学のラジェシュ・ラオ、ボストン大学のスティーヴン・グロスバーグなど多くの科学者は、逆向きの情報の役割と予測について執筆し、さまざまな学説を提唱している。数学には、ベイジアン・ネットワークだけを扱う一分野がある。一七〇二年生まれのイギリスの聖職者で、統計学の先駆者のトマス・ベイズにちなんで名づけられたこのネットワークは、確率論にもとづいた予測をたてるというものだ。

いままでは、これらの本質的に異なる概念をまとめるための、一貫した理論の枠組みが欠けていた。こうした枠組みはまだだれからも提唱されていないので、それをすることがこの本を書いた目的でもある。

予測の重要性

新皮質が予測をたてる方法の詳細に入る前に、もう少し例をあげておきたい。この枠組みについて深く考えれば考えるほど、予測が幅広くおこなわれ、現実世界を理解する手段の基本となっていることがわかるだろう。

感覚における予測

今朝、わたしはパンケーキを焼いた。その途中で、調理台の下に手を伸ばし、戸棚をあけた。触るもの（この場合は戸棚の取っ手）が何で、いつそれに触るかは、見なくても直観的にわかった。牛乳の容器のふたをひねったとき、それが回転して外れることを予測した。ガスこんろに点火したとき、つまみがわずかに引っ込み、ある程度の力で戻るのを予測した。炎が穏やかに燃える音が一秒ほどで聞こえるのを予測した。毎分一〇から一〇〇の動作をおこない、そのどれにも多くの予測が含まれていた。そして、それらのありふれた行為で何か一つでも予想と違った結果が起こっていたら、それに気づいたはずだ。

歩いていて足を降ろすたびに、その動きがどこで止まり、どれくらいの弾力を地面から受けるかを、脳は予測している。階段を踏み外した経験があるなら、どれほど瞬時に何かがおかしいと気づいたかを思い出せるだろう。足を降ろし、予測した踏み段を「とおり越した」瞬間、トラブルがわかる。足の裏は何も感じないが、脳が予測をたて、その予測が外れたからだ。コンピューターに制御されたロボットなら、何がおかしいのかに気づくこともなく、見事にひっくり返るだろう。だが、人間は、脳が予測した地点で足が止まらなかったつぎの瞬間、異常を察知する。

なじみのメロディーを聴いているとき、頭の中にはつぎの音が発生する前に聞こえてくる。好きなアルバムをかけていると、つぎの曲がはじまる一、二秒前からいつも前奏が流れだす。何が起こっているのだろうか？　脳内では、つぎの音を聞いたときに興奮するニューロンが、実際に聞く前に興奮をはじめている。だから、頭の中で「聞こえる」のだ。このときのニューロンは、記憶に反応して興奮している。記憶の持続期間は驚くほど長いことがある。アルバムを何年かぶりにかけても、前の曲が終わると自然につぎの曲が思い浮かぶことが多い。さらに、好きなCDをランダム再生で聴くと、ちょっとした不確実性がここちよい刺激になる。つぎの曲の予測が外れる経験をするからだ。

他人の話を最後まで聞かなくても、しばしばいいたいことがわかる。いや、少なくとも、わかったつもりになる。ときには、実際の言葉に耳を傾けさえしないで、自分が聞きたいように聞いてしまう。わたしは子供時代にあまりにもこの傾向が強かったので、母親に二度も医者につれていかれ、聴力を検査されたくらいだ。こうした傾向が起こる原因の一つは、会話で多くの慣用句や常套句が使われることにある。たとえば、だれかが「酒は百薬の……」といいかければ、脳は「長《ちょう》」という言葉を聞く前に、その語句に対応するニューロンを興奮させる。もちろん、いつも他人のいいたいことがわかるわけではない。つねに正確な予測ができるともかぎらない。どちらかといえば、脳はこれから起こる出来事について確率的な予測をたてている。正確に何が起こるかわかるときもあるが、そうでないときは、予測はいくつかの可能性にまたがっている。食卓で夕食をとっていて、「ちょっととってくれないかな、そこの……」という言葉のあとに、「塩を」「胡椒《こしょう》を」「マスタードを」などと聞いても、脳は驚かない。これらの言葉がつづく可能性は、ある程度、すべて同時に予測されている。だが、「ちょっととってくれないかな、そこの歩道を」と聞けば、すぐにおかしいと気づく。

音楽の例でも、やはり確率的な予測が見られる。まったくはじめての曲を聴いているときにも、きわめてはっきりとした予測をたてることが可能だ。西洋の音楽では、一定の拍子、リズムの繰り返し、同じ小節の数だけつづく楽句、主音で曲が終わることなどが決まっている。音楽の専門用語は知らなくても、同じような曲を聴いているかぎりは、脳は自然に拍子、リズムの反復、楽句の切れ目、歌の終わりを予測する。新しく聴いた曲でこれらの原則が破られると、すぐに何かがおかしいとわかる。もう少しこのことを掘り下げてみよう。ある曲を聴いたことがなく、脳がそのパターンを経験するのがまったくはじめてのはずなのに、それでも予測がたてられていて、違和感を覚えることがある。ほとんど無意識におこなわれるこの予測も、新皮質に蓄えられた記憶にもとづいている。脳はつぎの音を正確には予測できないが、それでも、ありそうなパターンとありそうでないパターンはわかっている。

遠方の道路工事の騒音や単調なBGM（バックグラウンドミュージック）など、ずっと音が聞こえていたのに、やんだ途端にやっと気づいたという経験は、だれにでもあるだろう。聴覚野は音がつづくことを一瞬一瞬に予測しているので、変化のないかぎり注意が払われない。聞こえなくなったことで予測が外れ、意識が向くのだ。実際にあった面白い例がある。ニューヨーク市が高架鉄道を廃止した直後に、不審な気配で真夜中に目が覚めたという、住民からの電話が警察に相次いだ。かかってくる時間は、通報者のアパートのそばをかつて列車が通過していた時刻に集中していた。

百聞は一見に如《し》かず、ということわざがある。だが、人間は実際に見えるものと同じくらい、見たいと思うものを見ている。このもっとも興味深い例の一つが、「視野の充塡《じゅうてん》」だ。両目のそれぞれに小さな盲点のあることに、気づいた経験があるだろうか？　その場所には視神経乳頭と呼ばれる、神経線維が網膜から出ていく穴がある。そこには光を感じる細胞がないので、視野の対応する部分はつねに見えていない。ふつうは盲点の存在に気づかないが、その理由は二つある。一つは平凡で、もう一つは示唆に富んでいる。平凡なほうの理由は、両目の盲点が視野の中で重ならないので、補いあえることだ。

だが、面白いことに、片目をつむっていても盲点には気づかない。視覚野が欠けた情報を充填しているからだ。一方の目だけで、豪華に織られたトルコじゅうたんや、サクラ材でつくられた机のうねった木目を眺めるとき、どこにも穴は見えない。じゅうたんの織り目や、木目の黒っぽい節は、どれかが盲点と重なってたびたび網膜から姿を消しているはずなのに、模様と色が一様に広がっているという印象しか受けない。視覚野は類似したパターンの記憶を引き出し、いかなる欠けた入力も補うように、絶え間なく予測をたてている。

充填は盲点だけでなく、視覚映像のあらゆる部分で起こっている。たとえば、海岸の写真で、流木が岩の上に打ちあげられているものとしよう。岩と流木の境界は、明確ではっきりしている。ところが、その写真を拡大すると、境目の両側は模様も色も似通っていることがわかる。目を近づけると、流木の輪郭は岩とまったく見分けがつかない。景色全体を見ればはっきりと境界がわかるのだが、実際には写真のほかの部分から推測されている。現実世界を眺めるとき、物体の輪郭や境界は容易に認識されるが、目に入っているデータそのものは、しばしば乱雑であいまいだ。新皮質は欠けている箇所や乱れている部分を、そこにあるべきと考えるもので充填する。こうして、人間はあいまいさのない像を認識する。

視覚における予測は、目を動かすときにも働く。第3章でサッカードと呼ばれる眼球の運動を説明したが、このとき眼球は完全にランダムに動いているわけではない。顔を眺めているときの典型的な目の動き方は、まず片方の目を見つめて、つぎにもう一方の目に移り、両目を行き来しながら、ときどき鼻や口や耳といったほかの特徴にも目を向けるというものだ。「顔」しか認識していなくても、視線の先は目、目、鼻、口、目、などと変わっている。

では、目があるはずの位置に鼻がもう一つある人物に出会ったと想像してみよう。まず視線を目の上で止め、サッカードをして顔の反対側に移すが、そこには目ではなく鼻がある。間違いなく、何かがおかしいと気づくだろう。それがわかるのは、つぎに見るものを脳が予測しているからだ。目だと思ったのに鼻が見え、予測が外れたのだ。このように、一秒に何回か、サッカードが起こるのと同時に、脳はつぎに何を見るかの予測をたてる。そして、予測が外れれば、たちどころに注意が喚起される。

いまのあなたについて考えよう。どのような予測をたてているだろうか？　この本のページをめくるとき、紙がある程度たわみ、表紙とは違ったふうに動くことを予測する。椅子に座っているなら、身体の受ける圧力が変わらないことを予測している。だが、もしもお尻の下がぬれてきたり、背もたれが後ろに倒れはじめたりするなど、思いもよらない変化を感じれば、本に注意を払うのをやめ、何が起こっているのかを調べようとするはずだ。少しのあいだ自分自身を観察してみれば、現実世界の認識も理解も、予測と密接に結びついていることに気づく。脳は現実世界のモデルを構築し、それが正しいことを絶えず確かめている。現在どこにいて、何をしているのかがわかるのは、このモデルが妥当なものであるからだ。

高度な予測

予測がおこなわれる対象は、見たり聞いたりする低レベルの感覚のパターンだけではない。いままでの説明をそうした例にかぎったのは、知能を解明する枠組みの紹介に好都合だったからだ。だが、マウントキャッスルの原理によれば、低レベルの感覚野で成りたつことは、新皮質のあらゆる領域で成りたつはずだ。人間の知能がほかの動物より高いのは、より抽象的なパターンや、より長いシーケンスの予測がたてられることによる。妻がわたしの顔を見て何をいうかを予測するには、過去の言葉や、今日が金曜日であること、金曜日の夜にはごみ袋を道路脇に出す必要があること、先週はそれを忘れたこと、妻の表情が何かいいたそうなことなどを知っていなければならない。わたしが何をいわれるかは、きわめて確実に予測できる。いまの場合、正確にどのような言葉が使われるかはわからないが、ごみ袋を出すように念を押されることは間違いない。重要な点は、高レベルの知能も感覚の場合となんら変わらない手順で生み出されることだ。つまり、このときにも、基本的には記憶による予測という新皮質に共通のアルゴリズムが使われる。

知能検査が本質的に予測の試験であることは、注目に値する。幼稚園児であろうと大学生であろうと、知能指数は基本的に予測をたてる能力によって測定される。たとえば、こんな問題があったはずだ。与えられた数列において、つぎにくる数は何か？　異なる方向から眺めたとき、与えられた三枚の図のように見える物体を、さらにべつの方向から見たときの図はどれか？　ＡとＢの関係は、Ｃと何の関係と同じか？

科学自体も予測の学問だ。森羅万象の知識は、仮説をたてて検証することで増えていく。この本の要点も、知能の本質と脳の働きについての予測にある。製品の設計や開発でさえ、予測と切り離しては考えられない。衣服のデザインでも携帯電話の開発でも、商売敵の動きや、消費者の好みや、製作にかかる費用や、流行の盛衰などが予測されている。

知能の高さは、現実世界のパターンを記憶し、予測する能力によって測定される。その対象には、言語、数学、物体の物理的な性質、社会情勢なども含まれる。脳は外界からパターンを受けとり、記憶として蓄えることで、過去の経験と現在の事象を組みあわせて予測をたてるのだ。

人間はどうやって予測ができるようになったのか

いまの時点で、あなたはこう考えているかもしれない。「脳が予測をたてていて、暗闇で横になっていても知能が発揮できることは認めよう。おっしゃるとおり、理解や知能に行動は必要ない。でも、そういう状況は例外的なんじゃないのか？　知能と行動は無関係だと、本当に主張するつもりなのか？　最後に知能をもたらすものは、じつは予測ではなく、行動ではないのか？　つまるところ、生死をわけるのは行動なんだから」

この疑問は当然だし、もちろん、動物の生存にもっとも大切なものは、最終的には行動だ。予測と行動は完全に別物ではなく、複雑にからみあっている。第一に、進化の過程で新皮質があらわれたとき、動物はすでに複雑な行動を身につけていた。したがって、生存競争における新皮質の価値は、動物がすでに備えている行動をさらに向上させるという観点から考えなければならない。はじめに行動があり、そこに知能が加わるのだ。第二に、人間が受けとる感覚のほとんどは、現実世界で何をおこない、どのように動くかに大きく依存している。その意味では、予測と行動は密接な関係にある。では、この二点について、もう少し説明しよう。

新皮質の獲得

哺乳類の新皮質が進化によって大きくなったのは、そのほうが生存のために有利だったからで、その利点は最終的にさまざまな行動としてあらわれる。だが、はじめのうちは、新皮質は既存の行動を効率的に使えるようにしたのであって、まったく新しい行動を生み出したわけではない。この点をあきらかにするために、動物の脳の進化を簡単に振り返ろう。

単純な神経系は、数億年前に、多細胞生物が地球全体でうごめきはじめてからほどなくして出現した。しかし、真の知能の歴史は、もっと最近になってから、爬虫類《はちゅう》の祖先とともにはじまる。爬虫類は陸地の征服に成功した。あらゆる大陸に広がり、多くの種にわかれていった。鋭敏な感覚とよく発達した脳を持ち、複雑な行動をとることができた。その直系の子孫である現在の爬虫類にも、同じ能力がある。たとえば、ワニは人間と同じように高度な感覚を備え、泳ぐ、走る、隠れる、獲物を襲う、待ち伏せる、日光浴をする、巣をつくる、交尾する、といった複雑な行動がとれる。

爬虫類の脳を構成する要素は、大まかな対応として、すべて人間にも備わっている。具体的には脳幹、小脳、大脳辺縁系のことだが、進化の初期に生まれた部分なので、この本ではまとめて「旧脳」と呼ぶことにする。旧脳のおもな働きは、血圧、飢え、性欲、感情、さらに動作の大半を制御することだ。だからこそ、人間はたちあがり、身体のバランスをとりながら歩くことができるし、恐ろしい音を聞くと、あわてふためいて駆け出すことになる。興味深く有用な行動の多くは、爬虫類以上の脳を必要としない。そうすると、新皮質の役割はどこにあるのか？

新皮質は数千万年前にはじめてあらわれ、哺乳類だけに存在する。人間がほかの哺乳類よりも賢いのは、主として新皮質の面積が広いからだ。その大きさは、わずか二〇〇万年前にめざましく拡張した。人間の脳は何十億年にもわたる進化のたまものだと、よく誤解される。脳全体を考えるなら、正しいといえなくもない。だが、人間の新皮質そのものは割合と新しい組織であり、進化によってじゅうぶんに洗練されるほど長くは存在していない。

それでは、新皮質の役割が何なのか、なぜ知能の謎を解く鍵が記憶と予測にあるのかという、わたしの主張の核心に入ろう。前提として考えるのは、新皮質を持たない爬虫類の脳だ。それが進化して、感覚の情報がとおる旧脳の経路に、記憶システム、すなわち新皮質が付加されて、未来を予測できるようになった。まず、旧脳は依然として爬虫類と同じ機能を果たしたまま、同時に感覚のパターンが新皮質に入力されはじめる。すると、感覚の情報が記憶として蓄えられ、感覚への実際の入力と記憶との比較によって、現在の状況を認識し、将来に受けとるはずの感覚を予測できるようになる。新皮質はさらに、感覚だけでなく、同じ状況で旧脳がとった行動も記憶する。感覚と行動の差を考える必要はない。なぜなら、新皮質にとっては、どちらも単なるパターンだからだ。そうなると、将来を見とおすだけでなく、その将来をどのような行動がもたらしたかまで思い出すことができる。こうして、動物は記憶と予測を使うことによって、既存の旧脳による行動をより賢く利用できるようになるというわけだ。

たとえば、あなたがネズミで、迷路から抜け出す実験にはじめて使われているものとしよう。不安や空腹感に襲われ、旧脳に備わった技能を駆使し、新しい環境をさぐろうとする。聞き耳をたて、周囲を眺め、においをかぎ、壁のそばをはいまわる。このときに感覚から得られる情報はすべて旧脳で使われるが、同時に新皮質に渡され、そこで記憶される。つぎに実験に使われたとき、あなたは同じ迷路にいることに気づく。新皮質が現在の入力を以前に経験したパターンの一つと同じだと認識し、過去の出来事の記憶を思い出す。このことは、本質的に、未来に起こる結果への近道をもたらす。あなたがしゃべることのできるネズミなら、こうつぶやくだろう。「うん、あの迷路だ。この曲がり角を覚えているぞ」と。新皮質が過去の出来事を思い出すにつれ、前回に見つけたチーズの姿と、それを手に入れた手順が目に浮かんでくる。「ここを右に曲がれば、つぎに起こることもわかっている。通路の突き当たりに一切れのチーズがある。その光景も想像できる」と考える。

迷路を走り抜けるとき、足をあげたりひげを動かしたりといった行為では、古くからの旧脳の働きに頼っている。やや大きめの新皮質の役割は、いったことのある場所を覚え、将来にそれを思い出し、つぎに何が起こるかを予測することだ。新皮質を持たないトカゲなら、過去を記憶する能力がはるかに乏しいので、迷路に入れられるたびに、新しく探検をはじめなくてはならないだろう。だが、ネズミのあなたは新皮質の記憶を使い、現在の状況と差し迫った未来を認識する。それぞれの判断の先に待ち受けている報酬と危険がありありと思い浮かぶので、状況の中で効果的に振る舞うことができる。まさしく、未来を予測しているのだ。

しかし、いちじるしく複雑な行動も、根本的に新しい行動もしていないことには、注意してほしい。ハンググライダーを組みたて、通路の先のチーズまで飛んでいくわけではない。新皮質は感覚のパターンを予測し、将来を見せるが、行動の選択肢はほとんど変わらない。走り抜けたり、よじのぼったり、探しまわったりする能力は、いまだにトカゲと似たり寄ったりなのだ。

新皮質のさらなる進化

進化の過程で新皮質が大きくなるにつれ、現実世界のさらに多くの事柄が覚えられるようになった。ますます記憶が形成され、どんどん予測がたてられる。記憶と予測の複雑さも増していく。だが、べつの顕著な変化が起こったことで、人間に特有の知的な振る舞いが生まれた。

人間の行動は、旧脳が提供するネズミのように動きまわる能力をはるかに超越している。新皮質の進化が、新しいレベルに到達したのだ。人間だけが、話し言葉と書き言葉を操る。食べ物を煮焚きし、衣服を縫い、航空機を飛ばし、高層ビルを建設する。運動と計画の能力は、進化の系統がもっとも近い動物と比べても、はるかに高い。感覚の予測をたてるように意図された新皮質が、人間だけが持つ信じられないほど洗練された行動を、どのようにして生み出すのか？　さらに、このすぐれた行動は、なぜそれほど短期間に進化したのか？　これらの疑問には、二つの答えがある。第一に、新皮質のアルゴリズムはきわめて強力で柔軟なので、人間だけに起こった神経回路のわずかな変化の結果、新しい複雑な動きが可能になった。第二に、行動と予測は表裏一体の関係にある。新皮質に未来がわかるといっても、どのような行動をとっているかを知らないかぎり、感覚の正確な予測はたてられない。

行動と予測の関係を示すもっとも単純な例として、ネズミがチーズを見つける実験に戻ろう。このネズミは迷路を覚え、その記憶を使って、曲がり角の先にチーズが見えることを予測する。だが、左右のどちらに曲がってもいいわけではない。チーズを思い出すのと同時に、「わかれ道を右に曲がる」という正しい行動がとれてこそ、はじめて予測が実現できる。この例はあまりにも単純だが、それでも、感覚の予測と行動がいかに密接な関係にあるかの核心をついている。人間が受ける感覚のほとんどは、どの瞬間にも、自分自身の行動に大きく依存している。顔の前で腕を動かしてみよう。腕が見えることを予測できるのは、腕を動かす命令が発せられるとわかっているからだ。そんな命令をしていないのに腕が動くのを見たら、きっと驚くだろう。この現象をもっとも素朴に解釈すれば、脳がはじめに腕を動かす命令を出し、つぎに何が見えるかを予測するものと考えられる。だが、わたしは違うと思う。そうではなく、まず新皮質が腕を見ると予測し、それをきっかけに運動の命令が発せられて、結果的に予測が実現するのだ。はじめに意図があり、それが行動を引き起こすことで、結果が得られている。

では、人間の行動の幅をおおいに広げることになった、神経回路のつながりの変化へと話を進めよう。サルと人間の新皮質には生体組織としての違いがあるのだろうか？　その違いによって、人間だけが言語などの複雑な行動を駆使する理由が説明できるのだろうか？　人間の脳の大きさは、チンパンジーの約三倍もある。だが、「大きいことはいいことだ」というだけが違いではない。人間の行動の飛躍を解明する鍵は、新皮質の領域と旧脳の組織とのつながり方にある。簡単にいえば、人間の脳の神経回路は独特なのだ。

もう少し詳しく見ていこう。脳が左右の半球にわかれていることはよく知られている。だがそれとはべつに、あらゆる脳では、とくに大きな脳であれば顕著に、新皮質が中心溝と呼ばれる大きな裂け目によって前後の二つの部分にわかれている。後ろの半分には、視覚、聴覚、触覚の入力を受けとる部分があり、ここで感覚の大部分が認識される。前の半分には、高レベルの立案や思考をおこなう領域と、運動野、すなわち、筋肉を動かして行動を起こすことに脳の中で最大の責任をおっている部分がある。

霊長類の新皮質が年月をへて大きくなるにつれ、とくに人間においては、この前の半分が不釣り合いなほど広がっていった。ほかの霊長類や初期の人類に比べ、現在の人間はかなり大きな前額部を持ち、進化した新皮質の前の半分が入るようになっている。だが、このように大きくなったことだけでは、ほかの動物と比べたときの運動能力の発達がじゅうぶんに説明できない。人間がきわめて複雑な行動をとれるのは、運動野が独自に全身の筋肉と多くのつながりを持っているからだ。ほかの哺乳類では、新皮質の前の半分が運動において果たす役割は、それほど直接的なものではない。ほとんどの動物が起こす行動は、旧脳の働きに大きく依存している。それに対して、人間の新皮質は、運動を制御する機能のほとんどを脳のほかの組織から奪ってしまった。ネズミが運動野に損傷を受けても、行動に顕著な障害はあらわれないだろう。だが、人間が運動野に損傷を受けると、身体は麻《ま》痺《ひ》してしまう。新皮質が行動を支配し、高度な役割を果たしていることは、人間だけの特徴だ。だから、ほかの動物と違い、複雑な言語や道具を操れる。小説を書き、インターネットを使いこなす。火星に探査機を送り、大型客船を建造する。

記憶による予測

あらためて、自然界に起こった脳の進化をまとめておこう。まず、爬虫類のような動物が生まれ、洗練された感覚と、洗練されているが融通のきかない行動が与えられた。つぎに、記憶システムが加わり、そこに感覚の情報が流れ込むことで、過去の経験が記憶できるようになった。まったく同じか類似した状況に置かれると、記憶が呼び戻され、つぎに起こりそうな出来事が予測される。つまり、感覚の入力を予測する記憶システムとして、知能と知識は発生した。予測できることが、理解の本質だ。何かを知っているということは、それについての予測がたてられることを意味している。

新皮質は二つの方向に進化した。第一に、大きくなり、記憶できる内容が洗練されたので、より多くの事象を覚え、より複雑な関係にもとづいて予測をたてることが可能になった。第二に、旧脳の運動システムと作用しあうようになった。つぎに見たり、聞いたり、触れたりするものを予測するためには、どのような行動がとられているかを知らなければならない。人間においては、新皮質が行動のほとんどを支配するようになった。単に旧脳が起こした行動にもとづいて予測をたてているのではない。予測を実現する運動そのものを起こしているのだ。

人間の新皮質はとりわけ大きいので、途方もない記憶容量を持っている。視覚や聴覚をはじめとする感覚の予測を、たいていは無意識のうちに絶えずおこなっている。こうした予測が人間の思考であり、感覚の入力と結びついたときは認識となる。脳の知能のこのような定義を、わたしは「記憶による予測の枠組み」と呼ぶことにする。

サールの中国語の部屋に同じような記憶システムがあり、つぎにどんな漢字があらわれ、物語がどう進展していくかを予測できれば、自信を持って、部屋が中国語を理解し、筋書きを把握していると主張できる。チューリング・テストの間違いは、この点にあった。知能を証明するものは行動ではなく、予測なのだ。

これで、記憶による予測の枠組みという、脳についての新しい考えを掘りさげる準備が整った。未来の出来事を予測するために、新皮質はパターンのシーケンスを蓄積しなければならない。適切な記憶を呼び戻すためには、類似性にもとづいて、つまり、自己連想的に、過去のパターンを引き出す必要がある。そして、最後に、過去の出来事の知識を、類似しているが同一ではない新しい状況に適用するために、記憶には普遍の表現が求められる。これらの機能が生体としての新皮質でどのように実現されているのかを、その階層構造のさらなる探究とともに、つぎの章でとりあげよう。

第6章　新皮質の実際の働き

脳の解明への道のり

脳の働きを解明しようとする試みでは、巨大なジグソーパズルの組みたてと同じように、二通りの方針が考えられる。「トップダウン」の方針では、まず、完成する絵の目星をつける。そして、その絵に不要なピースを無視し、必要なピースを探す。一方、「ボトムアップ」の方針では、個々のピースそのものに注目する。ピースのきわだった特徴を探し、類似したピースを集める。パズルの完成図を知らない場合には、たいていボトムアップの方針をとることになる。

「脳の解明」というジグソーパズルは、とりわけやっかいだ。知能を定義する適切な枠組みがないために、科学者はボトムアップの方針にしがみつくしかない。だが、脳ほどの複雑なパズルともなると、不可能ではないにしても、途方もなく面倒な作業になる。どのくらい難しいかを実感してもらうために、ピースが数千個もあるジグソーパズルを思い浮かべてほしい。しかも、ほとんどのピースが二通り以上に解釈できる。まるで、それぞれのピースの両面に絵が印刷されていて、片面だけが有効というようなものだ。どのピースもカッティングがまずく、二つがかみあうのかどうかさえ判断できない。ピースの多くは完成図では使われないことになっているが、どのピースが不要で、何個を捨てるのかもわからない。毎月、パズルのメーカーから新しいピースが送られてくる。新しいピースのいくつかは、古いピースの改良品だ。「お知らせ」も同封されている。「古いピースで何年もパズルに取り組んでこられたことと思います。ところが、このたび、それらは不良品であることがわかりました。申しわけありませんが、今回の新しいピースに交換してください。さらに不良品が見つかった場合には、また連絡します」と書いてある。こんなふうだから、悲しいかな、パズルの完成図はまったく見当がつかない。たとえ見当がついたとしても、それが間違っていたあかつきには、さらに悲惨なことになる。

ジグソーパズルのたとえ話は、新皮質や知能の新しい理論を構築する難しさを、とてもよくあらわしている。パズルのピースとは、生物学者や行動科学者が一〇〇年以上にもわたって集めてきたデータのことだ。毎月、新しい論文が発表され、ピースがどんどん増えていく。ある科学者の提出したデータが、ほかの科学者のデータと矛盾することもある。データにはさまざまな解釈が可能なので、意見が一致することなどほとんどない。トップダウンの方針を与える枠組みがないために、何を探すべきなのか、何が重要なのか、蓄積された情報の山をどう解釈すればいいのかなどについて、まったく合意が得られていない。脳を解明する研究は、ずっとボトムアップの方針にしがみついてきた。いま必要なのは、トップダウンの方針だ。

「記憶による予測」の枠組みによって、トップダウンの方針がとれるようになる。パズルの完成図が与えられ、真っ先に探すべきピースが示される。新皮質が予測をたてるためには、出来事のシーケンスを知識として記憶し、蓄えておく方法が必要だ。経験していない出来事を予測するためには、記憶は普遍の表現をしていなければならない。変化しつづける状況に影響されることなく、現実世界の本質をモデル化し、記憶する必要がある。新皮質に不可欠な働きを完成図に見たてれば、その構造、とりわけ、機能領域の階層構造と六つの層がトップダウンに解明できる。

これから説明する新しい枠組みは、この本ではじめて世に問われる。詳細に議論するので、たじろぐ読者もいるだろう。ここで紹介する発想の多くは、神経科学の専門家にとっても、なじみが薄い。だが、この枠組みの根本原理は、ほんの少し頭を働かせれば、だれにでも理解できる。

いまや、「脳の解明」というジグソーパズルは、生物学上の細かな事実の中から「記憶はっきりすれば、作業は手におえる範囲にある。探す対象が比較的少ない特定のピースから完成図がつくられるので、残りの大多数のピースは捨てられる。比較的少ない特定のピースだけを探す作業とみなせばいい。比較的少ない特定の「による予測」の仮説を裏づけるピースだけを探す作業とみなせばいい。

ただし、この新しい枠組みが不完全であることは強調しておく。もっとつめる必要のある点はたくさん残っている。だが、大部分については、合理的な推論や、あちらこちらの研究所でおこなわれた実験や、解剖学の知見によって裏づけられている。ここ五年から一〇年のあいだに、神経科学のさまざまな分野で、わたしの提案に類似した理論が研究されている。使われている専門用語はそれぞれ違うし、わたしの知るかぎりでは、複数の理論を一つの枠組みにまとめようとする動きはない。しかし、トップダウンとボトムアップの処理、脳の感覚野全体へのパターンの波及、普遍の表現の重要性などは、たしかに研究されている。たとえば、カリフォルニア工科大学の神経科学者のガブリエル・クレイマンとクリストフ・コッホは、カリフォルニア大学ロサンゼルス校の神経外科医のイツァーク・フリードとともに、被験者がビル・クリントンの写真を見るたびに興奮するニューロンを発見した。わたしの目標の一つは、この「ビル・クリントン細胞」が生まれる過程を説明することにある。さいわい、探す対象がはっきりしているから、脳というきわめて複雑なシステムも、もはやそれほど複雑ではない。

この章では、「記憶による予測」のモデルが新皮質でいかに機能するかを、だんだんと詳細に説明していく。まず、新皮質全体の構造と働きからはじめ、順々に細かな構成要素の機能と、それらの全体像の中での位置づけを見ていこう。

感覚野の構造

第3章でわたしが描いた、新皮質の姿を思い出してほしい。食事用ナプキンほどの大きさ、名刺六枚分の厚さのニューロンの膜で、さまざまな機能の領域同士がつながれ、全体が一つの階層構造をなしているというものだ。ここでは、「階層構造」の部分を強調して、べつの姿を描いてみたい。まず、新皮質のナプキンを機能領域、つまり、特定の仕事を専門とする部位ごとに切断する。つぎに、パンケーキを積みあげるように、これらの領域を下位の機能から順に重ねていく。このパンケーキの山を縦に切り、横から断面を眺めれば、図1のようになる。もちろん、これは実際の新皮質の形状ではない。だが、情報の流れを理解するためには、このイメージがぴったりだ。図1では新皮質が四階層に描かれていて、感覚器官からの信号はいちばん下の領域に入り、順に上の領域へとのぼっていく。注目したいのは、情報が上下の両方向に流れることだ。

視覚における普遍の表現

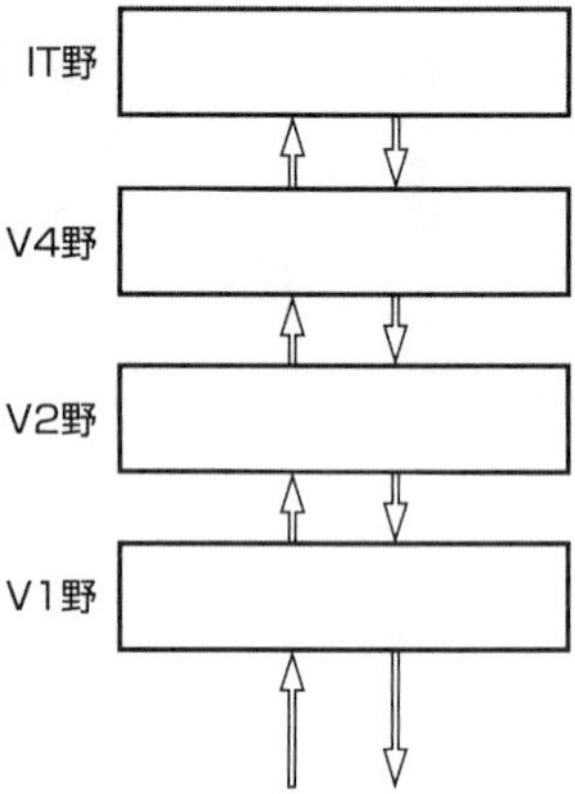

図１　機能領域は階層構造になっている

図１には、感覚野の一つである視覚野の最初の四階層が示されている。これらの領域の働きで、ネコであれ、大聖堂であれ、自分の母親であれ、万里の長城であれ、目で見たものがなんでも認識される。四つの階層は、生物学者によってＶ１野（一次視覚野）、Ｖ２野（二次視覚野）、Ｖ４野（四次視覚野）、ＩＴ野（下側頭野）と名づけられている。いちばん下の上向きの矢印は、両目の網膜からＶ１野に入力される視覚信号をあらわす。この入力は絶えず変化するパターンであり、視神経として束ねられた約一〇〇万本の軸索によって運ばれてくる。

第３章で述べた空間的、時間的なパターンのことを、ここでおさらいしておこう。というのも、このパターンが以降の説明で何度もあらわれるからだ。まず、新皮質は一枚の大きな生体組織だが、特定の仕事を専門とする機能領域にわかれている。各領域のあいだは多数の軸索によってつながれていて、ある領域からべつの領域へと、情報がまとめて同時に伝達される。どの時点でも、軸索の一部だけが活動電位あるいはスパイク電位と呼ばれる電気パルスによって興奮を伝達し、残りは平静を保っている。このときの興奮の空間的な分布とその時間的な変化が、「パターン」を形成する。V1野に到達するパターンは、物体を凝視しているあいだは空間的なものでしかないが、視線を動かすことによって時間的な要素が加わる。

第3章で説明したように、人間の目は一秒に約三回、サッカードと呼ばれる視線の急速な移動をおこない、あとの時間は止まっている。もしも何かの実験で視線を追跡する装置をつける機会があれば、視覚の連続で安定した印象とは裏腹に、サッカードがいかにぎくしゃくしたものかを知って驚くはずだ。図2（a）には、ある被験者が顔の写真を見たときの視線が記録されている。視線の止まる場所がランダムではないことに注意してほしい。では、この被験者の脳になりかわり、目からV1野に送られてきたパターンの変化を想像してみよう。視線を変えるたびに、信号はがらりと変わる。一秒間に何回か、視覚野はまったく新しいパターンを見ることになる。

あなたはこう反論するかもしれない。「なるほど。でも、同じ顔が上下左右に動いてい

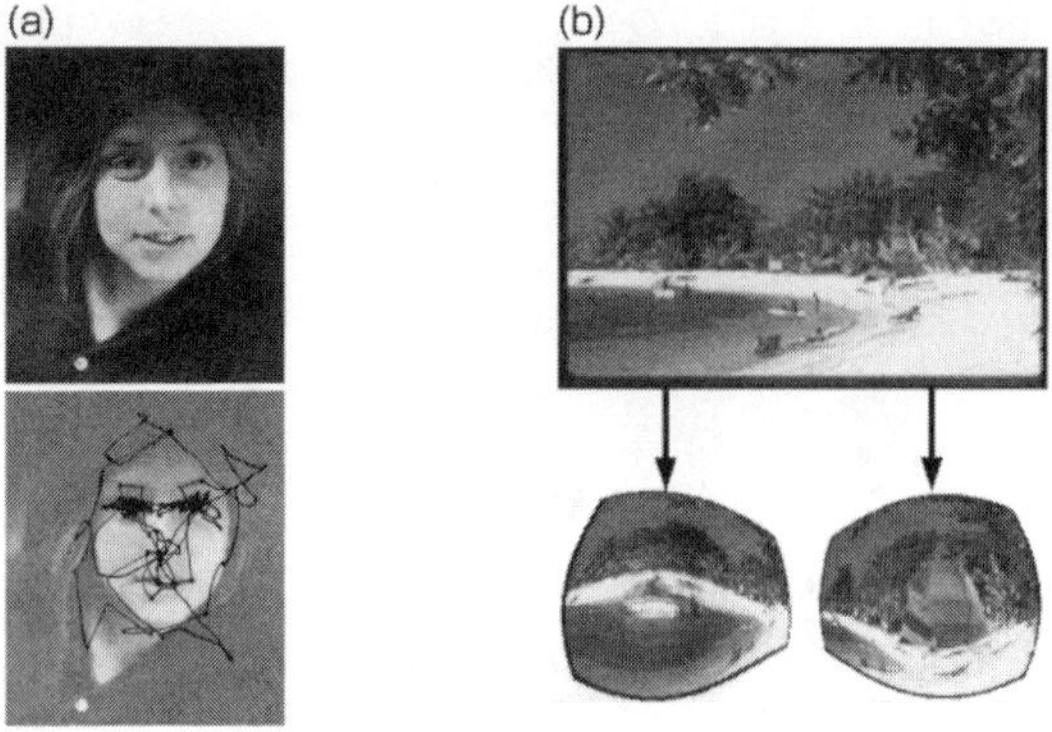

図2（a）人間の目ではサッカードが起こる
（b）網膜上の像はゆがんでいる

るだけじゃないか」と。その主張にも一理あるが、話はそれほど単純ではない。網膜上の光の受容器は、不均質に分布している。中央の中心窩《か》と呼ばれる部分は密度が高く、周辺にいくにしたがってまばらになる。それに対して、新皮質のニューロンは均質に分布している。だから、V1野に伝達されたときの網膜の像は大きくゆがんでいる。図2（b）は、浜辺の景色を例に、どれほどゆがむかを示したものだ。同じように、顔を見ていて視線が鼻で止まっているときと、どちらかの目に止まっているときでは、視覚の入力はかなり異なっている。まるで、がたがたと揺れる魚眼レンズの眼鏡をかけているようなものだ。それでも、顔はゆがんでいるように見えないし、飛び跳ねているようにも感じない。ほとんどの場合、網膜のパターンがそれほど劇的に変化していることには気づかないし、それどころか、まったく変化しているとさえ思っていない。ただ、「顔」だけが見えている。ここにも、第4章で話題にしたように、記憶における普遍の表現の謎があらわれている。視覚によって「認識」される対象は、V1野が見ているものそのものではない。いったいどうして、脳は同じ顔を見ていることを知り、入力の変化やゆがみに気づかないのか？

V1野に探針を差し込んで個別のニューロンの反応を観察すれば、どの特定の細胞も網膜のごくせまい範囲からの信号にしか反応しないことがわかる。この実験は頻繁におこなわれていて、視覚の研究の主流にもなっている。それぞれの細胞が反応する範囲は受容領域と呼ばれ、視覚の全領域、すなわち、眼前に広がる全世界の中で、きわめて小さな部分にかぎられている。V1野のニューロンは、顔や車や本など、人間がいつも眺めている意味のある物体について、なんの知識も持ちあわせていないだろう。なぜなら、見えている世界のうちで、針の穴ほどの小さな部分しか「知る」ことができないのだから。

V1野のそれぞれのニューロンには、決まった入力パターンだけに反応するという特徴もある。たとえば、ある特定の細胞は、受容領域に線分、つまり、何かの端があって、それが三〇度傾いているときに激しく興奮する。条件を満たす斜線でさえあれば、それが何の端で、なぜ存在するかには、ほとんど関係がない。床板の継ぎ目でも、遠くにあるヤシの木の幹でも、文字Mの縦棒でもかまわないし、候補は無限にあげられる。視線を変えるたびに、細胞の受容領域は、視野の空間の中でまったく違う新しい場所に移動する。視線が止まったとき、その細胞は激しく興奮することもあれば、ほとんど、あるいはまったく興奮しないこともあるだろう。同じようにV1野の多くの細胞は、サッカードのたびに興奮の状態を変える。

ところが、もしも図1のいちばん上の領域、すなわちIT野に探針を差し込むと、少し不思議な現象が観察される。そこでは、ある種の物体が視野のどこかに存在するあいだは興奮を保つニューロンが見つかる。たとえば、顔が見えるたびにかならず興奮する細胞だ。この細胞は、V1野のニューロンとは違い、視線が変わるたびに興奮したり静まったりはしない。IT野のこの細胞は、受容領域が視野の空間のほとんどをカバーしていて、その中のどこかに顔さえあれば興奮するように特化されている。

では、普遍の表現の謎をべつの言葉で表現してみよう。網膜からIT野へと新皮質の四階層をのぼるあいだに、ニューロンの性質が変わっていく。はじめは特定のせまい空間に反応し、めまぐるしく状態を変えて、細かな特徴を認識するが、やがては特定の空間だけに反応するのではなく、興奮状態をあまり変えずに、物体そのものを認識するようになる。例にあげたIT野の細部の興奮は、視野のどこかに顔が見えていることを示している。この細胞は「顔細胞」という名前で知られていて、見えている顔が傾いていようが、逆さまであろうが、部分的に隠れていようが興奮する。つまり、「顔」という普遍の表現の一部なのだ。

簡単にいえば、こんなふうになる。四階層をさっとのぼれば、あら不思議、顔が認識できちゃった。どんなコンピューターのプログラムや数学の公式を使っても、顔の認識において、人間の脳に対抗できる確実性や一般性が実現されたことはない。だが、脳は数ステップでこの問題を解いているのだから、その答えは難しいはずがない。この章の主要な目的の一つは、顔細胞がどうやってできるかを、それがビル・クリントンに特化したものであれ何であれ、説明することだ。だが、それをはじめる前に、まだまだ多くの問題をとりあげる必要がある。

もう一度、図1を見てほしい。情報は上位の領域から下位の領域へと、逆方向にも流れるように描かれている。このつながりは、IT野のような上位の領域から、V4野、V2野、V1野といった下位の領域に向かう軸索の束をあらわしている。実際、視覚野においては、逆方向のつながりのほうが多いとまではいえないが、順方向のつながりと同じくらいには存在する。

長年にわたって、ほとんどの科学者は逆方向のつながりを無視してきた。新皮質が感覚の入力を受けとり、それを処理し、必要な行動をとるという観点で脳の働きを解明しようとするかぎり、情報に逆方向の流れは不要だ。感覚野から運動野へといたる、順方向の流れだけを考えればいい。だが、新皮質の重要な機能が予測をたてることだと気づいた途端に、脳のモデルには逆方向のつながりが必要になる。最初の入力を受けとる領域へと、情報を送り返してやる必要がある。予測をするためには、起きると思ったことと実際に起きたことを、比較しなければならない。実際に起きていることが階層をあがっていき、起きると思うことが階層をくだっていく。

聴覚と触覚における普遍の表現

順方向と逆方向の流れは、あらゆる感覚に存在し、新皮質のすべての領域で起きている。図3では、視覚の階層と並んで、聴覚と触覚の同じようなパンケーキの山が描かれている。そして、新皮質のさらに上位の領域も、一部だけ描かれている。この領域は連合野と呼ばれ、異なるさまざまな感覚、たとえば、聴覚と触覚と視覚からの入力を受けとって統合する。図1には、新皮質に実在する四領域の実際のつながりが描かれている。だが、図3は純粋に概念的な絵で、実際の新皮質を正確にあらわしてはいない。現実の人間の脳では、新皮質の何十という領域が、あらゆる組みあわせで相互につながっている。それどころか、人間の新皮質の大部分は連合野なのだ。図3以降のいくつかの図では、特徴をやや誇張し

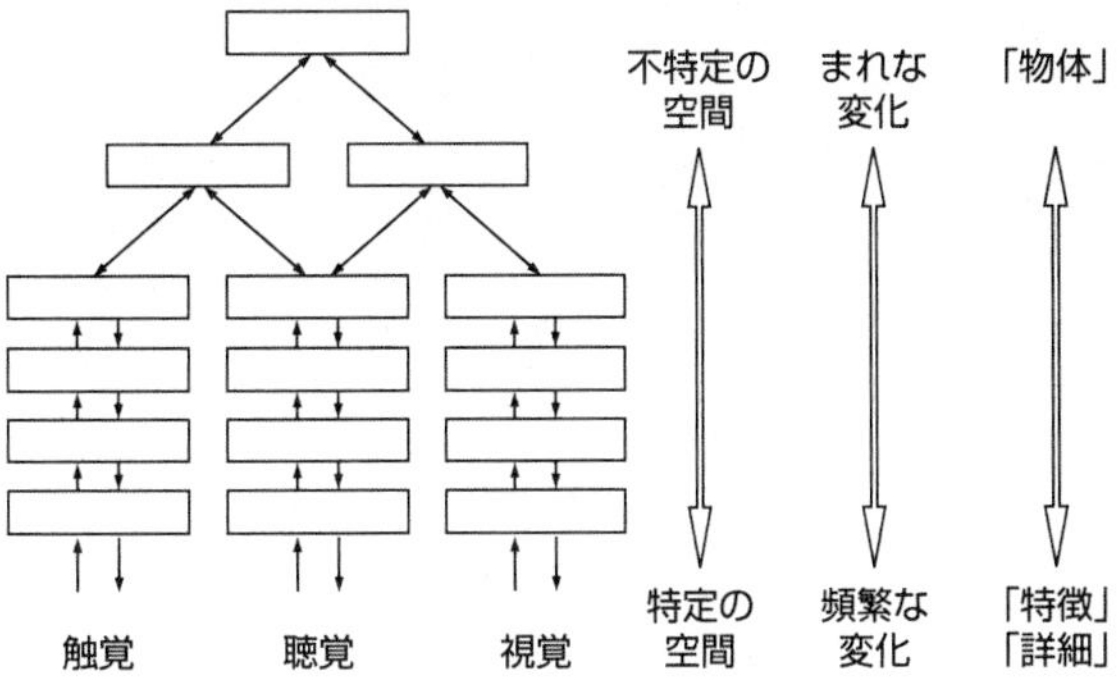

図3　どの感覚にも普遍の表現が形成される

ているが、大きな誤解を与えることなく脳の働きが理解できるように配慮した。

階層をのぼるにしたがい、頻繁に起こっていた変化がまれになり、かぎられていた対象空間が広がっていくというニューロンの性質の変化は、視覚では多数の研究によって立証されている。さらに、裏づける証拠の数は減るものの、同じ変化が視覚野だけでなく、あらゆる感覚野で観察されることも、多くの神経科学者は確信している。

聴覚について考えてみよう。だれかが話すのを聞いているとき、声の「音圧」はかなり頻繁に変化している。A1野（一次聴覚野）に入力されるパターンも、同じようにめまぐるしく変わっている。しかし、もしも聴覚野の上位の階層に探針を差し込むことができれば、単語や、場合によっては句に反応するような、普遍性のあるニューロンが見つかるだろう。ある細胞の一群は「ありがとう」の言葉に反応し、べつの集団は「おはよう」という声に興奮するかもしれない。これらの細胞は、句がきちんと認識されていれば、それが聞こえているあいだ興奮状態を保つはずだ。

A1野が受けとるパターンは、じつに変化に富んでいる。同じ単語の発声でも、さまざまなアクセントや、それぞれの声の高さや、いろいろな速さがある。ところが、新皮質の上位の階層は、こうした細かな特徴には興味がない。音響学的な詳細がどうであれ、単語は単語として認識される。音楽も同じだ。同じ曲をピアノ演奏、クラリネット演奏、子供の歌声のそれぞれで聞くと、A1野が受けとるパターンは完全に異なっている。だが、高次聴覚野に探針を差し込めば、楽器やテンポなどの変化には関係なく、その歌が聞こえているあいだ興奮しつづける細胞が見つかるに違いない。この実験は人間の生体をかなり傷つけるため、もちろん、実際にはおこなえない。しかし、新皮質に共通のアルゴリズムがあるという前提にたてば、このような細胞はかならず存在する。視覚野とまったく同じように、聴覚野にも逆方向のつながり、予測、普遍の表現があるはずだ。

触覚もまた、同じように機能しなければならない。やはり、人間の脳では実験できないが、サルと高解像度の脳画像撮影装置を使った実験なら、すでにはじまっている。さて、わたしはいま机に向かって書き物をしていて、手にはペンを持っている。ペンのキャップに触れ、ポケットに挿すための金具を指でいじっている。皮膚の触覚器から体性感覚野に入ってくるパターンは、指の動きとともに頻繁に変化している。それでも、ずっとペンに触っていることはわかっている。ある瞬間には指で金具をそらせ、つぎの瞬間にはべつの指で、あるいは唇を使って同じことをする。これらの動作に対応する入力は、S1野（一次体性感覚野）の違う場所に到着するので、かなり異なっている。それでも、何階層か上位の領域に探針を差し込めば、この場合にも、「ペン」に対して普遍的に反応するニューロンが見つかるだろう。その細胞はわたしがペンをもてあそんでいるあいだずっと興奮状態を保ち、正確にどの指で、あるいは身体のどの部分で触れているかには関心がない。

ちょっと考えてほしい。聴覚と触覚の場合、一瞬の入力だけでは、それが何であるのかは判断できない。耳あるいは皮膚からやってくるパターンには、どの時点においても、何を聞いているのか、何に触れているのかを示すじゅうぶんな情報が含まれていない。聴覚パターンの並び、すなわち、メロディー、話し言葉、ドアをバタバタ開け閉めする音などを認識するには、あるいは、ペンのような物体を触感で識別するには、時間とともにつぎつぎと供給される入力がどうしても必要になる。一つの音からメロディーを知ることはできないし、一瞬触れただけではペンかどうかわからない。話し言葉も同じだ。つまり、これらの対象を脳が認識するためには、個々の入力パターンが存在する時間よりも長く、ニューロンは興奮をつづけなければならない。まさにこのことからも、新皮質の階層をのぼるにしたがって変化の頻度が低くなるという、先ほどと同じ結論が導かれる。

視覚もまた、時間的に連続した入力の流れであり、聴覚や触覚と同じ方法で認識される。ところが、人間は視線を止めたままでも個々の物体を識別できるため、話がややこしくなる。じつをいうと、このような一瞬の視覚情報から空間的なパターンを認識する能力にまどわされて、ロボットや動物の目の研究は長年にわたって間違った方向に進んでいった。だんだんと、時間という重要な本質が無視されていったのだ。実験室の環境では、人間は目を動かさずに物体を認識できるが、それはむしろ例外といえる。あなたがこの本を読んでいるようなふつうの状況では、目をひっきりなしに動かさないと、視覚は働かない。

連合野の構造

連合野はどうなっているのだろうか？　これまでは、個別の感覚野で情報が上下に流れる様子を説明してきた。下向きの流れが現在の入力の不足を補い、つぎに経験することを予測する。同じ流れは異なる感覚のあいだ、すなわち、視覚、聴覚、触覚にまたがっても起こっている。たとえば、何かを聞くことによって、見たり触れたりするはずのものを予

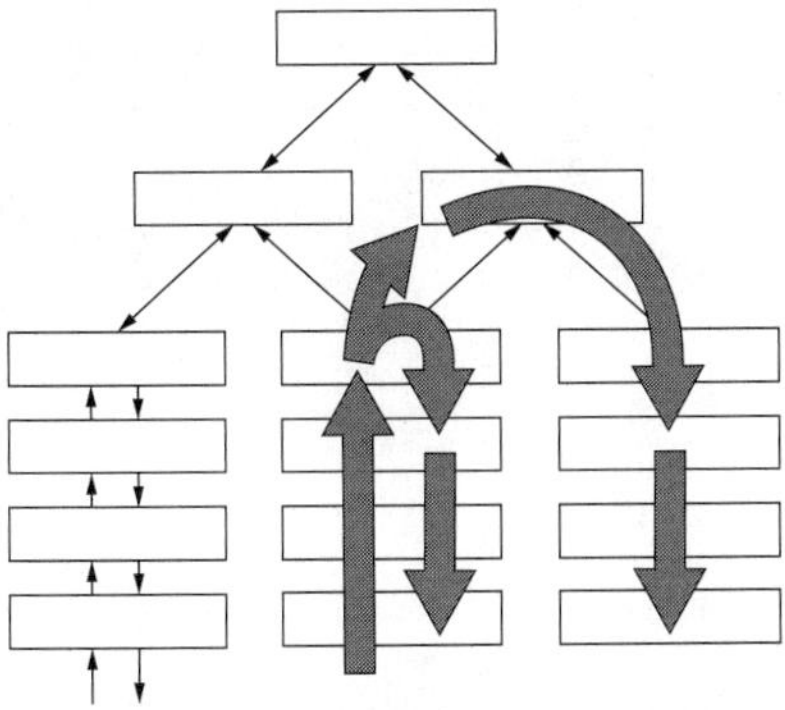

図４　聴覚の入力から視覚の予測も得られる

測できる。ちょうどいま、わたしは寝室でこの本を書いている。わが家の飼いネコのケオは首に鈴をつけているので、歩くとそれが鳴る。廊下から、近づいてくる鈴の音が聞こえている。この聴覚の入力から、わたしはネコの存在を知り、廊下を振り向くと、ちょうどケオが入ってくる。音によって、わたしはネコが見えることを予測する。もしもケオが入ってこなかったら、あるいはほかの動物が見えたら、わたしは驚いていただろう。この例では、聴覚への入力から、まず音によるケオの認識がおこなわれる。この情報は聴覚野の階層をのぼっていき、視覚と聴覚をつないでいる連合野にいたる。つづいて、情報が今度は聴覚と視覚の階層をくだっていき、両方の感覚の予測をたてる。この様子を図４に示す。

この種の複数の感覚にまたがった予測は、ひっきりなしにたてられている。ペンについている金具を外向きにそらせ、滑って指先を離れるのを感じたときには、金具がペンの本体にあたるパチンという音を予測する。金具が離れたあとに、もしもこの音が聞こえなかったら、わたしは驚くだろう。音がいつ聞こえ、それがどんな音であるかを、脳は正確に予測している。これができるのは、情報が体性感覚野をのぼっていき、体性感覚野と聴覚野の両方をくだっていくからだ。その結果、パチンという音と衝撃が予測できる。

べつの例をあげよう。一週間に何日か、わたしは自転車で職場に向かう。そんな朝は、車庫に入り、自転車をつかみ、向きを変え、外の道まで押していく。この作業のあいだ、視覚、触覚、聴覚はいずれも多数の入力を受けとっている。自転車が戸口の柱にぶつかり、チェーンが音をたてて空転する。ペダルがすねにあたり、車輪が床を離れて回転する。自転車を車庫から出すまでに、わたしの脳はつぎつぎと視覚、聴覚、触覚の刺激を受ける。それぞれの感覚の絶え間ない入力は、驚くほど協調的にほかの感覚を予測する。わたしが見たことは、触れることと聞くことを正確に予測するし、ほかの感覚を最初に受けとった場合も同じだ。前輪が戸口の柱にぶつかるのを見れば、特有の音と、自転車がはねあがる感触を予測する。ペダルがすねにあたれば、あたった場所にペダルが見えることを予測しながら、足元に目を向ける。これらの予測はきわめて正確だから、入力のどれかが少しでもおかしかったり、タイミングがずれたりしていれば、かならず気づくはずだ。情報は感覚野の階層を同時に上下し、感じたことを統合して、つぎに体験するあらゆる感覚を予測する。

こんな実験をしてみよう。しばらく読書をやめてたちあがり、なんでもいいから、身体を動かして、物を操作する動作をしてみてほしい。たとえば、洗面所にいき、流しの蛇口をひねるとする。さて、この動作をするにあたり、あらゆる音、手の感覚、見えるものの変化に注意を払おう。それには意識の集中が必要かもしれない。あらゆる動作は、視覚、聴覚、触覚と密接に結びついている。蛇口のレバーをまわしたり持ちあげたりするときは、脳は皮膚が受ける圧力や筋肉が感じる抵抗を予測している。レバーの動きを目と手で感じることを予測し、水が出てくるのを目と耳で確認することを予測する。水が流れ落ちたときは、べつの種類の音が聞こえ、しぶきが目と肌で感じられると予測するはずだ。

一歩ずつ歩くたびに足音がすることは、意識しているかどうかはべつにして、かならず予測されている。この本を持ちあげるという単純な動作でさえ、数多くの感覚が予測されている。手で本を閉じたつもりで音も聞こえたのに、目の前の本がまだ開いていたら、驚いて当惑するだろう。第5章でドアの改造の思考実験を使って説明したように、あらゆる感覚にまたがる協調的な予測が、現実世界に対して絶え間なくたてられている。ありふれた感覚のすべてに意識を集中させてみると、感覚の予測がいかに完全に統合されているかがわかり、驚かされる。それらの予測は単純で平凡なものに思えるかもしれないが、あらゆる場合におこなわれることと、新皮質の階層を上下するパターンの大規模な協調だけから生み出されていることは、心にとめておいてほしい。

感覚同士のつながりがいかに密接かを理解すれば、新皮質全体のあらゆる感覚野と連合野は一体となって機能している、と結論づけたくなるはずだ。そして、それは事実だ。視覚野はたしかに存在するが、あらゆる感覚を含んだ単一システムの一要素であるにすぎない。視覚、聴覚、触覚、さらにほかの感覚の情報はすべて組みあわされ、枝わかれした単一の階層構造の中を上下する。

さらにもう一点、すべての予測が経験によって学習されたものであることも指摘しておく。ペンの金具のパチンという音を現在も将来も予測できるのは、過去にその音を聞いたからだ。自転車を車庫から出すときの姿、音、感触が予測できるのも、過去の奮闘のたまものだ。人間は生まれたとき、これらの知識を何も持ちあわせていない。新皮質が信じられないほど多くのパターンを記憶できるおかげで、だんだんと学習されたものなのだ。脳に流れ込む入力に一貫したパターンさえあれば、やがて新皮質はそれを使って将来の出来事を予測するようになる。

図3と図4には運動野が描かれていないが、それを含めるには、パンケーキの階層の山をもう一つ加えればいい。感覚野の一つと同じように積み重ね、連合野で感覚野とつなげる。細かいことをいえば、身体を動かす領域だから、体性感覚野とのつながりが強いだろう。このように位置づけると、運動野はほとんど感覚野の一つのように機能する。いずれの感覚野への入力も連合野までのぼっていき、そこでつくられたパターンが運動野をくだっていって、動作を起こすのだ。視覚野への入力は、聴覚野や体性感覚野をくだっていくパターンを生み出すのと同じように、運動野をくだっていくパターンを生み出す。感覚野を下向きに流れるパターンは、予測とみなせる。運動野においては、下向きの流れは運動の命令と考えればいい。マウントキャッスルが指摘したように、運動野と感覚野も見た目は似通っている。だから、新皮質が感覚の予測を下向きに流す手順は、運動の命令を流す手順と同じはずだ。

新皮質には純粋な感覚野も純粋な運動野もないことを、簡単に述べておこう。感覚のパターンは、あらゆる場所から同時に流れ込み、階層のいかなる場所にも流れ落ちていって、予測あるいは運動の命令となる。運動野はいくつか特別な性質も備えているが、「記憶による予測」という単一の巨大な階層システムの一部とみなすのが正しい。ほとんど、感覚の一種を処理しているようなものだ。視覚、聴覚、触覚、そして運動は、複雑に絡み合っている。

Ｖ１野の新しい解釈

新皮質の構造を解明するつぎのステップは、下位の機能領域に新たな解釈を与えることだ。図１には、視覚野に含まれる四つの領域、すなわち、Ｖ１野、Ｖ２野、Ｖ４野、ＩＴ野が描かれている。Ｖ１野がもっとも下にあり、順にＶ２野、Ｖ４野と積み重なり、いちばん上位にＩＴ野がある。従来の考えでは、それぞれは単一の連続した領域とみなされ、図でもそのように描かれる。視覚野に入力された情報はＶ１野、Ｖ２野、Ｖ４野へとのぼりながら、だんだんと複雑な特徴が分析されていく。そしてＩＴ野において、「顔」のような物体として認識される。

さて、新皮質の上位の領域は、図３に示すように、その下位にある二種類以上の感覚の領域から入力を受けとっていることが、実験によって確かめられている。実際の脳では、連合野の領域には一〇以上の領域からの出力を束ねているものもある。ところが、従来の理論では、感覚野の下位の領域が上位とは異なるつながり方をしている。それぞれの領域には下からの矢印が一本しかなく、入力が一つの領域にかぎられている。Ｖ２野はＶ１野から入力を受けとるだけだ。なぜ、複数の入力が集まってくる領域と集まってこない領域が存在するのか？　このことは、新皮質には共通のアルゴリズムが存在するというマウントキャッスルの考えとあきらかに矛盾している。

そこで、わたしはつぎのように考えるにいたった。Ｖ１野、Ｖ２野、Ｖ４野をそれぞれ単一の領域とみなすべきではない。むしろ、多数の小さな副領域が集まったものと考えるべきだ。食事用ナプキンのたとえ話を思い出して、新皮質全体を平らに伸ばしたと想像してほしい。ペンを使い、このナプキンの上に、新皮質のあらゆる機能領域を囲む線を引いていく。あきらかに最大の領域はＶ１野だ。つぎはおそらくＶ２野だろう。これらはほかのほとんどの領域よりも、きわだって大きい。だが、ここでわたしが提案するのは、Ｖ１野が実際は多数の小さな領域からできているという考えだ。ナプキンの上でふつうはＶ１野に割り当てられる範囲を、一つの大きな領域ではなく、同じ範囲を占める多数の小さな副領域の集まりとみなす。つまり、Ｖ１野はおびただしい数の副領域で構成され、それぞれは隣同士が直接にではなく、上位の階層を介して間接的につながっている。Ｖ１野は視覚野の領域の中で最多数の副領域を持つことになる。Ｖ２野も副領域の集まりだが、その総数は減る。Ｖ４野も同様だ。だが、最上位のＩＴ野は、実際にも単一の領域になるはずだ。そうでないと、視界全体を認識できない。

こう考えれば、新皮質は気持ちのいいほど均質だ。図５を見てほしい。図３と同じ階層

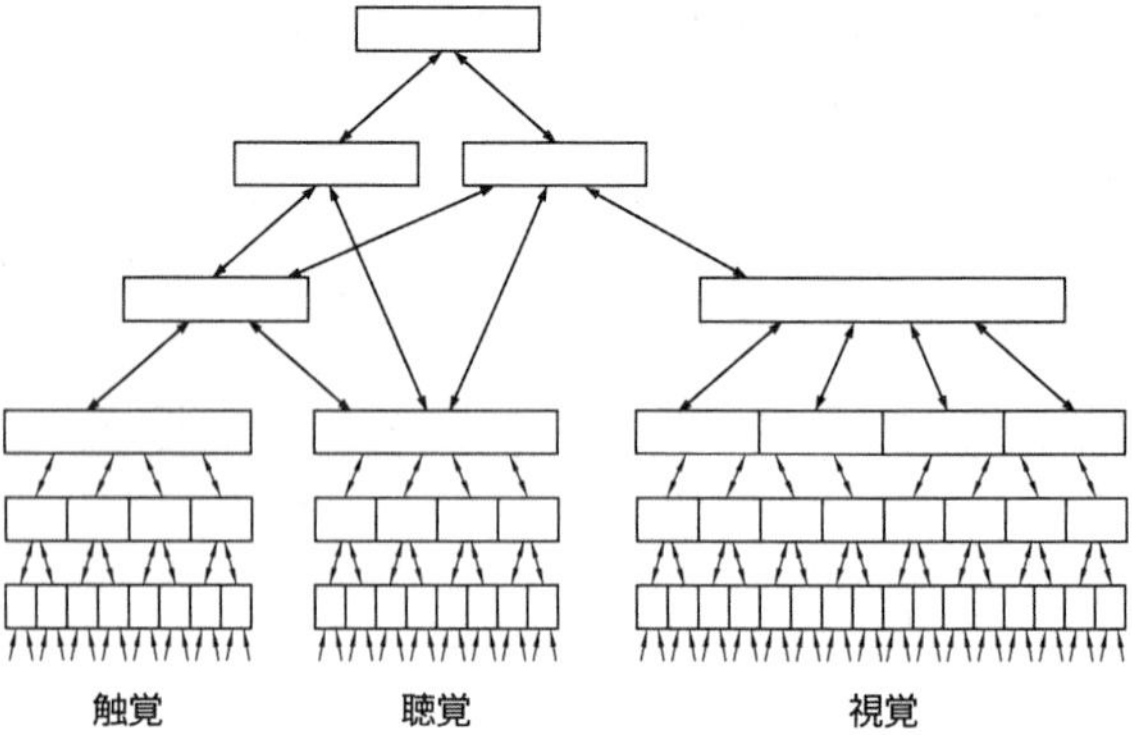

図５　すべての階層を同じ構造と解釈する

構造を示したものだが、感覚野の階層をわたしが提案した構造に変えてある。注目してほしいのは、いまや新皮質のあらゆる場所が同じように見える点だ。どの領域に着目しても、下位の多数の領域から入力が集まってくる。入力を受けとった領域は、下位の領域につぎに見るはずのパターンを予測して送り返す。上位の連合野の領域は、視覚と触覚といった複数の感覚の情報を結びつけている。下位のＶ２野の副領域は、Ｖ１野の異なった副領域の情報を結びつける。新皮質のどの領域でも、仕事はまったく同じだ。入力同士の関係を見つけ、その相関をシーケンスとして記憶し、その記憶にもとづいて、将来の入力の変化を予測する。どこもかしこも同じ処理をおこなうことになる。まさに、マウントキャッスルのいう「新皮質に共通のアルゴリズム」にしたがって。

新皮質の階層の新しい解釈は、普遍の表現が生み出される過程を解明する助けにもなる。視覚における働きを、もう少し詳しく調べていこう。もっとも低いレベルでは、左側に見えているものと右側に見えているものが独立に処理されている。これは視覚情報と聴覚情報が独立に処理されるのと同じだ。Ｖ１野において視界の左右それぞれを処理する領域が似たような記憶を形成するのは、人生において両者が似たようなパターンにさらされてきたからにすぎない。視覚と聴覚が感覚として異なるのと同様に、Ｖ１野では視界の左右それぞれの情報は異なる感覚として扱われ、それらは上位の階層で結びつけられる。

同じように、Ｖ２野とＶ４野を構成する副領域は、視覚野の中での「連合野」だ。副領域同士には重なりもあるが、それによって基本的な働きが変わるわけではない。視覚野の中の連合野という解釈は、これまでの説明に矛盾するものでも、それに変更を加えるものでもない。情報は、階層的な記憶の木のあらゆる枝を上下する。ちょうど、ネコの首につけられた鈴の音によって、視野の右側で起こるパターンが予測できる。視野の左側にあるパターンによって、部屋に入ってくる姿が予測できるように。

もっとも重要な点は、ありとあらゆる領域が普遍の表現を生み出せると考えていいことだ。たとえば、「顔」のような普遍の表現は、入力がＩＴ野のような上位の階層にいたったとき、はじめて魔法のようにあらわれるものではない。あらゆる領域において、下位の階層が送ってくる入力から引き出せるものだ。V4野、V2野、V1野の副領域も、それぞれへの入力にもとづいて、普遍の表現を形成できる。視野のごく一部の情報しか扱わないし、対象のより基本的な特徴しか表現できないが、仕事の内容はIT野と変わらない。さらに、IT野より上位の連合野の領域も、複数の感覚のパターンから普遍の表現を生み出している。このように、新皮質のあらゆる領域は、下位の階層が扱う世界の普遍の表現を形成する。なんと美しい均質性だろうか。

ふたたび、「脳の解明」というジグソーパズルは姿を変えた。もはや、四つの階層をのぼる過程で普遍の表現がいかに形成されていくかは、問う必要がない。かわりに、新皮質のあらゆる単一の領域で、普遍の表現がいかに形成されるのかが問題となる。新皮質に共通のアルゴリズムがあることを前提にするなら、この新たな問いはまったく道理にかなっている。ある領域がパターンのシーケンスを記憶するなら、すべての領域はパターンのシーケンスを記憶する。どこかの領域が普遍の表現を生成するなら、あらゆる領域は普遍の表現を生成する。新皮質の階層を図5のように描き直すことで、この解釈があたり前に可能になる。

現実世界のモデル

現実世界の階層構造

新皮質はなぜ階層構造をしているのか？

現実世界のことを考えられるのも、その中を動きまわれるのも、未来のことが予測できるのも、新皮質の中に現実世界のモデルがあるからだ。この本が提示するもっとも重要な概念の一つは、新皮質の階層構造によって、現実世界の階層構造が記憶できることにある。森羅万象の入れ子構造は、新皮質の入れ子構造に反映される。

階層構造や入れ子構造とは、具体的にどんなものだろうか？　音楽を考えてみよう。音が組みあわさって音程になる。音程がつづいてフレーズになる。フレーズが並んでメロディーあるいは歌になる。歌が集まってアルバムになる。あるいは、書き言葉を思い出そう。文字が組みあわさって音節になる。音節がつながって単語になる。単語が並んで節や文になる。今度はまわりを見渡して、逆に考えてみよう。あなたの近くには、たぶん道路や学校や家がある。家には部屋がある。それぞれの部屋には壁、天井、床、ドア、窓がある。そのそれぞれもまた、さらに小さな部分に分割できる。窓はガラス、窓枠、掛け金、網戸からなる。掛け金には、もっと小さなねじなどの部品がある。

ちょっと読書を一休みして、周囲を見てみよう。網膜からＶ１野に入ってくるパターンには、多数の線分が含まれている。線分が組みあわさり、もう少し複雑な図形ができる。複雑な図形が集まり、鼻のような物体になる。鼻は目や口とともに顔になる。そして、顔が身体のほかの部分と一緒になり、部屋の中で目の前に座っている人になる。

人間が認識する世界のあらゆる物体は、部分にわけることができる。そして、つねに一緒にあらわれる部分によって、その物体が定義される。何かに名前をつけることができるのは、いくつかの特徴がかならず同時に存在するからだ。顔が顔であるのは、二つの目、一つの鼻と口が、いつも一緒にあらわれることによる。目が目であるのは、瞳孔《どうこう》、虹彩《こうさい》、まぶたなどが、つねに同時に存在するからにほかならない。同じことは、椅子《いす》にも、車にも、公園にも、国家にもあてはまる。そして歌も、一連の音程がかならず時間のシーケンスとして順番にあらわれるからこそ、歌といえる。

こう考えると、世界じゅうが歌のようなものだ。現実世界のあらゆる物体は、それよりも小さな物体の集まりであり、また、ほとんどの物体は、それよりも大きな物体の一部だ。つまり、世界は入れ子構造になっている。いったんそのことに気がつけば、入れ子構造はあらゆる場所に見てとれる。そして、まったく同じ構造をしているのが、新皮質の階層構造に蓄えられた人間の記憶と、脳によるその表現だ。自分の家についての記憶は、新皮質の一つの領域に存在するのではない。家の階層構造を反映した、新皮質の領域の階層構造に蓄えられている。家の全体的な構造は最上位の階層に、部分的な構造はそれぞれに応じた下位の階層に記憶される。

新皮質には、現実世界の階層構造をきわめて自然に発見できるような構造と学習手段が備わっている。生まれたときの人間は、言葉や家や音楽の知識を持っていない。新皮質には巧妙な学習のアルゴリズムがあるので、どんな階層構造の存在も当然のように見つけ、獲得してしまう。逆に構造が存在しないと困惑し、錯乱状態におちいることさえある。

どの瞬間にも、体験できるのは世界の一部にすぎない。自宅のどこかの部屋にいて、一つの方向を見ているだけだ。ところが、新皮質の階層構造のおかげで、視線がたまたま窓の掛け金にとまっている瞬間でさえ、自分が家にいて、そこが居間で、どの窓を見ているのかがわかっている。新皮質では、上位の領域に自宅の表現が保持されていて、下位の領域には部屋の表現があり、さらに下位の領域が実際に窓を見ている状態にある。同じように、この階層構造があるからこそ、ある一瞬に聞こえる音には情報がほとんどないのに、どのCDのなんという曲を聴いているのかを知っている。親友と一緒にいることは、相手の指を注視していてもわかっている。新皮質の下位の領域が、頻繁に変化する細かな特徴の処理に忙殺されているあいだも、上位の階層は全体像を保持しつづける。

パターンのシーケンス

どの瞬間にも、見たり、聞いたり、触れたりできるのは現実世界のきわめてせまい部分だけだ。そこで、脳に流れ込む情報はおのずとパターンのシーケンスというかたちになる。新皮質は、たびたび繰り返されるシーケンスを学習しようとする。たとえばメロディーのような場合には、パターンのシーケンスは一定の順序、つまり決まった順序の音程の変化として到達する。しかし、わたしは「シーケンス」という言葉を、もう少し一般的に、数学用語の「集合」に近い意味で使いたい。シーケンスはパターンの集合で、きまって一緒に発生するが、順序がいつも同じとはかぎらない。重要な点は、シーケンスに含まれるパターンが決まった順序でなくても、時間的につぎつぎと起こることだ。

具体的な例で、この点を明確にしておこう。わたしがあなたの顔を見るとき、そのシーケンスに含まれるパターンの順序は決まっているわけではなく、視線の動きに依存する。あるときは「目、目、鼻、口」の順かもしれないし、つぎの瞬間には「口、目、鼻、目」の順に見ているかもしれない。いずれにせよ、シーケンスは顔の構成要素でつくられる。それらは統計的にも相関が高く、ある時間のあいだに一緒にあらわれる傾向にあるが、順序はさまざまでいい。もしも「顔」を認識していて視線が「鼻」にあれば、おそらくつぎのパターンは「目」か「口」であって、「ペン」や「車」ではない。

新皮質のどの領域にも、このようなパターンがどんどん流れてくる。もしもパターン同士に関連性が見つかり、それによってつぎに発生するパターンを予測できるなら、領域はそのシーケンスの永続的な表現、つまり記憶を形成する。シーケンスの学習は、現実世界の対象について普遍の表現を生み出すときの、もっとも基本になる機構だ。

現実世界の対象は、「トカゲ」「顔」「ドア」のように具体的なこともあれば、「単語」「理論」のように抽象的なこともある。具体的な対象も抽象的な対象も、脳は同じ方法で扱う。そのどちらもがパターンのシーケンスで、時間の経過とともに一緒に発生することが予測できる。新皮質の領域は、ある入力パターンが何度も繰り返し発生するという事実にもとづいて、その体験が現実世界の対象によって引き起こされているものと判断する。

予測できるということは、まさに実在することの証拠になる。視線を変えたり、指でいじったりといった一連の身体の動きによって、入力パターンを確実かつ予測どおりに変えられるとき、あるいは、歌や話し言葉を構成する音のように、つぎの瞬間のパターンを正確に予測できるとき、脳はそのパターンに因果関係があるものと解釈する。おびただしい数の入力パターンが、単なる偶然によって何度も同じ関係を満たす可能性は皆無に等しい。パターンのシーケンスが予測できれば、それは現実に存在するさらに大きな対象の一部に違いない。予測がいつもあたるなら、それは別個の出来事ではなく、現実世界で実際に結びついているはずだ。あらゆる顔には両目、両耳、口、鼻がある。脳が片目を見つけたとき、視線を動かすともう一つの目が見つかり、もう一度動かすと口が見つかったなら、安心して顔を見ていると判断できる。

もしも新皮質の領域にしゃべる能力があったら、こんなふうにつぶやいているかもしれない。「たくさんの違ったパターンがやってくる。つぎのパターンがつねに予測できるとはかぎらない。でも、今回のパターン同士は、確実に関連を持っている。いつも一緒にやってくるし、自分の動作でパターンを切り換えることもできる。だから、このパターンの集合を見つけたときは、同じ名前で呼ぶことにしよう。個々のパターンにではなく、グループに名前をつける。そして、上位の階層には、この名前を渡すことにしよう」

以上のように、脳は「シーケンスのシーケンス」を蓄えるといってよい。新皮質の各領域はシーケンスを学習し、それにわたしが「名前」と呼んだものを与えて、それを一つ上位の領域に渡している。

シーケンスののぼりおり

一次感覚野に入った情報が高次の感覚野へとのぼるにしたがい、変化の頻度はどんどん低くなる。V1野では、一秒に何回か、網膜が新しいパターンをとらえるたびに、興奮するニューロンの集合がめまぐるしく変わる。高次のIT野では、ニューロンの興奮はもっと安定している。なぜこのようなことが起こるのだろうか？

新皮質のそれぞれの領域には、認識できるシーケンスの「レパートリー」がある。ちょうど、歌手に持ち歌のレパートリーがあるようなものだ。もっとも、新皮質が蓄える歌もどきのシーケンスは、ありとあらゆるものが対象となる。たとえば、浜に打ち寄せる波の音、母親の顔、自宅から近所の雑貨屋までの道順、「ポップコーン」という単語のつづり、トランプの切り方、などなど。

歌に曲名をつけるように、新皮質の各領域は認識できるシーケンスのそれぞれに名前をつける。この「名前」の実体はニューロンの集団で、それらが同時に興奮することによって、あるシーケンスのさなかにいることを表現する。どの細胞がシーケンスを表現するために選ばれるのかは後述するので、いまのところは気にしないでほしい。ニューロンの集団はシーケンスがつづいているあいだ興奮状態を保ち、それによって表現される「名前」が、階層構造のつぎの領域に渡される。領域が入力パターンを予測できるシーケンスの一部とみなしているかぎり、一定の「名前」が一つ上位の領域に送られる。

それはまるで、領域がこんなふうに伝えているようなものだ。「ぼくが聞いたり、見たり、触ったりしているシーケンスの名前はこれだ。いまのところ、個々の音や、輪郭や、手触りの確認は任せてくれ。何か新しいことや、予測できないことが起こったら、そのときは連絡する」と。もっと具体的な例をあげれば、視覚野の最上位のＩＴ野なら、さらに上位の連合野にこんなことをいうだろう。「ぼくは顔を見ている。そう、眼球が動くたびに、顔の違った部分が目にとまる。顔のあちこちが順々に見える。だが、ずっと同じ顔だ。何か違うものが見えたら、そのときは連絡する」と。このようにして、予測できる出来事のシーケンスが、「名前」、すなわちニューロンの一定の興奮パターンによって識別される。この手順は、ピラミッド型の階層をのぼるたびに何度も繰り返される。ある領域が音素（音声の最小単位）を構成する音のシーケンスを認識し、その音素を表現するパターンを一つ上位の領域に渡しているものとしよう。上位の領域は音素のシーケンスを認識して、単語に対応するパターンをさらに上位の領域に渡す。その領域は単語のシーケンスを認識して、句をあらわすパターンを渡す、といった具合だ。だが、最下位のレベルの領域では「シーケンス」がかなり単純で、視覚の場合なら、「何かの輪郭の一部が動いている」といった程度になる。

階層構造の各領域で予測できるシーケンスが「名前のついた対象」に縮められることによって、階層をのぼるごとに普遍性が得られていく。このようにして、普遍の表現ができあがる。

その逆の作用が、パターンが階層をくだるときに起こる。つまり、普遍の表現がシーケンスに「展開」されていく。中学一年生のときに暗記したリンカーンのゲティスバーグの演説を、いまから朗唱するものとしよう。新皮質の上位にある言語野の領域には、この有名な演説を表現するパターンが蓄えられている。まず、このパターンが句のシーケンスの記憶に展開される。その一つ下位の領域では、それぞれの句が単語のシーケンスの記憶に展開される。この時点で、パターンの展開は二手にわかれ、聴覚野と運動野の両方をくだっていく。運動野のほうでは、それぞれの単語が記憶された音素のシーケンスに展開される。そして、最後にいちばん下位の領域で、それぞれの音素が声を発するための筋肉への命令のシーケンスに展開される。階層をくだるにしたがい、パターンの変化がめまぐるしくなっていく。運動を生み出す階層の上位にある一つの安定したパターンから、最後には音声の複雑で長いシーケンスができあがる。

このように情報が階層をくだるときも、普遍性は有利に働く。ゲティスバーグの演説を朗唱するかわりにタイプする場合でも、展開は上位の同じパターンからはじまる。そのパターンは一つ下位の領域で句に展開され、その下位の領域で単語に展開される。そこまでは、話す場合とタイプする場合で何も違わない。だが、もう一段さがると、運動野での流れは違った方向に進んでいく。単語は文字に展開され、文字はタイプするための指の筋肉への命令に展開される。「八〇と七年の昔に、われらが父祖は……」ではじまる演説の記憶は普遍の表現になっていて、それを話すときにも、タイプするときにも、あるいは手書きするときにも使うことができる。演説を二回、つまり、話すためと書くために別々に記憶する必要がない点に注意しよう。演説の一つの記憶は、さまざまな行動としてあらわれる可能性を持っている。普遍的なパターンが分岐し、異なる経路をくだっていくことは、どの領域においても起こりうる。

記憶の効率性をさらに高めているのは、階層の下位にある単純な対象の表現が、上位のさまざまなシーケンスによって繰り返し使えることだ。たとえば、ゲティスバーグの演説と、マーティン・ルーサー・キングの「わたしには夢がある」の演説では、まったく異なる記憶の集合を必要とするわけではない。入れ子になったシーケンスの階層によって、単語、音素、文字などをはじめ、低い階層の対象を数多く共有し、再使用できる。これは現実世界とその構造の情報を蓄える方法としてきわめて効率的であり、コンピューターが演説を記憶する場合とはいちじるしく異なっている。

シーケンスの展開は、感覚野でも運動野と同じように起こる。その過程において、人間は対象をさまざまな視点から認識し、理解できる。アイスクリームを食べようと冷蔵庫に向かって歩いていくとき、あなたの視覚野はさまざまなレベルで興奮状態になっている。

上位では、ずっと「冷蔵庫」を知覚し、予測している。もう少し下位の領域では、視覚の予測は複数のもっと局所的な視覚情報に展開されている。冷蔵庫を見ていることは、ドアの取っ手、氷のとりだし口、ドアに貼ってある磁石、子供の絵などにつぎつぎと目をとめることからなる。冷蔵庫のある特徴からべつの特徴へと眼球を動かすたびに、その動作の結果が予測されて、数ミリ秒のうちに視覚野の階層を流れ落ちていく。目が何回動こうとも、予測があたっているかぎり、上位の領域は冷蔵庫を見ていることに満足しつづける。この例で注意したいのは、ゲティスバーグの演説では単語の順序が決まっていたのに対して、冷蔵庫を見るときのシーケンスは固定ではなく、視覚への入力と呼び覚まされる記憶のパターーンの順序が行動によって変わるという点だ。だから、こういう場合には、パターンを展開したシーケンスは一通りではない。しかし、あまり変化しない高いレベルのパターンから、めまぐるしく変わる低いレベルのパターンに展開されるという意味で、同じ結果がもたらされている。

シーケンスを記憶し、それを名前で表現する方法は、新皮質の階層を情報が上下する様子とあいまって、軍隊での命令の階層を思い起こさせるかもしれない。全軍を指揮する元帥が、「冬のあいだ、兵をフロリダに移動させよ」と指示する。この上位での単純な命令は、それが指揮系統の階層をくだるにしたがい、かなり詳細な命令のシーケンスに展開されていく。元帥の部下は、命令を実行するためのシーケンスとして、出発の準備、フロリダへの輸送、到着への準備などの手順が必要であることを認識する。それぞれの手順はさらに具体的な手順に分割され、もう一つ下位の士官によって実行される。もっとも下の階層では、何千という兵卒が何万という行動を起こし、実際の移動がおこなわれる。行動の結果は、それぞれのレベルから報告があげられる。報告は階層をあがるにしたがい、どんどん要約されていき、もっとも上位に達したときには、「フロリダへの移動は順調に進行中」という概況だけが日ごとに伝えられる。元帥はすべての詳細を知るわけではない。

ふつうは命令がこのように実行されていくが、例外もある。もしも何かがうまくいかず、指揮系統の下位の兵士にそれが解決できない場合には、対策を知っているだれかに行き着くまで、問題が階層をあがっていく。解決策がわかっている士官にとっては、その状況は例外でもなんでもない。下っ端には予想もできなかった事態でも、上官には予想された任務の一つなのだ。そこで、問題を回避するための新しい命令を部下にくだす。新皮質の働きも、まったく同様だ。このあと見ていくように、予測されなかった出来事（パターン）が発生すると、その情報は新皮質の階層をあがっていき、どこかの領域で解決されるのを期待する。下位の領域は、入力されてくるパターンの予測に失敗したら、それをエラーとみなし、上位の領域に通知する。この通知は、そのパターンの発生をあたり前に予測できる領域に達するまで繰り返される。

分類とシーケンス

新皮質の本質は、各領域がシーケンスを蓄え、それを引き出すことにある。だが、それだけでは、単純すぎて脳の働きの説明にならない。新皮質のモデルをさらに詳細にしていこう。

新皮質の各領域に下位から入力されるパターンは、何十万本、何百万本という軸索によって運び込まれてくる。これらの軸索はさまざまな領域から出てきていて、あらゆる種類のパターンを含んでいる。一〇〇〇本の軸索がとりうるパターンの種類だけでも、全宇宙に存在する分子の数よりも多い。ある領域に入力されるのは、一生を通じても、組みあわせとして可能なパターンのごく一部にすぎない。

そこで、こんな疑問が生じる。ある領域がシーケンスを蓄えるとき、これほど種類の多いパターンの中から、いったいどうやって規則性を見つけだすのか？　その答えは、領域がまず入力をかぎられた数の可能性の一つに分類し、そのあとでシーケンスを探すことにある。たとえば、あなたが新皮質の領域の一つであるとしよう。与えられた仕事は、色紙の仕わけだ。一〇個のかごが用意され、それぞれに色の見本が貼ってある。一つは緑、一つは黄、もう一つは赤、といった具合だ。それから、色紙が一枚ずつ渡されるので、それぞれをどれかの色に分類する。受けとる紙の色は、どれもわずかに異なっている。現実世界には色の種類が無限に存在するから、二枚の紙がまったく同じ色であることはほとんどない。色紙をどのかごに入れればいいか簡単にわかることもあれば、難しいこともある。赤と橙《だいだい》の中間色の紙は、どちらのかごに入れるべきか迷うだろう。それでも、あなたはどちらかに決めなければならない。たとえかごをランダムに選ぶしかないとしても（このたとえ話の要点は、脳がかならずパターンを分類することにある。新皮質の領域は実際に分類をしているが、かごに相当するものは存在しない）。

さて、あなたにはもう一つの使命として、シーケンスを見つける仕事が与えられている。そして、「赤、赤、緑、紫、橙、緑」というシーケンスが頻繁に起きていることに気づく。そこで、このシーケンスを「赤赤緑紫橙緑」と名づける。注意しておきたいのは、あらかじめ色紙の分類をしておかないと、いかなるシーケンスも見つからない点だ。それぞれの紙が一〇種類の色のいずれかに分類されているからこそ、二つのシーケンスが同じかどうか判断できる。

いまや、あなたは仕事の真っ最中だ。入力パターン、つまり下位の領域から渡される色紙をつぎつぎと眺め、分類し、シーケンスを探す。両方の仕事、つまり分類とシーケンスの組みたては、どちらも普遍の表現の生成に不可欠なものであり、新皮質の各領域が実際にやっていることだ。

シーケンスの組みたては、入力があいまいなときにも役にたつ。たとえば、紙の色が赤と橙の中間だったとする。どちらに近いかが判断できなくても、かごは一つだけ選ばなければならない。このとき、もしも今の入力にもっとも近いシーケンスがわかっていたら、その知識を使ってあいまいな入力を判定できる。ちょうど赤、赤、緑、紫と受けとって、「赤赤緑紫橙緑」というシーケンスのなかばにいると確信したときは、つぎの紙の色を橙と予測する。ところが、やってきた紙は、はっきりとした橙ではない。赤と橙のあいだの中途半端な色だ。いや、橙よりも少し赤に近いかもしれない。だが、あなたは「赤赤緑紫橙緑」というシーケンスをよく知っていて、それを予測しているので、紙を橙用のかごに入れる。このようにして、知っているシーケンスを文脈として使い、入力のあいまいさを解決する。

この現象がつねに起こっていることは、毎日の生活で体験できる。だれかと話すとき、個々の単語が文脈なしに聞きとれないことはざらにある。しかし、会話の中で不明瞭《ふめいりょう》な言葉に出会っても、困ることは少ない。ちゃんと意味を理解する。同じように、手書きの文字は文脈がないとしばしば判読できないが、完全な文章の中ではじゅうぶんに読める。あいまいな、あるいは不完全な情報をシーケンスの記憶で補っていることに、ほとんどの場合は気づかない。人間は聞くと予測したことを聞き、見ると予測したものを見る。少なくとも、見聞きすることが過去の経験に合致しているかぎりは。

シーケンスの記憶は、現在の入力のあいまいさを解決するためにだけでなく、つぎに起こるべき入力を予測するためにも使える。新皮質の領域であるあなたは、色紙を仕わけながら、紙を渡してくる「入力」の担当者に、こんなことをいえる。「ねえ、もしもぼくに渡すつぎの紙をどれにしようかと悩んでいるのなら、ぼくの記憶では、それはきっと橙の紙のはずだよ」と。新皮質の領域は、パターンのシーケンスを認識することで、つぎの入力パターンを予測し、下位の領域に何を探せばいいかを伝えている。

新皮質の領域は頻出するシーケンスを探すだけでなく、分類を部分的に修正する方法も見つける。たとえば、あなたが仕事をはじめるとき、かごには「緑」「黄」「赤」「紫」「橙」のラベルが貼られているとしよう。つまり、これらの色を組みあわせた「赤赤緑紫橙緑」のようなシーケンスを認識するように、お膳《ぜん》だてされているのだ。だが、もしも入力される色の一つが大きく変わったら、どうなるのだろうか？　「赤赤緑紫橙緑」のシーケンスを予測するたびに、紫が大きくはずれたら？　新しい色は、むしろ青に近い。すると、あなたは紫用のかごを「青」用として使いはじめる。こうして、かごの集合は分類により適したものとなり、あいまいさが減る。新皮質はこのような柔軟性を備えている。

新皮質の領域では、分類にもとづいてシーケンスが組みたてられ、シーケンスにもとづいて分類が修正されるという相互作用によって、両者はつねに変化していき、それが生涯にわたってつづく。これが脳による学習の本質だ。実際、新皮質のあらゆる領域は柔軟で、経験によって機能が変わっていく。新しい分類と新しいシーケンスをつくることによって、人間は現実世界を記憶する。

最後に、分類と予測が一つ上位の領域と影響しあう様子を見てみよう。新皮質の領域としてのあなたには、観察しているシーケンスの名前をつぎの階層に伝える役割がある。そこで、紙に「赤赤緑紫橙緑」という文字列を書き、上位の領域に渡す。これを受けとった領域にとって、文字列そのものにはほとんど意味がない。単なるパターンの名前として、ほかの入力と組みあわされ、分類され、さらに高次のシーケンスの一部となる。あなたと同じように、上位の担当者も自分が観察しているシーケンスの進行を見守っている。そして、ある時点で、あなたにこういうかもしれない。「ねえ、もしもぼくに渡すつぎの紙にどの文字列を書こうかと悩んでいるのなら、ぼくの記憶では、それはきっと『黄黄赤緑黄』のはずだよ」と。この助言は、実質的に、あなたが入力パターンから見つけるべきシーケンスの指示だ。あなたは最大限の努力をして、このシーケンスが構成されるように入力を解釈しなければならない。

人工知能やロボットの目の研究では、「パターン分類」という言葉を使うことが多い。だが、それと新皮質がおこなっている処理とは明確に違う。コンピューターに物体を認識させるとき、研究者はふつう、「テンプレート」と呼ばれるものをつくる。それは、たとえば、カップの画像であったり、典型的なカップの形状を記述したものであったりする。そして、コンピューターに命令し、入力の中からテンプレートと同じものを探させる。もしもよく似た物体が見つかったら、コンピューターはカップを見つけたと答えるだろう。だが、脳にこのようなテンプレートは存在しないし、新皮質の各領域が入力として受けとるパターンも、画像であることはない。人間はある瞬間に網膜に映った像を覚えるのでも、ある瞬間に蝸牛殻《かぎゅうかく》や皮膚が受けとったパターンを記憶するのでもない。新皮質の階層構造によって、物体の記憶は単一の場所ではなく、階層全体に分散されて保存される。さらに、階層の各領域は記憶の普遍の表現を形成するので、新皮質の典型的な領域が学習するのは、普遍の表現のシーケンスが入れ子になったものだ。脳の中には、カップであれ、ほかのどんな物体であれ、具体的な画像は存在しない。

デジタルカメラの記憶装置と違い、脳は現実世界がどう見えるかではなく、どんな構造をしているかにもとづいて記憶する。人間が思案をめぐらすとき、思い浮かべているパターンのシーケンスは、現実世界の対象がどのように存在し、どのように振る舞うかに相当する。けっして、ある時点にある特定の感覚によって観察されるパターンのシーケンスではない。人間が経験するシーケンスは、現実世界の普遍的な構造を反映している。世界の一部とかかわっていく順序は、世界の構造によって決まっている。たとえば、飛行機に乗るときは最後に搭乗橋をわたるのであり、チケット売り場からいきなり乗り込んだりはしない。経験するシーケンスは世界の実際の構造そのものであり、新皮質はそれを記憶しようとする。

しかし、忘れないでほしいのは、新皮質のどの領域が記憶する普遍の表現も、パターンが階層をくだっていくことで、実際に体験する感覚の詳細な予測に変わりうることだ。同様に、運動野の普遍の表現も、パターンが運動野の階層をくだっていくことで、状況に特化した詳細な運動の命令を生み出すことができる。

一つ一つの領域の中はどうなっているのか

柱状構造

さて、このあたりで、新皮質の個々の領域、つまり、図5の長方形の一つに注目することにしよう。図6には、この領域がより詳細に描かれている。ここでの目的は、領域内のニューロンがパターンのシーケンスを学習し、それを呼び覚ます方法を示すことだ。まず、新皮質の一領域がどのような姿をしていて、どのように構成されているのかを説明しよう。領域の大きさはさまざまであり、一次感覚野に含まれるものがもっとも大きい。たとえば、V1野が後頭葉に占める大きさは、おおよそパスポートほどもある。しかし、この章ですでに主張したように、実際のV1野は多数の副領域からできていて、それぞれはこのページの活字ほどの大きさしかない可能性もある。いまのところは、典型的な副領域が小さな硬貨ぐらいだと考えよう。

第3章でたとえ話に使った六枚の名刺を思い出してほしい。それぞれの名刺は、新皮質の組織の異なる層をあらわしていた。では、その層とは実際にどんなものなのか？　硬貨ほどの大きさの領域をとりだして顕微鏡で観察すれば、表層から深層へと移動するにしたがい、細胞の密度と形状が変化していくことに気づくだろう。この違いによって、各層が定義される。いちばん外側の第一層は、六つの層でもっとも特異な存在だ。細胞がきわめて少なく、表面と平行に走る軸索が大部分を占めている。第二層と第三層は似ている。どちらにも多数の錐体細胞がぎっしりとつまっている。第四層には星形の細胞が含まれる。第五層にはふつうの錐体細胞のほかに、大型の錐体細胞が存在する。いちばん内側の第六層にも、形状の異なるニューロンがある。

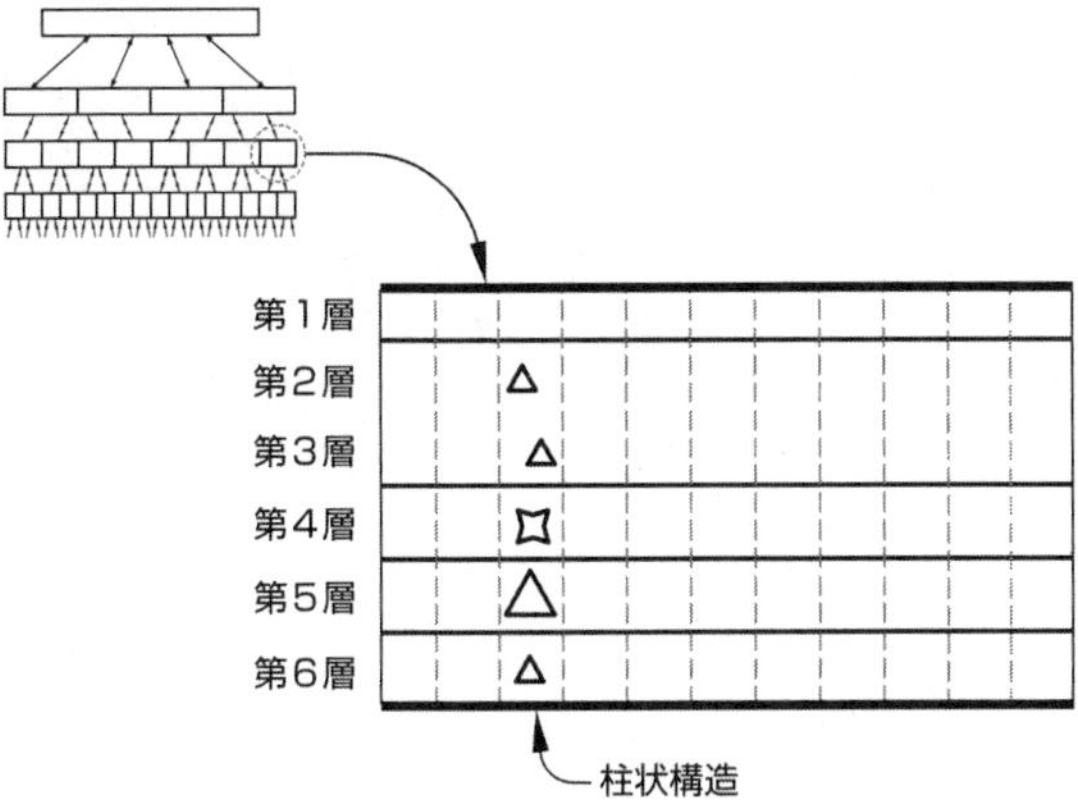

図6　新皮質は6つの層をつらぬく柱状構造の集まりだ

水平方向の層は見てわかる違いだが、科学者がもっとも話題にするのは、層を垂直方向につらぬく柱状構造《コラム》に含まれる細胞だ。この柱状構造は、一緒に働く細胞の「縦方向の単位」と考えられる。この構造は神経科学で多くの論争を呼んでいて、その大きさ、機能、重要性には多様な意見がある。しかし、ここでの目的としては、一般的な意味での円柱状の構造を想像すればいい。こうした構造が存在すること自体には合意が得られている。それぞれの柱状構造の中で、各層は縦に走る軸索と、それらがつくるシナプスによってつながれている。柱状構造はすらりと伸びた小さな柱ではなく、隣の範囲との境界もはっきりしない。新皮質では何事もそう単純ではないのだ。だが、その存在は、いくつかの証拠から推測できる。

その証拠の一つは、それぞれの柱状構造で縦に並んだ細胞に、同じ刺激に対して同時に興奮する傾向があることだ。V1野の柱状構造を注意深く観察すると、ある方向に傾いた線分（／）に反応するものや、べつの方向に傾いた線分（＼）に反応するものが見つかる。それぞれの柱状構造では、そこに含まれる細胞同士が強く結合されているために、構造全体が同じ刺激に反応する。もう一つの証拠は、新皮質が形成される過程に関係する。胎児のとき、新皮質が形成される場所には、脳室からニューロンの前身となる一種類の細胞がつぎつぎと移動してくる。それぞれの細胞は約一〇〇個のニューロンに分裂するが、それらは柱状構造と同じ垂直方向につながっていく。

柱状構造を簡単に思い描くために、微細な円柱の一つが人間の髪の太さであるとしよう。髪を何千本と用意し、かなり短く、たとえば、小文字のｉから点を除いた高さに切る。切った毛、つまり柱をすべてたてて並べ、横をのりづけして、きわめて密集したブラシのようなものをつくる。つぎに、多数の長くて特別に細い髪を一枚の紙のように敷き、新皮質の第一層の軸索を模したものと考え、ブラシ状の短い髪の上にかぶせる。こうしてできた敷物のようなものは、かなり単純化されたモデルだが、新皮質の硬貨ほどの一領域をあらわしている。情報の流れはほとんどが髪の方向、つまり、第一層では水平に、第二層から第六層までは垂直になる。

柱状構造がどう機能するかを論じる前に、あと一つだけ細かな説明を補足しておく。柱状構造の一つを入念に調べると、細胞のシナプスの九〇パーセント以上がその構造の外側とつながっていることがわかる。隣接する柱状構造と結合しているものもあれば、脳の半分も離れた場所と結合しているものもある。

一九七八年にヴァーノン・マウントキャッスルが新皮質には単一のアルゴリズムしかないと主張したときには、それを実行する基本単位が柱状構造であることも同時に提唱した。だが、実行されるのがどのような機能かまでは示せなかった。わたしは、柱状構造が予測の機構における基本単位であることを確信している。ある範囲が興奮するべきタイミングを予測するためには、ほかの部分で何が起きているかを知らなければならない。だからこそ、シナプスの結合は四方八方に広がっているわけだ。

詳細は後述するが、脳においてこの種の接続網がなぜ必要なのか、あらましだけ説明しておこう。たとえば、音楽でつぎの音を予測するためには、曲名、演奏の進行状況、最後の音と、それが鳴ってからの経過時間を知らなければならない。状況に応じて、このような知識が脳のほかの部分とつながった多数のシナプスによって提供される。これを使って、それぞれの柱状構造の細胞は、さまざまな状況で、いつ興奮するかを予測している。

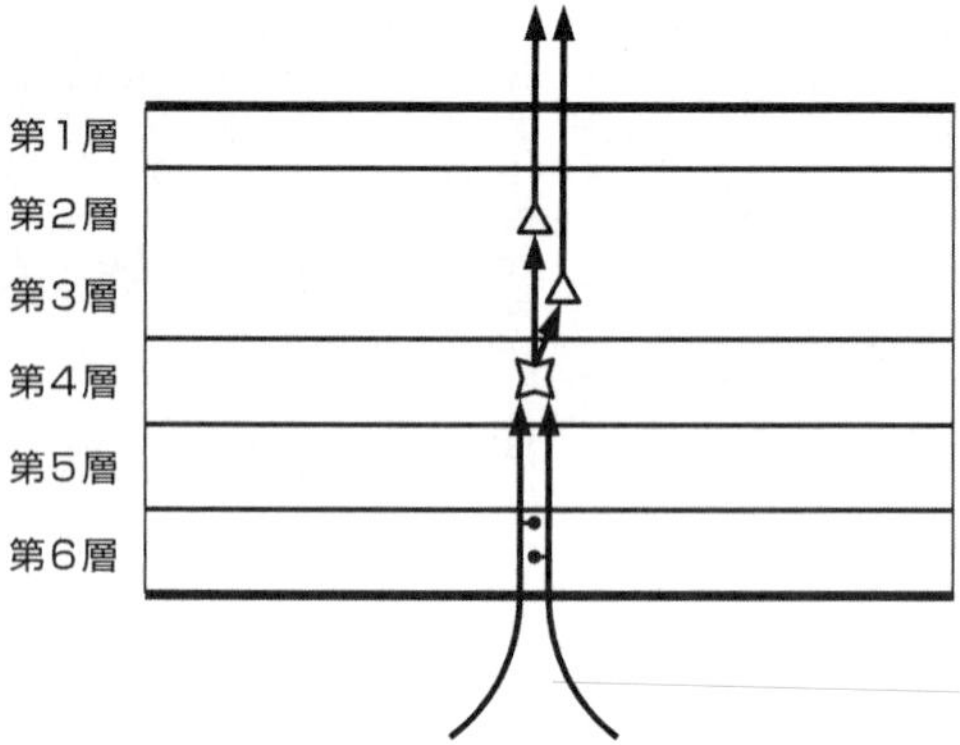

図7　順方向の流れは6つの層を真っ直ぐに進む

情報の伝達

つぎに、硬貨ほどの大きさの領域とそこに含まれる柱状構造で、どのような情報が送受され、新皮質の階層を上下しているのかを考える。まず、上向きの流れを見てみよう。図7に示すように、この流れは一直線の経路をとる。新皮質の領域には何千という柱状構造が含まれている。いま、その一つだけを拡大する。下位の領域から集まってくる情報は、主要な入力層である第四層にかならず到着する。その経路の途中で、第六層にもシナプスの結合がつくられるが、その重要性はあとで説明する。第四層の細胞は、同じ柱状構造の第二層と第三層の細胞に興奮を伝える。第二層と第三層の多くの細胞は、一つ上位の領域の入力層に軸索を伸ばしているので、興奮が

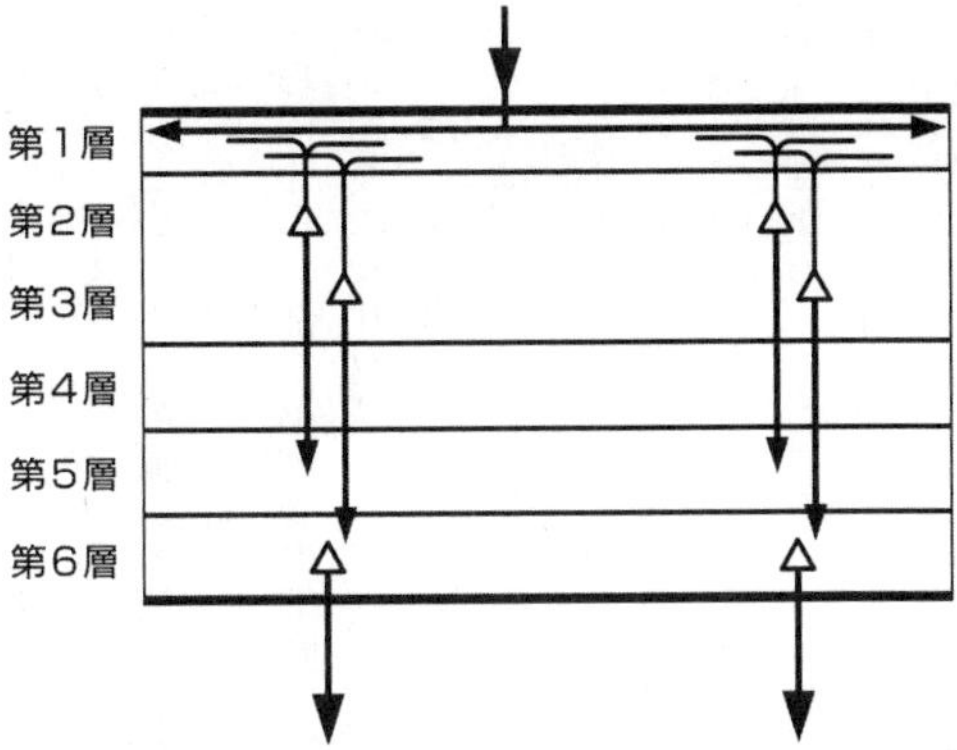

図8　逆方向の流れは第1層で枝わかれして広がる

さらに上向きに伝えられる。このようにして、情報は領域から領域へと階層をのぼっていく。

新皮質の領域を下向きに流れる情報は、図8に示すように、上向きほど一直線ではない。上位の領域の第六層の細胞が下向きの出力をおこない、下位の領域の第一層に興奮が伝えられる。その第一層では、領域の広い範囲にまたがって軸索が伸びている。そのため、一つの柱状構造から階層を流れ落ちた情報は、下位の領域で多数の柱状構造を興奮させる可能性がある。第一層の細胞はきわめて少ないが、第二、三、五層の細胞の樹状突起は第一層まで伸びているので、下向きの情報が第一層全体に広がることによって、これらの細胞のどれが興奮してもおかしくはない。さらに、第二層と第三層の細胞から新皮質の外に出ていく軸索は第五層にもシナプスを形成し、第五層と第六層の細胞を興奮させると考えられている。以上のように、情報が階層を流れ落ちるときは、一直線の経路ではなく、第一層で広がっていろいろな方向に枝わかれしていく。簡単にまとめるので、もう一度、図8を見てほしい。上位の領域の第六層から発せられた下向きの情報は、下位の領域の第一層全体に広がっていく。下位の領域ではいくつかの柱状構造の第二、三、五層の細胞が興奮し、さらにその一部で第六層の細胞も興奮して、一つ下位の領域の第一層に伝わっていく。これが順々に繰り返される。

では、なぜ第一層全体に情報が広がるのだろうか？　普遍の表現から特定の予測を導くためには、興奮が階層をくだっていくとき、どの方向に送るかを一瞬ごとに決定しなければならない。ゲティスバーグの演説の記憶が講演にも執筆にも使えることを、思い出してほしい。共通の表現が二つの経路の一つ、つまり、話すためか書くためかの経路をくだっていく。同じように、脳がメロディーのつぎの音を予測するためには、五度といった一般的な音程から、「ド」や「ソ」などの特定の音を正確に導かなければならない。第一層全体にわたって情報が水平方向に流れることで、これが可能になる。上位の普遍的な予測が新皮質の階層をくだり、特定の予測に変わるためには、それぞれの階層のパターンの流れを分岐させなければならない。第一層はまさにこの目的にかなっている。たとえ第一層の存在を知らなくても、こうしたメカニズムが必要だということは予測できるはずだ。

ここで、解剖学の豆知識を一つ。離れた場所とつながる軸索は、第六層を出たあと、ミエリンと呼ばれる白い脂肪質の物質に包まれる。このいわゆる「白質」は、家庭の電気コードの絶縁被膜と同じ働きをする。つまり、情報の混信を防ぐとともに、最高時速三二〇キロという高速での通信を可能にする。また、目的地で白質から離れた軸索は、そこの柱状領域に第六層から入っていく。

状況のフィードバック

新皮質の領域がたがいに通信する手段として、べつの遠回りの経路が存在する。その詳しい説明をはじめる前に、第2章で述べた自己連想記憶を思い出してほしい。この記憶を使うと、パターンのシーケンスを覚えることができる。人工のニューロンの集団から出力された情報をすべてのニューロンへの入力に戻し、そのフィードバックに時間的な遅れを加えると、順番に発生していくパターンが学習される。これと基本的に同じ機構が、ちょっとした違いはあるものの、新皮質によってシーケンスを覚えるために使われているると、わたしは考えている。新皮質の自己連想記憶では、人工のニューロンのかわりに柱状構造が使われる。そして、すべての柱状構造からの出力が第一層に戻ってくる。そのため、直前にどの柱状構造が興奮したのかがわかる。

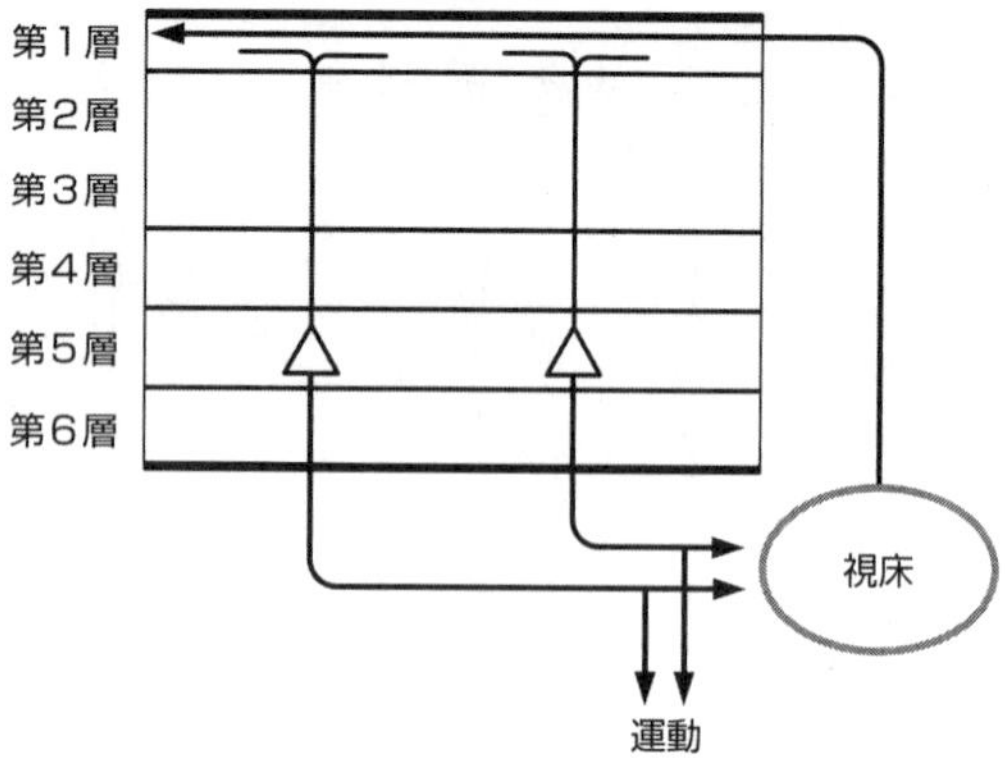

図９　現在の状況は視床を経由して戻ってくる

　では、図９を使ってその原理を見ていこう。Ｍ１野（一次運動野）の第五層にある巨大錐体細胞が筋肉とも脊髄の運動をつかさどる領域とも直接つながっていることは、何年も前から知られていた。これらの細胞は実際に筋肉を動かし、人間に行動を起こさせる。言葉を話す、タイプを打つなど、複雑な動きが必要なときには、巨大錐体細胞がつねに高度に協調し、興奮するかしないかの状態を切り換えて、筋肉を収縮させる。

　近年になって、第五層の巨大錐体細胞が運動野だけでなく、新皮質のほかの部分でも運動に関与している可能性がわかってきた。たとえば、視覚野の巨大錐体細胞は、脳の中で目の動きをつかさどる部分に興奮を伝えている。つまり、Ｖ２野やＶ４野といった視覚野は、視覚への入力を処理するだけでなく、眼球の動作、すなわち、何を見るかの決定にもかかわっている。第五層の巨大錐体細胞は新皮質全体のどの領域にも存在するので、あらゆる種類の運動において、さまざまな役割を果たしていることが予想される。

第五層の巨大錐体細胞の軸索は二つに分岐していて、運動の役割とはべつの結合も形成している。もう一方の先がつながるのは、脳の中の視床と呼ばれている部分で、図９では楕円《だえん》で示されている。人間の視床は、小鳥の卵のような形状と大きさをしている。脳のいちばん中心に位置していて、下側は旧脳に接し、まわりは白質と新皮質に囲まれている。新皮質のあらゆる機能領域から多数の軸索を受け入れ、同じ領域に軸索を返している。これらのつながりの多くは詳細に知られているが、視床の内部は複雑な構造をしていて、機能はまったくあきらかでない。しかし、ふつうの生活を送るためには不可欠の組織で、視床が傷つくと植物人間になってしまう。

視床と新皮質をつなぐ経路は複数あるが、いま重要なのは一つだけだ。その経路は、新皮質の第五層の巨大錐体細胞を起点として、まず、視床の中の非特殊核と呼ばれる細胞に興奮を伝える。これらの細胞は、新皮質全体にわたる多くの異なる領域の第一層に軸索を伸ばしていて、興奮を返してくる。たとえば、Ｖ２野とＶ４野の第五層全体から軸索が視床に伸びていて、これら二つの領域の第一層全体に戻されてくる。新皮質のほかの部分も同様で、多数の領域から第五層の細胞が視床に興奮を伝え、同じ領域の第一層に送り返されてくる。わたしの主張は、この一周の経路がまさに時間的な遅れをともなうフィードバックとして働き、自己連想記憶と同じようにシーケンスが学習される、というものだ。

さて、これまでに第一層への入力が二種類あることを述べた。一つは、新皮質の上位の領域からの興奮で、下位の領域の第一層全体に広がっていく。もう一つは、同じ領域の中の柱状構造からの興奮で、視床を経由して戻ってきて、こちらも第一層全体に広がっていく。これら二つの入力のうち、上位の階層からの興奮は歌の曲名と考えられる。また、同じ領域の柱状構造から遅れて伝えられる興奮は、歌の進行状況とみなすことができる。このように、第一層を流れる情報の多くは、シーケンスの名前とその進行状況であり、柱状構造が興奮するタイミングを予測するために必要なものだ。これら二種類の情報を使うことで、新皮質はパターンの多数のシーケンスを学習し、記憶から引き出すことが可能になる。

一つ一つの領域は何をしているのか

新皮質を流れるパターンは三種類ある。つまり、階層をのぼって集まってくるパターン、階層をくだって広がっていくパターン、視床をまわって同じ階層に遅れて再入力されるパターンだ。では、これらの流れによって、新皮質に必要な機能がどう実現できるかを考えよう。解明したいのは、つぎの疑問だ。

(1)どうやって入力を分類するのか？　（どうやって色紙をかごに入れるのか？）
(2)どうやってパターンのシーケンスを学習するのか？　（どうやってメロディーにおける音程や、顔における「目、鼻、目」のシーケンスを記憶するのか？）
(3)どうやってシーケンスを一定のパターンにまとめるのか？　（どうやって「名前」をつけるのか？）
(4)どうやって特定の予測をたてるのか？　（どうやって列車を到着時刻に出迎えたり、メロディーのつぎの音をあてたりするのか？）

入力を分類する

まず、新皮質の一領域に含まれる柱状構造を、色紙の入力を分類するかごのようなものと仮定する。つまり、それぞれの柱状構造は、いずれかの色をあらわしている。あらゆる第四層のニューロンは、下位のいくつかの領域から入力を受けとって、それらの組みあわせが適切なときに興奮する。第四層の細胞の興奮は、入力が自分の色に一致するという

「意思表示」だ。色紙の分類にたとえたときのように、入力はあいまいな場合があり、複数の柱状構造が名乗りをあげようとするかもしれない。だが、新皮質の領域には唯一の解釈が求められる。色紙は赤か橙であって、その両方ではない。そこで、強い入力を受けとった柱状構造は、ほかの範囲が興奮するのを防ごうとする。

まさにこの仕事をするために、脳には抑制性ニューロンがある。この細胞は近隣のニューロンの興奮を強力に抑制し、効果的に独り勝ちの状態をもたらす。しかし、抑制性ニューロンの作用がおよぶのは柱状構造の周囲にかぎられるので、新皮質の領域全体では、なおも多数の柱状構造が同時に興奮するが、そのことに問題はない。実際の脳では、何かが単一のニューロンや、単一の柱状構造であらわされることはないからだ。これからの説明を簡単に理解するために、ある機能領域が単一の柱状領域を勝者に選ぶと考えてもかまわない。ただし、頭の片隅では、ふつうは多数の柱状構造が同時に興奮していることを覚えておこう。さて、新皮質の領域が入力を分類する実際の手順や、それが学習される過程は、複雑であまりよくわかっていない。だが、その点には深入りしないことにしよう。かわりに、入力が柱状構造の興奮のパターンとして分類されるものと仮定する。そうすることで、シーケンスやその名前の形成に焦点をあてられる。

シーケンスを学習する

分類されたパターンのシーケンスを、新皮質の領域はどうやって記憶するのだろうか？この疑問への解答はすでに示唆したが、ここでさらに突っ込んで考えよう。ある柱状構造において、下位の領域からの入力によって第四層のニューロンの一つが興奮したとする。第四層の細胞は第二層と第三層の、そして第五層の、さらには第六層の細胞も興奮させる。下位からの刺激を受けたときには、このようにして柱状構造全体が興奮する。さて、第二、三、五層の細胞は、どれも第一層の中に何千というシナプスをつくっている。第二、三、五層の細胞が興奮しているときに第一層のシナプスのいくつかが興奮を伝えていれば、そのシナプスは結合が強くなる。そういうことが頻繁に起こると、第一層にあるシナプスはじゅうぶんに強化され、第四層の細胞が興奮していなくても、第二、三、五層の細胞を興奮させるようになる。つまり、柱状構造の一部は、下位の領域から入力を受けとらなくても興奮するわけだ。こうして、第二、三、五層の細胞は、第一層のパターンにもとづいて興奮するタイミングを予測しはじめる。この学習をする前は、柱状構造が興奮するのは、第四層の細胞が刺激を受けたときだけだ。学習をしたあとは、柱状構造は記憶によっても興奮できるようになる。第一層のシナプスから興奮が伝わってきたときは、下位からの刺激を期待する。これが予測だ。柱状構造が話せるなら、きっとこんなことをいうだろう。「いままでに興奮したときは、第一層のシナプスのうち、この特定の集合が興奮を伝えてきた。だから、これからはこれと同じ集合が興奮を伝えてきたとき、ぼくは予測によって興奮することにしよう」

第一層への入力の半分は、新皮質の同じ領域に含まれるほかの柱状構造の第五層からきていたことを思い出そう。この情報は直前に起きたことをあらわしている。ある柱状構造が興奮する前にどこが興奮していたかを示すものだ。メロディーにおける直前の音程や、最後に見たものや、最後に触れたものや、聞いている話し言葉の直前の音素などと思えばいい。もしもこうしたパターンの起こる順序が時間的に一貫していれば、柱状構造はそのシーケンスを記憶するだろう。そして、正しい順序でつぎからつぎへと興奮するようになる。

第一層への入力のもう半分は、上位の階層の領域にある第六層の細胞からくる。この情報は変化が少ない。これがあらわしているものは、目下のところ体験しているシーケンスの予測だ。音程をあらわす柱状構造であれば、上からくる情報はメロディーの予測になる。音素をあらわす柱状構造なら、上からくるのはいま聞いているつもりの単語だ。話された単語をあらわす柱状構造にとっては、上からの情報は聞こえていると思っている文章をあらわしている。

このように、第一層に入力される情報には、現在のシーケンスとその最後に発生した要素の両方が含まれている。そのため、一つの柱状構造にはさまざまなシーケンスが入力される可能性があるが、少しも混乱は生じない。柱状構造は適切な文脈のもとに、正しい順序で興奮できるようになる。

つぎに進む前に断っておくが、柱状構造がいつ興奮するかを学習する際には、第一層のシナプスだけが関与しているのではない。すでに述べたように、ニューロンは周囲の多数の柱状構造とのあいだで入力をやりとりする。シナプスの九〇パーセント以上が柱状構造の外にある細胞と結ばれていて、そのほとんどが第一層以外に存在することを思い出そう。たとえば、第二、三、五層の細胞は第一層に何千というシナプスを持っているが、それぞれの層の中にも何千というシナプスがある。要するに、ニューロンは下位からの刺激でいつ興奮するかを予測するために、使えるかぎりのあらゆる情報を求めているのだ。ふつう、隣接する柱状構造の興奮には強い相関があるので、そこに含まれる細胞は多数のシナプスで直接に結ばれている。たとえば、直線が視界の中を動くと、連続する柱状構造が順々に興奮していく。だが、柱状構造が興奮するタイミングを予測するためには、より広い範囲の情報を必要とする場合も多く、そんなときこそ第一層のシナプスが活躍する。このとき、ニューロンにも柱状構造にも、そのシナプスがどんな情報を伝えているのかはまったくわかっていない。わかっているのは、その情報によって興奮のタイミングが予測できるということだけだ。

名前をつける

つぎに、新皮質の領域がシーケンスを学習したあと、それにどうやって名前をつけているのかを考えよう。いま、機能領域の一つに着目する。そこでは、入力が新しくなるたびに、興奮する柱状構造が変わっていく。しかし、柱状構造が興奮する順序は、すでにちゃんと学習されているものとする。つまり、柱状構造の一部の細胞は、入力が下位の領域から到達する前に興奮する。このとき、新皮質の一つ上位の領域へは、どのような情報が送られているのだろうか？　第二層と第三層の細胞から上位の領域へと軸索が伸びていることは、すでに述べたとおりだ。これらの細胞の興奮は、上位の領域への入力となる。けれども、ここに問題が一つある。新皮質の階層が機能するためには、学習したシーケンスがつづくあいだ、ずっと一定のパターンを送らなければならない。すなわち、送るべき情報はシーケンスの詳細ではなく、名前なのだ。シーケンスを学習する前は、詳細を渡すしかない。だが、シーケンスを学習し、つぎに興奮する柱状構造を予測できるようになったあとは、一定のパターンだけを送る必要がある。

新皮質の働きがじゅうぶんに解明されていないため、このしくみが正確にどのように実現されているのかはわからない。だが、いくつかの方法は想像できる。ここでは、わたし

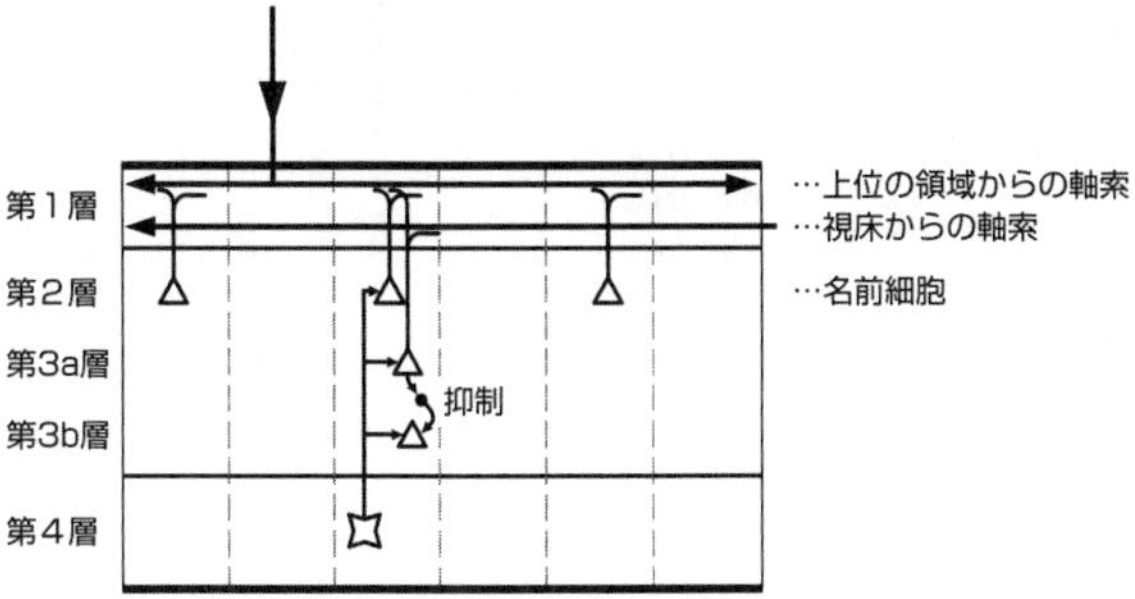

図10　学習されたシーケンスには名前がつく

がいまのところいちばん気に入っている方法を述べよう。ただし、具体的な方法よりも、概念そのもののほうが重要である点に注意してほしい。記憶による予測のモデルの理論では、「名前」という一定のパターンの生成が必要条件だ。たとえ現時点では、名前をつけるためのなんらかの仕組みが存在する、としか主張できないとしても。

　では、図10を見てほしい。ここに示された柱状構造は、興奮が予測できるときには一定のパターンを、予測できないときには変化するパターンを、上位の領域に渡すことができる。まず、第二層と第三層の細胞には、いくつかの種類があるものと仮定する。抑制性ニューロンにいくつかの種類があることに加え、多くの解剖学者は、第三層をa層とb層にわけ、それぞれに含まれる細胞の種類が違うことを指摘している。したがって、この仮定は不合理なものではない。

わたしが提案する方法では、柱状構造が興奮を予測できたときには興奮せず、予測できなかったときには興奮するニューロンが、第三b層に存在する。つまり、この細胞は、いっさいのシーケンスが学習される前には柱状構造全体と同時に興奮するが、柱状構造が入力を予測できるようになるにしたがってまったく興奮しなくなる。このような仕組みは、第三b層の細胞と対になった第三a層の細胞を仮定することで可能になる。この第三a層の細胞は、樹状突起を第一層に伸ばしている。そして、与えられた唯一の仕事は、第一層に適切なパターンを見つけたときに、第三b層の細胞を興奮させないことだ。第三a層の細胞は、学習したパターンを第一層に見つけると、ただちに抑制性ニューロンを興奮させ、第三b層の細胞が興奮するのを防ぐ。こうするだけで、柱状構造が入力を正確に予測するとき、第三b層の細胞は興奮しなくなる。

さらに、ここで述べる方法では、学習されるシーケンスがつづくあいだ特定の状態をとるニューロンが、第二層に存在する。この細胞こそが「名前細胞」で、その集合はシーケンスの名前をあらわしている。つまり、領域がつぎに興奮する柱状構造を予測できているあいだ、上位の領域には名前細胞から一定のパターンが示される。もしもその領域が異なる三つのパターンからなるシーケンスを学習していれば、これら三種類のパターンのいずれかで興奮する柱状構造のすべてにおいて、そのシーケンスがつづくあいだ名前細胞は興奮状態をとる。これがどのようにしておこなわれるのかは難しい問題だが、わたしはこう考える。名前細胞は、学習が進むと、上位の領域からの情報だけで興奮することが可能になる。それには、上位の領域の第六層にある細胞から伸びている軸索とのあいだに優先的にシナプスを形成すればいい。その結果、名前細胞は、上位の領域から渡される一定の予測に応じて興奮するようになる。上位の領域が下位の領域の第一層に予測を送ると、下位の領域ではそのシーケンスのあいだに興奮する柱状領域すべてにおいて名前細胞が興奮する。これらの名前細胞が興奮を上位の領域に伝えることで、一定のパターンが送られる。なお、実際のニューロンがずっと興奮しつづけるとは考えにくいので、おそらくは周期的に、同期をとって興奮を繰り返しているのだろう。上位の領域から下位の領域の第一層に送られる予測は、たとえば、メロディーをあらわしている。そのメロディーのあいだに一度は興奮する柱状構造のどれにも、興奮しつづける名前細胞が含まれている。

以上の機構すべてを使うことで、新皮質はシーケンスを学習し、予測をたて、シーケンスをあらわす一定のパターン、つまり「名前」をつくることができる。これが、普遍の表現を形成するための基本操作だ。

特定の予測をたてる

では、経験したことのない出来事について、どうやって予測をたてるのか？　入力に複数の解釈が可能なとき、どうやってその一つを選ぶのか？　普遍的な記憶から、どうやって具体的な予測が導かれるのか？　これらの答えは、音のあいだの音程だけが記憶されているときにメロディーのつぎの音を正確に予測する方法や、列車のたとえ話や、ゲティスバーグの演説の暗唱として、すでにいくつか例をあげた。いずれの場合にも、問題を解決する唯一の方法は、最新の具体的な情報を使い、普遍的な予測を具体的な予測に変換することだ。べつの表現をするなら、順方向の情報（実際の入力）と逆方向の情報（普遍の表現での予測）を組みあわせる必要がある。

新皮質がこれをどうやっておこなっているのか、わたしの考えを簡単な例で説明しよう。いま、新皮質のある領域が、五度の音程を予測するように求められていると仮定する。領域の柱状構造には、ラ―ミ、ド―ソ、レ―ラといったように、具体的に可能な音程をあらわすものがすべて存在する。それらの中から、どの柱状構造を興奮させればよいのだろうか？　まず、上位の領域から五度の音程の予測を受けとったときに、ド―ソ、レ―ラ、ミ―シなど、五度をあらわすあらゆる柱状構造で名前細胞が興奮する。ほかの音程をあらわす柱状構造の名前細胞は、いっさい興奮しない。また、領域には具体的な音も入力される。

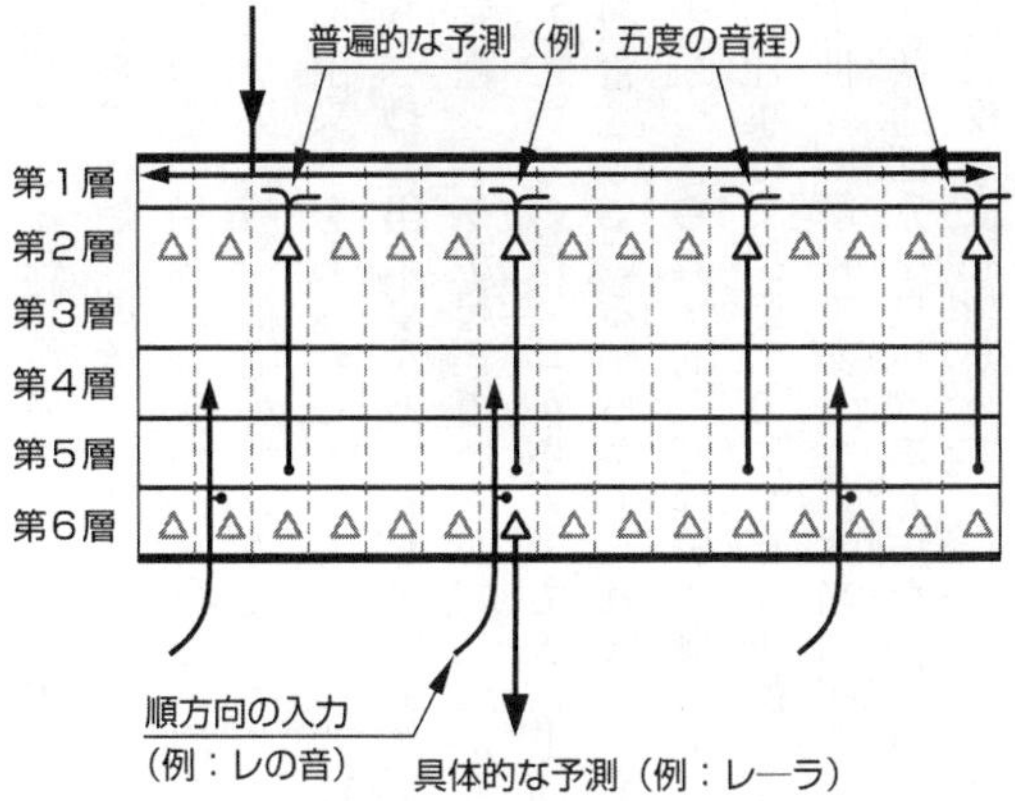

図11　普遍的な記憶から具体的な予測が得られる

もしも最後に聞こえた音がレなら、レを含む音程をあらわす柱状構造、たとえばレ—ミ、レ—シなどは、すべて入力の一部を受けとっている。すると、いまや、第二層では五度をあらわすあらゆる柱状構造の名前細胞が興奮し、第四層ではレを含む音程のすべての柱状構造が入力の一部を受けとる。そして、これら二つの集合の共通部分こそが、興奮させるべき柱状構造であり、音程レ—ラをあらわすものになる。この様子を図11に示す。

　では、新皮質はどんな方法でこの共通部分を見つけるのだろうか？　以前に述べたように、第二層と第三層の細胞から新皮質を出ていく軸索は、たいてい第五層にもシナプスを形成している。さらに、新皮質の下位の領域から第四層に達する軸索は、第六層にもシナプスをつくっている。情報の下向きと上向きの流れから分岐した二種類のシナプスがともに興奮する柱状領域が、まさに求めている共通部分だ。したがって、第六層の細胞は、これら二種類の興奮を同時に見つけたときに、自身も興奮すればいい。それによって、新皮質のその領域がつぎの出来事と判断したもの、つまり、具体的な予測があらわされる。もしも第六層の細胞が話せるならば、こんなことをいうだろう。「ぼくの柱状構造は、一つの出来事をあらわしている。具体的には、それは音程レ―ラだ。ほかの柱状構造もそれぞれべつの出来事をあらわしているが、詳しくは知らない。ぼくが興奮するということは、音程レ―ラが起きているか、これから起きると予測しているかのどちらかだ。ぼくが興奮しているのは、耳から入ってきた上向きの入力によって、第四層の細胞が柱状構造全体を興奮させているからかもしれない。あるいは、ぼくの柱状構造がメロディーを認識したので、つぎの具体的な音程を予測しているからかもしれない。いずれの場合にしても、ぼくの仕事は、担当する出来事を下位の領域に知らせることだ。その出来事は新皮質による現実世界の解釈であって、本当に起きている場合もあれば、単なる想像の場合もある」

共通部分を見つける方法を、べつの例になぞらえてみよう。たくさんの小さな穴があいた二枚の紙を想像してほしい。一枚目の紙の穴は、第二層または第三層の細胞が興奮した柱状構造、すなわち、普遍的な予測をあらわしている。二枚目の紙の穴は、下位からの入力の一部を受けとった柱状構造をあらわしている。この二枚の紙を重ねれば、いくつかの穴だけが重なるだろう。このときに重なった穴が、興奮させるべき柱状構造だ。

この方法は、感覚器官へのあいまいな入力を解釈するのにも役だっている。紙の色を判断するときや、言葉の一部が聞きとれないときのように、新皮質の領域への入力があいまいな場合は多い。上向きの情報と下向きの情報を突きあわせることで、二つ以上の解釈から一つを選ぶことができる。そして、いったん解釈が決まれば、その解釈は下位の領域に送られる。人間が起きて生活しているどの瞬間にも、新皮質のあらゆる領域は、下向きの予測された情報で興奮した柱状構造の集合と、上向きの観察された情報で興奮した柱状構造の集合を比較している。二つの集合の共通部分が、認識の結果だ。もしも下位からの入力が完璧で、予測も完璧なら、観察された情報はかならず、予測された情報の部分集合になる。しかし、そのような場合は少ない。不完全な予測と不完全な入力を組みあわせることで、入力からあいまいさを排除し、欠落した情報を補って、複数の解釈から一つを選んでいる。

さらに、第六層の細胞は、出力を下位の領域に渡すだけでなく、自分の柱状構造に含まれる第四層の細胞に戻すことができる。つまり、予測をそのまま入力にするわけだ。そうすると、ある予測の結果から、さらにつぎの結果を予測することが可能になる。これは、空想にふけっている、あるいは、思案をめぐらしている状態に相当する。人間は予定をたてたり、講演の予行をしたり、将来のことで悩んだりして、一日に何時間もこの状態になる。長年にわたって新皮質のモデルを研究しているスティーヴン・グロスバーグは、これを「予測の折り返し」と呼んでいるが、わたしは「想像」と呼ぶことにしたい。

行動と予測

つぎに進む前に、問題をもう一つ考えよう。これまでにも何回か指摘したように、人間が見たり、聞いたり、触れたりすることのほとんどは、当人の行動に大きく依存している。したがって、つぎに何を感じるかを予測するためには、つぎに起こす行動を知っていなければならない。

行動と知覚は高度に相互依存している。第五層の細胞は、情報を視床に渡すことで第一層に戻すと同時に、運動にかかわる旧脳の組織にも情報を渡すので、運動を抑制する機能も持つと考えられる。したがって、第一層には、知覚と運動の両方で「いま何が起きたか」という情報が伝わってくる。

また、運動も、普遍の表現の階層としてあらわされなければならない。特定の行為をおこなうために身体を動かすときには、最初は詳細を考えないで、単にその行動を起こそうとする。それによって生じる運動の命令は、階層をくだるにしたがい、意図している行為の実現に必要な、複雑で詳細なシーケンスへと展開されていく。このときの展開は「運動」野でも「感覚」野でも起こっていて、両者にはっきりとした違いはない。たとえば、居間から台所へと実際に歩いていくとき、脳がするべき仕事は、思い描いている居間の普遍の表現を、台所の普遍の表現に切り換えることだ。この切り換えによって、シーケンスの複雑な展開が発生する。居間から台所へと向かうあいだに何を見て、触れて、聞くかという予測のシーケンスがつくられると同時に、歩くという運動と、歩きながら目をどう動かすかという運動の命令のシーケンスがつくられる。

予測と行動が緊密に連係し、パターンが新皮質の階層を上下する。奇妙に聞こえるかもしれないが、自分自身の行動が関与するとき、予測は感覚に先だつだけでなく、感覚そのものを決定する。つまり、シーケンスのつぎのパターンに移ろうと考えることで、つぎに経験するべき感覚が予測される。そして、この予測が展開されてつくられる運動の命令は、もとの予測を満たすための行動にほかならない。考えること、予測すること、行動することは、すべて同じシーケンスを展開したものの一部として、新皮質の階層をくだっていく。

考えることで行動する、つまり、知覚と運動を並行して展開することは、いわゆる目的志向行動の本質だ。目的志向行動はロボット工学の究極の目的だが、新皮質の組織には最初から組み込まれている。

もちろん、人間は行動を省略することもできる。ものは実際に見なくても想像できるし、台所への道筋は実際にいかなくても思い浮かべられる。だが、何かの行動を起こすためには、まず、行動することを決めなければならない。

上向きの流れと下向きの流れ

ここで話題を少し戻して、新皮質の階層を情報が上下に流れる様子を、やや詳しく見ていこう。人間が現実世界を動きまわると、新皮質の下位の領域に流れ込む入力は絶えず変化する。それぞれの領域は、入力パターンの流れを、既知のシーケンスの一部として解釈しようとする。つまり、柱状構造は入力に先だって、その興奮を予測しようとする。予測が可能なときは、一つ上位の領域に安定したパターン、すなわち、シーケンスの名前を渡す。たとえるなら、領域がこんなふうに話しているようなものだ。「ぼくは歌を聴いている。これがその題名だ。歌が終わったら知らせるから、細かいことは安心してぼくに任せてくれ」

しかし、意外なパターン、たとえば、思いもよらない音が入ってきたら、どうなるのだろうか？　あるいは、顔にあるはずのない部分が見えたとしたら？　予測できなかったパターンは、自動的に新皮質の一つ上位の領域に渡される。シーケンスが予測できれば抑制されるはずの第三b層の細胞が興奮していることから、自然に伝わるのだ。上位の領域にとっては、この新しいパターンは、学習したシーケンスのつぎの部分にすぎないかもしれない。そうであれば、こう話すだろう。「おや、新しい音がきたぞ。たぶん、これはCDに入っているつぎの歌の冒頭だな。ちょうどそんな音だ。では、つぎの歌に移ったと予測しよう。おい、下位の領域くん、これが今度の歌の題名だ。きみはこれを聞いているはずだよ」と。だが、このような解釈ができなかった場合には、予測できなかったパターンは上位のどこかの領域で出来事の正常なシーケンスの一部と解釈されるまで、新皮質の階層を順にのぼっていく。予想外の入力が高くのぼっていくほど、その解明に関与する領域の数は増える。階層のどこかの領域がそれまでは予測できなかった出来事をようやく解明すると、その領域は新しい予測をたてる。この新しい予測は、可能なかぎり階層をくだっていく。もしも新しい予測が正しくなければ、誤りが検出されてふたたび階層をあがっていき、既知のシーケンスの一部と解釈できるどこかの領域まで達する。このように、階層の中を、観察されたパターンが上向きに流れ、予測されたパターンが下向きに流れる。よく知っている予測可能な世界という理想的な状態では、パターンの上下の流れは、ほとんどが新皮質の下位の領域でめまぐるしく起こるだけだ。予測できなかった入力があると、脳はすぐに現実世界のモデルからそれに整合する部分を見つけようとする。そうしないと、入力を理解してつぎの予測をたてることができない。

自分の家のよく知った部屋の中を歩いているとき、予測の誤りが新皮質の階層をあがっていくことはめったにない。家のシーケンスがきちんと学習されているので、視覚、体性感覚、運動の処理は下位の領域だけでおこなわれる。部屋の様子がよくわかっていると、真っ暗でも歩きまわることが可能だ。周囲を熟知していれば、新皮質のほとんどの部分は歩く仕事から解放され、効果的にほかの作業、たとえば、いまのわたしのように、脳の働きや本の執筆について考えることに専念できる。ところが、もしもはじめての部屋にいて、さらにそれが過去に入ったこともないような部屋だったら、歩いていく先に注意していなければならないばかりか、予測できなかったパターンがひっきりなしに、新皮質の階層を高くのぼっていくだろう。知覚の体験が学習されたシーケンスと一致しない場合が増えるほど、予測の誤りがのぼっていくことも多くなる。この新しい状況では、新皮質のほとんどが部屋を歩きまわる仕事に追われ、もはや、わたしには脳の働きについて考えている余裕はない。こういう体験は、外国で飛行機から降りたときによく起こる。道路はなじみのものに見えるかもしれないが、車は反対側をすっ飛んでいく。お金は奇妙な姿をしていて、言葉はわけがわからない。トイレを探すだけで、新皮質の能力を使いきることもある。見

図12　ダルメシアンを探せ！

知らぬ土地では、散歩しながら講演の予行をしようなどとは、考えないほうがいい。

このモデルでは、突然「わかった！」とひらめく瞬間も説明できる。いま、よくわからない絵を見ているものとしよう。インクの染みや殴り書きの線のようで、とても意味のある絵には見えない。いったい何が描いてあるのか。入力に一致する記憶が見つけられず、新皮質は混乱状態になる。視線が絵のあらゆる場所に移る。新しい入力が新皮質の階層をどこまでも駆けあがる。上位の領域は数多くの異なる予測をたてるものの、それらは階層をくだっていくうちに、どれもこれも入力と矛盾することがわかり、新皮質は考え直しをせまられる。混乱状態のあいだ、脳は絵の理解しか眼中にない。そして、ようやく、高レベルの正しい予測がたてられた。そうなると、この予測は新皮質の上位の階層を出発し、正解のチャイムをつぎつぎと鳴らしながら、無事に最下位までたどり着く。一秒とたたないうちに、すべての領域に入力と適合するシーケンスが与えられる。もはや、予測の誤りは上位にはあがらない。絵は理解され、染みと殴り書きのかわりにダルメシアンが見える。図12をごらんあれ。

逆方向の流れと予測

新皮質の階層のつながりが双方向であることは、何十年も前から知られていた。領域Aが領域Bに軸索を伸ばしていれば、領域Bの軸索も領域Aに達している。軸索の本数は、いわゆる逆方向のほうが多いこともしばしばだ。だが、この事実が広く受け入れられているにもかかわらず、脳における逆方向のつながりは重要でないか、「微調整」の役割しか果たさないとする理論が主流だった。逆方向の信号が第二層の細胞のさまざまな集合を迅速かつ正確に興奮させるという考えは、神経科学者の中で少数派にすぎない。

なぜそうなのだろうか？　理由の一つは、すでに述べたように、予測の重要性を認めなければ、実質上、逆方向のつながりに興味を持つ必要がないことによる。人間の行動が、感覚神経から運動神経へと一直線に流れる情報だけで起こっているのなら、なぜ逆方向の流れの意味を考えなければいけないのか？　逆方向が無視される第二の理由は、その信号が第一層の広い範囲に散らばっていくからだ。直観として、広範囲に分散される信号は、多数のニューロンに小さな影響をおよぼすものと考えてしまう。実際、脳にはそのような微調整のための信号が存在し、特定のニューロンに働きかけるのではなく、警戒態勢をとるといったような、全体的な特性を変化させている。

最後の理由は、ニューロンが個別に機能すると考える科学者の数にある。典型的なニューロンは、何千から何万というシナプスを持っている。あるものは細胞体から遠く離れていて、あるものはすぐ近くにある。細胞体に近いシナプスは、細胞の興奮に強い影響をおよぼす。近くにある一〇個ほどのシナプスが興奮を伝えるだけで、細胞体からパルスが発生する。それは実証されている。だが、シナプスの大多数は、細胞体から離れた場所に存在する。そこにつながる樹状突起も、遠く広く枝わかれしている。これらのシナプスは細胞体から遠く離れているために、その一つがパルスを受けても、ニューロンの興奮には弱い影響しか与えることがなく、ほとんど無視できるというのが、科学者の支持してきた考えだ。離れたシナプスの影響は、細胞体に達するまでに消え去ってしまうかもしれない。

一般的に、新皮質の階層をのぼっていく情報は、細胞体に近いシナプスをとおして伝えられる。したがって、上向きの情報が領域から領域へと渡されることは、かなりはっきりしている。やはり一般的に、新皮質をくだる逆方向の流れは、細胞体から離れたシナプスをとおっていく。第二、三、五層の細胞は第一層に樹状突起を伸ばし、そこで多数のシナプスを形成する。第一層にはシナプスが密集しているが、それらはすべて第二、三、五層の細胞体から遠い。さらに、たとえば第二層のどの細胞も、逆方向の特定の軸索とつくるシナプスの数がきわめて少ない。そのため、第一層の一瞬のパターンによって第二、三、五層の細胞の集合が正確に興奮するという考えに対しては、その可能性を否定する科学者もいるだろう。だが、わたしが提示した理論では、まさにこの機構が不可欠なのだ。

この難問を解く糸口は、従来のモデルとは異なるニューロンの振る舞いにある。実際、近年になって、遠くに伸びる細い樹状突起が形成するシナプスが、細胞の興奮に強力かつ非常に特殊な役割を果たすとする意見が、科学者のあいだで増えはじめた。このモデルでは、離れたシナプスの働きは、細胞体の近くで太めの樹状突起がつくるシナプスとは異なっている。たとえば、細い樹状突起の上にきわめて接近して二つのシナプスがある場合、それらは「同時発生検出器」として作用する。すなわち、短い時間のあいだに両方のシナプスにパルスが入力されると、それらが細胞体から遠く離れている場合でも、細胞は大きな影響を受ける。その結果、細胞体がパルスを発生することさえある。樹状突起の振る舞いは謎に包まれているので、ここで多くの主張はできない。だが、重要な点は、新皮質の記憶による予測の枠組みでは、細胞体から遠く離れたシナプスによって、特定のパターンが検出できなければならないことだ。

いまだからいえることだが、ニューロンの何千というシナプスの大多数が微調整のためだけに存在するという考えは、ほとんどばかげている。逆方向に多数のつながりがあり、多数のシナプスが存在するのは、何か理由があるからだ。この洞察にもとづけば、典型的なニューロンには、逆方向の軸索とのあいだに細い樹状突起でシナプスを形成して、同時発生する何百というパルスから、パターンを正確に学習する能力があるはずだ。つまり、新皮質のそれぞれの柱状構造は、多様な逆方向のパターンによって興奮させられるという点で、きわめて順応性が高い。いかなる特定のパターンも、何千種類もの対象やシーケンスと正確に結びつけられている。わたしのモデルでは、逆方向の流れは迅速かつ正確でなければならない。細胞は離れた樹状突起から同時発生する任意の数のパルスを正確に検出し、興奮しなければならない。細い樹状突起を特殊視する最近のニューロンのモデルでは、このことが可能になる。

新皮質の学習方法

新皮質の六層すべてにおいて、どの細胞にもシナプスがある。これらのシナプスのほとんどは、経験によって変化していく能力を持つ。新皮質の学習と記憶は、あらゆる領域で、すべての柱状構造で、全部の層でおこなわれるといっても過言ではない。

カナダの神経心理学者のドナルド・O・ヘッブは、ヘッブの学習則と呼ばれる法則を提案した。その原理はきわめて単純だ。つまり、二つのニューロンが同時に興奮したとき、それらのあいだのシナプスは結合が強くなる。現在では、ヘッブの学習則は基本的に正しいことが知られている。もちろん、自然界にそれほど単純なものは存在せず、実際の脳はもう少し複雑だ。ヘッブの学習則にも、細かな点で異なるさまざまな種類が存在する。たとえば、興奮のタイミングの小さなずれに反応して強さを変えるシナプスがあるし、また、結合の強さの変化が一時的な場合もあれば、長くつづく場合もある。ヘッブが提示したものは完全な理論ではなく、学習の研究をするための枠組みにすぎない。だが、この枠組みは信じられないほど役だってきた。

ヘッブの学習則の原理は、この章で述べた新皮質の振る舞いのほとんどを説明できる。すでに一九七〇年代には、この学習則を素朴に応用した自己連想記憶を使い、空間的なパターンと、パターンのシーケンスを学習できることが示されていた。この記憶の大きな問題点は、パターンの変形をうまく扱えないことだった。新皮質がこの限界を回避できるのは、この本で提案したように、一つには自己連想記憶が階層構造に積み重なっていることと、一つには柱状構造が精巧に組織化されていることによる。この章でほとんど階層構造とその働きばかりを説明してきたのは、階層構造こそが新皮質の偉大さの源泉と考えられるからだ。そこで、個々のニューロンがどうやってあれこれ学習するのかという退屈な説明をするかわりに、階層構造における学習の大まかな原理をいくつか論じておこう。

人間が生まれるとき、新皮質は本質的に何も知らない。言語も、文化も、家も、街も、成長の過程でかかわる人々のことも、まったく白紙の状態だ。こういった情報、つまり、現実世界の構造は、すべて最初から学ばなければならない。学習するべきことは基本的に二種類ある。パターーンの分類とシーケンスの組みたてだ。これらは記憶の要素として相互に補い、影響を与えあう。ある領域がシーケンスを学習すると、上位の領域の第四層に送られる入力が変化する。すると、第四層の細胞は新しい分類をおこない、それによって下位の領域の第一層に戻されるパターーンが変わるので、シーケンスに影響をおよぼす。

シーケンスを組みたてる基本原理は、同じ対象を構成するパターーン同士をまとめることだ。具体的な方法の一つとして、時間的に連続して起こるパターーンをまとめることがある。いま、子供がおもちゃを手に持ち、ゆっくりと動かすとしよう。子供の脳は、一瞬一瞬の網膜の像が同じ物体のものであると確実に判断できるので、変化していくパターーンの集合を一つにまとめることができる。べつの場合には、同じ種類に属するパターーンを判別するために、他人からの教育を必要とする。リンゴとバナナは果物だが、ニンジンとセロリは違うということを学ぶには、何が果物かを教える先生がいなければならない。いずれの方法にせよ、脳は徐々に同じ対象に属するパターンのシーケンスを組みたてていく。だが、新皮質の領域がシーケンスを組みたてるにしたがい、上位の領域への入力が変わっていく。おもに個別のパターンをあらわしていた入力が、パターンのシーケンスをあらわすようになる。音からメロディーへ、文字から単語へ、鼻から顔へといったように変わる。領域への下からの入力がより「対象指向《オブジェクト》」になることから、階層の上位の領域はより「高次」の対象のシーケンスを学習できるようになる。以前は文字のシーケンスを組みたてていた領域が、いまや単語のシーケンスを組みたてる。

この過程の思いもよらない成果として、学習が繰り返されるうちに、対象の表現が新皮質の階層をくだっていく。人生がはじまったばかりの年齢では、現実世界の記憶はまず新皮質の上位の領域に形成される。しかし、学習が進むにしたがい、それらはどんどん下の領域に再形成されていく。記憶をそのまま動かすことはできないから、脳は何度も学び直す必要がある。断っておくが、あらゆる記憶が新皮質の最上位からはじまると主張しているのではない。実際の記憶の形成は、もっと複雑だ。第四層におけるパターンの分類は、最下位からはじまり、だんだんとあがっていくものと考えられる。だが、それと同時にシーケンスが構築され、階層をくだってくる。新皮質の下位に向かってどんどん再形成されていくのは、「シーケンスの記憶」だ。そして、単純な表現がくだっていくにしたがい、上位の領域はより複雑で微妙なパターンを学習できるようになる。

階層的な記憶の形成と下向きの移動は、子供が学習する様子に見ることができる。読むことをどう学んだかを考えてみよう。最初の勉強は、印刷された個々の文字の識別だ。意識的な努力が必要な作業で、なかなかはかどらない。それから、簡単な単語の識別に移る。やはり、はじめは三文字の単語でも苦労し、進捗は遅い。子供は文字を一つずつ順に読み、発音することはできるが、かなりの練習を積まないと、単語を単語として認識するにはいたらない。簡単な単語を学んだあとには、もっと長い単語との格闘が待っている。はじめのうちは、単純な単語のときと同じように、文字を一つずつ発音する。何年かの訓練をへて、人間はすばやく読めるようになる。この段階になると、個々の文字を実際にすべては見ておらず、完全な単語、あるいは、しばしば完全な句として一目で認識する。つまり、単に文字を速く読んでいるのではなく、単語や句を単位として認識しているのだ。単語を単位として読んでいるとき、文字は見ているのだろうか？　そうともいえるし、そうでないともいえる。あきらかに網膜は文字を見ているから、Ｖ１野にも入ってくる。だが、文字の認識は新皮質の階層のきわめて下位、いうなればＶ２野やＶ４野で起こっている。情報がIT野に達するころには、もはや個々の文字はあらわされていない。かつて視覚野全体の努力を必要とした個々の文字の認識は、いまや感覚器官からの入力に近い領域で起こっている。文字のような単純な対象の記憶が階層をくだるにしたがい、上位の領域は単語や句といった複雑な対象を学習できるようになる。

楽譜が読めるようになるのも、一つの好例だ。はじめのうちは、すべての音符に注意を払う必要がある。練習をつづけると、音符の共通のシーケンスや、さらにはフレーズ全体を認識するようになる。さらに訓練をじゅうぶんに重ねると、音符のほとんどをまったく見ていない状態になる。楽譜が目の前に置かれているのは、曲の全体的な構成を思い出すだけのためであって、細かなシーケンスは新皮質の下位の領域に記憶されている。この種の学習は、運動野と感覚野の両方で起こる。

子供の脳がすばやく入力を認識できず、なかなか運動の命令を発せられないのは、これらの作業に使われる記憶が新皮質の階層の上位にあるからだ。情報は、おそらく複数の経路で、はるばる上下に流れないと、矛盾のない解釈が得られない。神経の信号が新皮質の階層をのぼったりくだったりするには時間がかかる。また、子供の脳では最上位にも複雑なシーケンスが組みたてられていないので、複雑なパターンの認識や再現ができない。現実世界の高次の構造を理解することができない。大人に比べ、子供は言葉も、歌も、意思の伝達も単純だ。

特定の対象の集まりについて繰り返し学習すれば、それらの記憶の表現は新皮質の下位の領域に再構築される。その結果、最上位の領域には、もっと繊細でもっと複雑な関係を学習する余裕ができる。こうして、達人が生まれるのだ。

わたしはコンピューターを設計する仕事で、製品を見た途端に問題点を指摘して、驚かれることがある。二五年にわたる設計の経験から、モバイルコンピューティングの機器がかかえる問題には、平均以上のモデルができているからだ。同じように、子育てに慣れた親には子供の不機嫌の原因が容易にわかるが、はじめての親はどうしてよいかわからず困り果てるかもしれない。経験豊かな管理職は組織の構造的な長所と短所をただちに発見するが、新人の管理職は気づきもしない。入力は同じでも、それほど洗練されていない初心者のモデルでは処理できないのだ。こうした例でも、さらにほかの多くの場合でも、はじめにもっとも単純な基本構造が学習される。時間とともに知識が新皮質の階層をくだっていき、それによって、上位の階層がより高次の構造を学習する機会を得る。この高次の構造があるからこそ、人間は経験を積むことができる。達人と天才の脳は、凡人には見えていない構造の構造や、パターンのパターンを見ている。天分や才能には遺伝もたしかに関与するが、人間は訓練次第で達人になれるのだ。

階層の頂上に位置する海馬

新皮質の膜の下には大きな組織が三つあり、いずれも新皮質とのあいだで情報をやりとりしている。それらは大脳基底核、小脳、海馬と呼ばれていて、すべて新皮質より古くから存在する。かなり大ざっぱにいって、大脳基底核は単純な運動を制御し、小脳は運動の正確な時間関係を学習し、海馬は特定の出来事や場所の記憶を蓄える。これらの機能は、ある程度は新皮質にとり込まれている。たとえば、生まれつき小脳に欠陥のある人は、運動の協調性に問題があり、身体を動かすときに意識的な努力を多く必要とするが、それ以外の点ではきわめて正常だ。

新皮質はあらゆる複雑な運動のシーケンスを制御し、手足を直接に動かせることが知られている。だからといって、大脳基底核が重要でないという意味ではないが、運動の制御の大部分は新皮質が支配している。この理由から、新皮質の全体的な機能の説明は、大脳基底核や小脳と無関係におこなってきた。異議を唱える科学者がいるかもしれないが、この本の主張やわたしの研究は、この仮定にもとづいている。

しかし、海馬は異なる「生き物」だ。新しい記憶の形成に不可欠であることから、脳でもっとも重点的に研究されている組織の一つでもある。神経系の多くの部分と同じように、海馬は脳の左右に存在するが、その両方を失うと、新しい記憶の形成がほとんどできなくなる。海馬を失っても、話したり、歩いたり、見たり、聞いたりはできるので、短い時間のあいだなら、ほとんど正常に見える。しかし、実際には大きな障害が生じていて、新しいことを何も覚えられない。海馬を失う前に知り合った友人は思い出せるが、新しい人物は記憶できない。主治医の診察を一日に五回、一年にわたって受けても、毎回が初対面のように感じられる。海馬を失ったあとの出来事は、何一つ記憶に残らない。

わたしが何年にもわたって海馬を無視してきたのは、その存在意義が理解できなかったからだ。学習に不可欠な組織であることはあきらかだが、知識のほとんどが最終的に蓄えられる場所ではない。記憶は新皮質の役割だ。海馬についての通説では、新しい記憶がまずそこで形成され、のちに何日、何週、あるいは何か月もかけて新皮質へと移動していくという。これが理解できなかった。景色も音も手触りも、つまり、あらゆる感覚のデータは感覚野にじかに流れ込んでいて、はじめに海馬を経由するのではない。わたしには、感覚の情報が新皮質の中で自動的に新しい記憶を形成するように思えた。なぜ、学習に海馬が必要なのか？　海馬のような別個の組織が干渉し、新皮質による学習を妨害して、あとになってから記憶を新皮質に戻すようなことが、ありえるのだろうか？

わたしはいったん海馬のことを忘れて、いつの日かその役割があきらかになるだろうと考えることにした。そしてその日は、二〇〇二年の終わりごろ、ちょうどこの本を書きはじめたときにやってきた。レッドウッド神経科学研究所の同僚ブルーノ・オルスハウゼンが、海馬は新皮質の最上位に位置し、別個の組織ではないと考えられることを、両者の位置関係から指摘したのだ。この説では、海馬は新皮質の階層構造の頂上、すなわち、図5に描かれている最上位の長方形に相当する。進化の過程では、新皮質は海馬と脳の残りの部分とのあいだに出現した。どうやら、海馬を新皮質の階層の最上位とみなす考えは以前からあったのに、わたしが気づかなかっただけらしい。海馬の研究者の何人かと話し、このタツノオトシゴに似た組織がどうやって記憶を新皮質に移動させるのかを尋ねたことはある。だが、だれも答えられなかった。さらに、海馬が新皮質のピラミッドの頂上にあるとは、だれもいわなかった。その理由は、おそらく、海馬が新皮質の頂上にあるだけでなく、いまだに旧脳の多くの部分と直接につながっているからだろう。

しかし、海馬のこの新しい解釈は、ただちにわたしの疑問への解答となった。目や耳や皮膚から新皮質に流れ込む情報について考えよう。新皮質の各領域は、この情報の意味を理解しようとする。それぞれの領域は、知っているシーケンスを使い、入力を解釈しようとする。それができれば、領域はこういうだろう。「わかった。これはすでに見ている対象の一部だ。だから、詳細を上位に渡す必要はない」と。もしも解釈できなければ、その入力は、どこかの上位の領域が解釈するまで、階層を上向きに渡されていく。しかし、本当に新奇なパターンなら、階層をのぼりきってしまう。一つ上位にあがるたびに、どの領域も上位に頼る。「これは何だ？　まったく予想していなかった。ねえ、親方、ちょっと見てもらえませんかね？」と。最後には、新皮質のピラミッドの頂上に、過去の経験では解釈できなかった情報が残る。その入力は完全に新しいので、説明ができない。

毎日のように、人間は頂上までのぼる新しい出来事を経験する。たとえば、新聞の記事や、午前中に会った人物の名前や、帰宅する途中に見た交通事故の現場などだ。説明できず、思いがけなく残ってしまった新しい経験こそが、海馬に入り、そこで蓄えられる。しかし、この情報は永遠には残らない。下位の新皮質に移動していくか、あるいは、単純に消えてしまう。

新皮質と違い、海馬の構造は均質ではなく、いくつかの特殊化された領域がある。そのため、どんなパターンが入ってきても迅速に蓄えるという、特異な仕事に向いている。新皮質のピラミッドの頂上は、新しい出来事を覚えるには理想的な位置だ。また、新しく覚えたことを思い出しながら、それを新皮質の階層構造にゆっくりと移して記憶させるためにも理想的といえる。海馬の中の新しい出来事はただちに思い出すことができる。だが、永久に記憶するのは新皮質の役割で、そのためには何度も現実に経験するか、繰り返し心に思い描くしかない。

階層をのぼる第二の経路

人間の新皮質には、階層をのぼって上位の領域へと情報を渡す太い道筋が、もう一つ存在する。この代替路は第五層の細胞を起点に、まず視床へと興奮を伝える。ただしその場所は、以前に図9で説明した経路が入るのとは、同じ視床でも異なる部分だ。それから、視床を出て、新皮質の一つ上位の領域へといたる。新皮質の二つの領域が階層構造で直接につながっているときは、かならず視床を経由して間接にもつながっている。この第二の道筋は情報を上向きだけに流し、下向きの経路がない。つまり、新皮質の階層をのぼるときだけ、二つの領域には直通路と、視床を経由する迂回路《うかい》が存在している。

第二の経路の働きには二つの状態があり、視床の中の細胞によって切り換えられる。一方の状態では、経路がほとんど遮断されるので、情報は流れない。もう一方の状態では、領域のあいだで正確に同じ情報が渡される。二人の科学者、ニューヨーク州立大学ストーニーブルック校のマリー・シャーマンとウィスコンシン大学医学部のレイ・ギレリーは、この代替路の存在を報告し、この章で扱ってきた直通路と同程度に重要かもしれないと主張している。第二の経路の役割については、わたしにも仮説がある。

imagination

図13　認識の対象を変えてみよう

図13を見てほしい。ほとんどのアメリカ人は、ぱっと見た瞬間に、これが「imagination《イマジネーション》（想像）」という単語だと認識する。つぎに、中ほどにある「i《アイ》」の文字を見てほしい。つづいて、その「i」についている点を見てみよう。あなたは目を同じ位置に固定したままでも、何を見ているかの認識を変えられるはずだ。あるときには単語を、あるときには文字を、そしてあるときには点を、意識的に見ることができる。うまくいかなければ、目を動かさないで、「イマジネーション」「アイ」「てん」などと声に出すといい。いずれの場合にも、まったく同じ情報がV1野に入ってくる。ところが、いくつか上位のIT野のような領域に達するときには、認識の対象や詳細度がさまざまに変わる。IT野は三種類の対象をすべて認識できる。文字「i」から点を分離することも、単語全体を一瞬に理解することもある。だが、単語として認識しているときには、V4野、V2野、V1野が細部を処理していて、IT野は単語としての情報しか受けとらない。読書のときに、ふつうは個々の文字を意識することなく、単語や句を認識している。しかし、文字を認識すること

も、そうしようと思えば可能だ。この種の意識の転換は、人間が四六時中おこなっているが、たいていは気づいていない。BGMを流しながら、メロディーをほとんど無視することもできるし、その気になれば、歌声やベースギターの音を聴きわけることも可能だ。頭に入ってくる音楽が同じでも、何を認識するかを選ぶことができる。指で頭をかくたびに、骨伝導によって大きな音が聞こえるが、ふつうは気づかない。だが、意識を集中させれば、その音ははっきりと聞こえる。この例からも、感覚の入力がふだんは新皮質の下位の階層で処理されていて、関心を向けることで上位に渡されることがわかる。

わたしの仮説では、視床を経由する迂回路は、ふだんは意識しない細部に注意を払うための機構だ。第二層におけるシーケンスの分類を回避して、データをそのまま一つ上位の領域に送る。生物学者の研究によれば、代替路を開く方法は二つある。一つは、新皮質自身の上位の領域からの信号だ。この方法は、「i」の点や頭をかいたときの音のように、ふだんは気づかない細部に関心を持ったときに使われる。もう一つの方法は、下位からの思いがけない強い信号がきっかけになる。代替路への入力がじゅうぶんに大きいと、上位の領域に警戒信号が送られ、それによって代替路を開く信号が戻される。たとえば、顔を見せられ、それが何かと尋ねられたら、だれでも「顔」と答えるだろう。ところが、同じ顔でも、鼻に見なれない特徴があれば、最初は顔と認識するものの、すぐに視覚野の下位の領域が何か変だと気づく。この異常によって、注意を払うための経路が開かれる。そうなると、詳細な情報が代替路をとおり、ふだんの分類が回避されて、注意が鼻の特徴へと引きつけられる。いまや顔だけでなく、特徴の存在も見えている。その特徴がじゅうぶんに奇妙なら、注意を完全に奪われるだろう。ふつうでない出来事はこのようにして迅速に意識にのぼる。奇妙なかたちや、ふつうでないパターンには、どうしても目が向いてしまう。それは脳の自動的な反応だ。しかし、多くの異常は代替路を開くほど強くない。つづりの間違った単語を読んでも気づかないのは、そのためだ。

結論として

科学において新しい枠組みを発見し、立証するためには、本質的に異なる多数の事実をまとめて解釈できるように、もっとも単純な概念を探し出す必要がある。その過程では、振り子が単純化の方向に振れすぎることは避けられない。重要な詳細が無視されることや、事実が間違って解釈されることもある。枠組みが確立されるまでに、修正や訂正が加えられるのは当然だし、それによって、最初の提案の単純化が過剰だったのか、まだ足りなかったのか、あるいはまったく誤りだったのかが判明する。

この章では、新皮質の働きについて数多くの仮説を提唱してきた。仮説のいくつかは間違いとわかるだろうし、おそらくすべてに修正が加えられることになるだろう。詳細の多くは、述べてさえいない。脳はきわめて複雑だ。神経科学者には、この仮説では現実の脳の複雑さをじゅうぶんに説明できていないことは明白だろう。それでも、わたしはこの枠組みが全体としては正しいものと確信している。新しいデータや発見によって細部が変わっても、核となる概念は生き延びるとしか考えられない。

さて、巨大だが単純な記憶システムが本当に人間のあらゆる活動を生み出せるのかと、疑問に思っている読者がいるかもしれない。あなたもわたしも、現実には階層的な記憶システムにすぎないのだろうか？　人間の経験も思考も欲望も、小さなシナプスが何兆個もあれば蓄えられるものなのか？

一九八四年、わたしは仕事としてコンピューターのプログラムを書きはじめた。小さなプログラムならそれ以前にも書いたことはあったが、GUI（グラフィカルユーザーインターフェース）を持つコンピューターのプログラムを書くのも、大規模で複雑なアプリケーションに取り組むのも、はじめての経験だった。わたしが書いていたソフトウェアは、グリッド・システムズ社が開発したOSのためのものだ。そのOSは、ウィンドウ、複数のフォント、メニューの機能を備え、当時としてはきわめて先進的だった。

ある日、自分の作業が途方もないことのように思えてきて、衝撃を受けた。プログラマーとして、わたしはプログラムを一行また一行と書いていく。これらの行をまとめ、サブルーチンと呼ばれるものをつくる。サブルーチンが集まり、モジュールになる。モジュールが組みあわされ、アプリケーションができる。そのとき取り組んでいた表計算ソフトはかなり多数のサブルーチンやモジュールからできていたので、だれにも全体を理解することはできなかった。それほどの複雑なプログラムだ。だが、その一行にできることは、きわめてかぎられている。画面にもっとも小さな点を打つだけでも、数行が必要だ。画面全体に集計用紙を表示するためには、コンピューターで何百万という行を実行する必要があり、それらは何百というサブルーチンにまたがっている。サブルーチンの中では、ほかのサブルーチンが繰り返し実行されたり、自分自身が入れ子になって実行されたりする。あまりにも複雑なので、プログラムを動かしたときに起こることは、完全には把握できない。だから、プログラムを実際に動かすとほとんど一瞬で画像が描けるなんて、とても信じられなかった。外から見えるものは、数字の表であり、分類の見出しであり、文字データであり、グラフだ。それはまさに表計算ソフトとして機能する。だが、わたしが知っているコンピューター内部の動きは、CPUが単純な操作を一つずつ実行していくことだけだ。モジュールとサブルーチンの迷路の中で、コンピューターが必要な操作を選択し、これほどすばやく実行できることが、なかなか信じられなかった。もしもわたしにコンピューターの知識がなかったら、こんなことはありえないと断言しただろう。だれかがGUIと表計算ソフトを備えたコンピューターの概念を考案し、紙に書いてわたしに説明したとしても、夢物語だと否定していたに違いない。永久に実現しないといっただろう。でもそうしたコンピューターは現実に存在するのだから、わたしの判断は過小評価というしかない。当時、そんなことを考えていて、マイクロプロセッサーの処理速度についても、階層構造のプログラムの威力についても、自分の直観が適切でないことに気づいた。

同じ教訓は、ここでも生かすことができる。新皮質は超高速の部品でできているわけではないし、使われている規則もさほど複雑ではない。だが、何十億というニューロンと何兆というシナプスを含み、階層的な構造をしていることもたしかだ。論理的には単純だが、数的には巨大な記憶システムによって、人間の意識も、言葉も、文化も、芸術も、科学技術も、そしてこの本も生み出されている。そんなふうに考えるのが難しいと思うなら、それはきっと、新皮質の容量と階層構造の威力に対する直観が不適切だからだ。新皮質は実際に働いている。けっして魔法ではない。その機能はかならず解明できる。そして、それと同じ原理で動作する真の知能を備えた機械は、コンピューターをつくることができたのと同様に、最後には実現される。

第７章　意識と創造性

わたしが脳についての自説を講演すると、たいていの聴衆は予測が人間の活動に大きく関係していることを知って、その重要性をただちに認める。そして、知能にまつわる質問をつぎつぎと投げかけてくる。創造性はどうやって生まれるのか？　意識とは何か？　想像力とは何か？　真実と単なる思い込みはなぜ区別できるのか？　こうした問題の解明は、わたしが脳を研究している第一の目的ではないが、ほとんどだれにとっても興味深い。記憶による予測という知能の枠組みは、このようなほかの分野の話題にも、いくつかの解答と有益な洞察を与えてくれる。この章では、もっともよく聞かれる質問のいくつかに答えよう。

動物に知能はあるか？

ネズミに知能はあるか？　ネコには？　進化の過程で、いつ知能があらわれたのか？

じつは、この質問をされるのはうれしい。なぜなら、驚くべき答えを返せるからだ。この本の中で新皮質とその働きについて述べてきたことには、きわめて基本的な前提が一つある。それは、現実世界に構造があるからこそ、予測が可能になることだ。森羅万象にはパターンがある。たとえば、顔には目があり、目には瞳孔《どうこう》がある。火は熱く、物体は重力で落ちる。ドアは開いたり、閉じたりする。世界はでたらめではないし、均質でもない。そこに構造があるから、記憶も予測も行動も意味を持つ。人間もカタツムリも、単細胞生物も樹木も、あらゆる生物は繁殖の目的で現実世界の構造を利用する。

沼に住む単細胞生物を考えよう。体表には鞭毛《べんもう》があり、泳ぐことができる。細胞膜の分子は、栄養素のありかを感知する。沼は場所によって栄養にかたよりがあるから、細胞の片側からもう片側へと、その濃度は少しずつ変わっていく。また、その変化は、細胞が沼を泳いで移動したときにも検出される。これが、単細胞生物から見える世界の単純な構造だ。細胞は化学的なデータを得て、栄養素の濃度が高くなる方向に泳いでいく。この単純な生物は、予測をたてているといっていい。どの方向に泳げばもっと多くの栄養にありつけるか、という予測だ。このとき記憶は使われているのか？　もちろんだ。その記憶はDNAの中にある。濃度の変化をどう利用するかは、単細胞生物が生涯のあいだに学習したものではない。それは進化の過程で学習され、遺伝子に蓄えられている。もしも世界の構造が激変したら、個体としての単細胞生物は順応できない。ＤＮＡを入れ換えることも、ＤＮＡによって決められている行動を変えることも不可能だ。この生物にとっての学習は、何世代にもおよぶ進化の過程でしかおこなわれない。

この単細胞生物に知能はあるのか？　人間が日常に使う知能という言葉の意味では、ないというしかない。だが、繁殖を成功させるための手段として、たしかに記憶と予測が使われている。学術的な意味では、知能はあるといっていい。重要な点は、生物を知能の有無に分類することではない。記憶と予測はあらゆる生物によって使われている。ただ、それを使う方法とたくみさに差がある。

植物もまた、記憶と予測によって現実世界の構造を利用する。根を地面の中で下向きに伸ばし、枝や葉を空へと上向きに伸ばすのは、予測をしているからだ。水やミネラルがどこで見つかるかの予測は、祖先の経験にもとづいている。もちろん、木は考えているわけではなく、自動的に振る舞っている。だが、植物が世界の構造を利用する方法は、単細胞生物と同じだ。あらゆる種類の植物は、世界のどんな構造を利用するかによって、振る舞いがわずかに違っている。

やがて、植物は体内に通信システムを進化させた。おもに化学物質の放出という、遅い信号を使うものだ。もしも木の一部が昆虫によって食べられると、維管束をとおって化学物質がほかの部分に送られ、毒素をつくるなどの防御システムが起動される。この通信システムによって、木は少し複雑な振る舞いができるようになる。動物のニューロンは、おそらく、植物の維管束よりも高速な通信手段として進化した。情報を流すために、細胞自身が管を伸ばしたものと考えればいい。ある時期から、この管には低速の化学物質ではなく、はるかに高速の電気化学的パルスがとおるようになった。はじめのうち、高速に通信する単純な神経系には、学習と呼べるほどの機能は存在しなかったと思われる。この段階で強調できるのは、信号が高速になった点だけだ。

それからしばらくたつと、じつに興味深い進化が起こった。ニューロンのあいだのつながりが変えられるようになったのだ。最近の出来事の結果に応じて、ニューロンは信号を送るか送らないかを決定する。いまや、生物は生涯のあいだに振る舞いを修正できる。神経系に順応性が生まれ、それが行動に反映される。記憶が迅速に形成されるので、動物は生涯のあいだに世界の構造を学習できる。もしも環境が急変したら、たとえば、新しい捕食者があらわれたら、動物は遺伝的に決められた振る舞いに固執する必要がない。そんなものは、もはや不適切だ。順応性のある神経系は、進化における途方もない強みとなり、魚類からカタツムリや人間にいたるまで、新しい生物が一気に出現していった。

第3章で述べたように、あらゆる哺乳類には新皮質があり、旧脳の表面を覆っている。

神経の組織の中で、新皮質はもっとも新しく進化した部分だ。その階層構造と普遍的な記憶を使い、類推によって予測をたてることができるので、哺乳類は新皮質のない動物に比べ、現実世界の構造をはるかに有効に利用できる。新皮質に恵まれた人間の祖先は、網を編んで魚をつかまえる方法を思いついた。だが、魚は網が死を意味することを学習できないし、網を切る道具もつくれない。あらゆる哺乳類は、ネズミやネコから人間にいたるまで、新皮質を持っている。すべてに知能はある。だが、その高さが違っている。

人間の知能はどこが違うのか？

記憶による予測の枠組みは、この質問に二つの答えを出す。第一の違いはきわめて単純だ。人間の新皮質は、たとえば、イヌやサルに比べて大きい。新皮質の面積が大きめの食事用ナプキンほどもあるので、人間の脳は現実世界をより複雑なモデルで学習し、より複雑な予測をたてられる。ほかの哺乳類に比べて、構造をさらに大きな構造の一部に組み込み、より深い類推をする。たとえば、人間が結婚相手を探すとき、健康といった単純な特徴を見るだけではない。相手の友人や両親に会い、車の運転や会話を観察し、どれだけ正直な性格かを判断する。二次的、三次的な特徴から、結婚したあとの将来の振る舞いを予測する。あるいは、株式市場の投機家なら、取り引きにパターンを見つけようとする。数学者なら、数列や式に規則性がないかと考える。天文学者なら、惑星や恒星の動きを支配する法則を探す。新皮質が大きいおかげで、自宅が街の一部であり、陸地の一部であり、惑星の一部であり、広大な宇宙の一部であるという、構造の中の構造が理解できる。ほかの哺乳類には、これほど何重もの入れ子構造は理解できないだろう。わが家の飼いネコには、家の外の世界という概念がないに違いない。

人間の知能をほかの哺乳類から区別する第二の違いは、言語の存在だ。多くの専門書には、言語に独特と考えられている特徴や、その発達の歴史が書かれている。しかし、記憶による予測の枠組みは、特別な理論や専用の解釈を持ち出さなくても、言語にぴったりとはまる。話し言葉も書き言葉も、メロディーや自動車や家と同じように、現実世界のパターンにすぎない。言語の構文と意味は、日常のほかの対象と変わらない階層構造を持っている。そして、汽車の音を聞くと記憶の中の汽車の像が思い浮かぶように、話し言葉を聞くとそれに対応する対象や概念の記憶が連想される。言語をとおして、人々は記憶を呼び覚まし、他人の頭の中にある対象を自分の中に再現する。言語は純粋な類推の手段として、実際の出来事を体験しない人にも、同じ経験と学習を可能にする。言語が成立するためには、大きな新皮質によって、構文と意味の入れ子構造を処理する必要があった。さらに、じゅうぶんに発達した運動野と筋組織を使い、複雑できわめて明瞭《めいりょう》な発音や筆記をする必要があった。だが、言語のおかげで、人間は自分の人生で学習したパターンを記録し、子孫や仲間に伝えることができる。書き言葉であれ、話し言葉であれ、文化に特有の伝統表現であれ、言語は人間が森羅万象の知識を世代から世代へと受け継いでいく手段だ。現在では、印刷物と電子通信によって、世界じゅうの人々が知識を共有できる。言葉を持たない動物は、これほどの情報を子孫に残すことができない。ネズミは生涯をとおして数多くのパターンを学習するが、その知識を子孫に伝えたくても、「おい、せがれ、これから親父に教わった感電の避け方を伝授しよう」というわけにはいかないのだ。

さて、知能というものの発達の歴史には、三つの注目すべき進化がある。そして、そのいずれにも、記憶による予測がかかわっている。第一の進化は、DNAによる記憶の媒介だ。生物の個体には、まだ、生涯のうちに学習し、順応する能力はない。DNAにもとづく現実世界の記憶は、遺伝子をとおしてのみ、子孫に伝えることができる。

第二の進化は、自然界が柔軟な神経系を発明し、記憶をすばやく形成できるようになったことだ。生物の個体は、いまや、現実世界から重要な構造を学習し、生涯のうちに行動を変えられる。だが、この知識を子孫に伝えるには、やはり同じ経験をさせるしかない。柔軟な神経系によって新皮質が生まれ、どんどん大きくなっていったが、それ以上の画期的な成果は生まれなかった。

最後の第三の進化は、人間に特有のものだ。そのきっかけは言語の発明と、さらなる新皮質の拡張にある。人間は生涯のうちに現実世界のあれこれを学習し、その知識を言語によって大勢の人々に効率的に伝えることができる。ちょうどいまも、あなたとのあいだでおこなっている方法だ。わたしは人生の多くの時間を、脳の構造をさぐり、思考や知能がどうやって生まれるかを解明することにささげてきた。この本によって、その研究の成果を読者に伝えることができる。もちろん、わたしのほうも、過去に何百人という科学者によって蓄えられた知識を、言語のおかげで使うことができた。こうした先達の知識からの学習は、何世代にもわたって繰り返される。他人の意見や記録は、書かれていれば自分の知識とし、発展させることが可能なのだ。

このようにして、人間は地球上でもっとも適応性が高く、知識を世界じゅうの仲間に伝えられる唯一の生物となった。人口が爆発的に増加しているのは、現実世界の構造をじゅうぶんに学習して利用するとともに、その成果をほかの人間と共有できるからだ。人間はどんな場所でも、たとえそこが熱帯雨林であれ、砂漠であれ、凍てついたツンドラであれ、コンクリートジャングルであれ、生活を営むすべを知っている。人類がつぎつぎと成功をおさめてきたのは、大きな新皮質が言語と結びついたからだ。

創造性とは何か？

　創造性についても、よく質問を受ける。多くの人々は、創造性が機械では実現不可能な才能で、したがって、知能のある機械をつくろうという考えそのものに無理があると思っているようだ。いったい、創造性とはなんなのか？　その答えは、この本の中で何度も説明している。創造性とは、新皮質の特定の領域で起きている活動ではない。感情や平衡感覚のように、新皮質の外側にある特定の組織や神経回路から生まれるものでもない。どちらかといえば、新皮質のあらゆる領域が本質的に備えている性質だ。そして、予測をするために不可欠の要素といえる。

　どうしてそんなことがいえるのか？　創造性というのは天賦の並外れた才能で、高い知能を必要とするのではないのか？　いやいや、そんなことはない。創造性とは、簡単にいえば、類推によって予測をたてる能力にすぎない。新皮質のあらゆる場所で起こっていて、人間が目覚めているあいだには、頻繁におこなわれていることなのだ。ただし、そのレベルはピンからキリまである。歌を違う主音《キー》で聴くといった、感覚野で日常的におこなわれている単純な知覚の活動もあれば、まったく新しい交響曲の作曲といった、まれにしか起こらない、最高レベルの困難で天才的な活動もある。日常の知覚も、才能がほとばしる希《け》有《う》な活動も、根本的には変わらない。日常の活動はあまりにもありふれているので、注意を向けていないだけなのだ。

これまでに、普遍的な記憶を形成する方法や、それを使って予測をたてる方法や、過去の経験のどれとも微妙に異なる未来の出来事を予測する方法を、基本的には理解してもらえたと思う。普遍的な記憶が出来事のシーケンスであったことも、思い出してほしい。列車の到着時刻を予測するたとえ話を覚えているだろうか？ つぎに何が起こるべきかの普遍的な記憶を呼び覚まし、現時点に特有の詳細と組みあわせることによって、予測はたてられている。普遍的な記憶のシーケンスを新しい状況に適用することが、予測なのだ。だから、新皮質でのあらゆる予測は、類推によっておこなわれる。過去から類推することで、未来を予測する。

はじめてのレストランで夕食をとろうとしていて、手を洗いたいと思ったとしよう。過去にその店に入った経験がなくても、どこかに化粧室があり、洗面台で手が洗えることを、あなたの脳は予測する。なぜわかるのか？ 過去に入ったほかのレストランには化粧室があったので、この店にもあるはずだと類推する。それればかりではない。どの場所で、何を探せばよいかも知っている。ドアの上か通路の標識に、男性または女性を連想させる記号があるはずだ。場所はレストランの奥で、配膳口《はいぜん》の隣か廊下の突き当たりだが、テーブルからはっきり見えることは少ない。このレストランにきたのはもちろんはじめてだが、食事用のほかの施設からの類推で、目指す場所が見つけられる。でたらめに探しまわったりはしない。パターンを予測して探すから、化粧室はすぐに見つかる。この種の振る舞いが、創造的な活動だ。過去からの類推によって、未来が予測されている。化粧室を探す行動はふつう創造的とはみなされないが、まさに創造そのものなのだ。

最近、わたしは鉄琴の一種であるビブラフォンを買った。ピアノはたしなむが、ビブラフォンの演奏は経験がない。買って帰った日、ピアノの楽譜を持ってきて譜面台に置き、簡単なメロディーの演奏をはじめた。技量はたかが知れている。だが、基本的に、これは創造的な活動だ。その内容を考えてみよう。楽器のかたちはピアノとかなり違う。ビブラフォンには金色の金属棒があり、ピアノには黒と白の鍵盤《けんばん》がある。金属棒は大きく、徐々に大きさが変わるが、鍵盤は小さく、二種類の大きさしかない。金属棒は二列にわかれて並んでいるが、黒鍵《こっけん》は白鍵《はっけん》のあいだにはさまれている。一方の楽器ではマレットを振り、もう一方では指を走らせる。かたやたったたまま、かたや座りながらの演奏だ、ビブラフォンの演奏に必要な特定の筋肉と動作は、ピアノの場合とまったく異なっている。

それなのに、不慣れな楽器がどうして演奏できたのか？　わたしの新皮質が、ピアノの鍵盤とビブラフォンの金属棒のあいだに類似性を見つけたからだ。両者の共通点のおかげで、曲を演奏することができた。歌をはじめての主音で歌ったのと、なんら変わらない。

どちらの場合も、過去の学習からの類推で、何をすればいいのかがわかる。二つの楽器の類似性は、人間にとってはあきらかかもしれないが、それは脳が自動的に類推をおこなった結果だ。コンピューターでピアノとビブラフォンの類似性を見つけるプログラムを書こうとすると、とてつもなく難しいことがわかる。類推による予測、すなわち創造的な活動は、脳があまりにもあたり前におこなっているため、ふつうは意識されることがない。

しかし、記憶による予測の行為の抽象度があがり、日常的でない類推を使って日常的でない予測をたてるとき、人間の創造性があらためて認識される。たとえば、難解な仮説を証明する数学者が高い創造性を持っていることは、ほとんどの人が認めるだろう。では、証明の過程において、どのような知的な努力がおこなわれているのだろうか？　ある数学者が方程式をじっと見つめ、「この問題をどうやって解こうか？」とつぶやく。うまい方針が見つからなければ、数学者はその式を変形するだろう。違ったかたちに書き直すことで、同じ問題を異なる視点から眺められる。またしばらく見つめる。突然、方程式の一部に見覚えがあることに気づく。「おや、この部分は見たことがある。数年前に取り組んだ式の一部に似ている」と考える。そこで、予測をたてる。「たぶん、前の式を解いたのと同じ方法で、今度の式も解けるだろう」と。こうして、以前に学習した問題との類推によって、新しい問題が解かれる。まさに、創造的な活動だ。

シェークスピアの隠喩《いんゆ》は創造性の鑑《かがみ》だ。「恋は煙、深いため息とともに舞いあがる」「逆境の甘いミルク、それは哲学」「微笑《ほほえ》みのかげに短剣あり」などの隠喩は、理解こそ簡単だが、創作はかなり難しい。シェークスピアが天才的な作家とみなされるゆえんだ。いくつもの気のきいた類推をつなげないと、とてもではないがこんな隠喩は生み出せない。「微笑みのかげに短剣あり」という言葉は、じつは微笑みのことも、短剣のことも語っていない。微笑みは欺瞞《ぎまん》をたとえていて、短剣は悪意の象徴だ。たったこれだけの文の中に、気のきいた隠喩が二つも含まれている。少なくとも、それがわたしの解釈だ。詩人の才能は、無関係に見える言葉や概念を相関させ、世界の姿に新しい光を投げかけることにある。思いもよらない類推を駆使して、より抽象度の高い構造が語られる。

創造性の高い芸術作品が賞賛されるのは、じつは、鑑賞者の予測が裏切られるからだ。型破りな登場人物や、筋書きや、特撮の映画が人気を博す理由は、それが十年一日の作品と異なる部分にある。絵画、音楽、詩、小説など、あらゆる創造的な芸術表現は、古いしきたりを破り、人々の期待を裏切ろうと競いあう。相反する二つの要求の綱引きによって、芸術作品の偉大さが決まる。人間は芸術になじみやすさを求めながら、同時に珍しさと意外性を期待する。なじみやすすぎると退屈で新鮮味がなく、珍しすぎると不快で鑑賞どころではない。最高の作品は予想されるいくつかのパターンを破り、同時に新しいパターンを提示する。最高の音楽はリズムがよく、メロディーも楽句の構成も単純で、わかりやすいところに魅力がある。だれからも理解され、親しまれる。だが、小さな違いや意外性も含んでいる。聴けば聴くほど、パターンの意外な部分が見つかり、一風変わったハーモニーの繰り返しや転調に気づく。偉大な文学や映画も同様だ。読んだり観たりするたびに、細部の創造性や構成の複雑さを発見する。

何かを見て、こんな記憶のもやもやを感じた経験はないだろうか。「うーん、このパターンは見たことがあるぞ。どこだったかな……」と。だが、それは思い過ごしで、脳に蓄えられた普遍の表現が新しい状況によって呼び覚まされただけの可能性がある。ふつうは無関係に見える出来事のあいだでも、類推は可能だ。科学の新理論の提唱と新商品の売り込みには共通点があるかもしれないし、政治改革の推進は子育てのようなものかもしれない。大胆な類推がうまくいったとき、わたしが詩人なら、ほら、これで新しい隠喩のできあがり、となる。科学者か技術者なら、長年の問題を解く新しい方法の発見につながるかもしれない。創造性とは、それまでの人生で得られたあらゆる経験と知識を混ぜあわせ、同じパターンを見つけることだ。「これはひょっとして、あれと同じかな？」という具合に。脳のこの機構は、新皮質のあらゆる場所に備わっている。

創造性に個人差はあるか？

こんな質問もよく受ける。「脳が本質的に創造性を備えているなら、なぜその高さに差が出るのか？」と。記憶による予測の枠組みからは、この問いに対する二つの答えが得られる。一方は先天的な、他方は後天的な要因にもとづいている。

後天的な要因は、個人の人生経験の違いだ。新皮質に形成されている現実世界のモデルや記憶は人によって違うため、類推や予測の結果が変わる。音楽にずっと接してきた人なら、歌をはじめての主音で歌い、新しい楽器で単純なメロディーを演奏できる。音楽にまったく縁がなかったら、予測が働かず、そんな行動はとれない。物理を勉強していれば、日常の物体の動きを物理法則からの類推で説明できる。イヌを飼っている家庭で育てば、そのときの経験がイヌの行動の予測に使える。社会生活、語学や数学、駆け引きなどにおいて創造性に差が出るのは、育った環境の影響が大きい。人間の予測、すなわち才能は、経験の上に成りたっている。

第6章で、記憶が新皮質の階層をくだっていく様子を説明した。あるパターンを経験すればするほど、そのパターンの記憶がどんどん下位の領域に再形成されていく。すると、最上位の領域では、さらに抽象的な対象のあいだの関係を学習できる。これによって専門家が生まれる。その道の達人とは、訓練と経験を繰り返し、しろうとにわからない微妙なパターンを識別できるようになった人のことだ。だから、一九五〇年代末期の車のフィンの形状や、カモメの嘴《くちばし》にある斑点《はんてん》の大きさの違いにも気づくようになる。パターンのパターンさえも認識できる。最終的には、新皮質の大きさによる制約で、学習は肉体的な限界に達する。だが、人間の新皮質はほかの動物に比べてかなり大きく、どんなことでも学習できる途方もない順応性を備えている。何を学習するかは、人生で何を経験するかだけによって決まる。

先天的な要因は、脳の生体的な特徴のばらつきにある。領域の大きさや大脳半球の左右差といったように、たしかに遺伝的に決まる違いが存在する。たとえば、V1野の総面積には最大で三倍の個人差があり、脳の左側と右側をつなぐ神経線維の本数は、男性よりも女性のほうが多い。おそらく、人によって脳細胞の数やつながり方も違うはずだ。アルベルト・アインシュタインの天才的な創造性が、若いときに働いていた特許局の刺激的な環境だけによるものとは考えにくい。その脳は死後に摘出され、行方不明になっていたが、二〇年以上もあとにガラス製の瓶に保存された状態で発見された。最近の分析によってわかったのは、ふつうの脳とのあきらかな違いだ。グリア細胞と呼ばれる栄養を補給するための細胞が、ニューロンの数との比で平均よりも多い。数学の能力や空間についての推論に重要と考えられる頭頂葉で、脳の溝《こう》が珍しい形状を示している。さらに、ふつうの脳よりも幅が一五パーセント広い。アインシュタインがあれほどの創造性と知能を持っていた理由は完全には解明されないかもしれないが、才能の一部には遺伝的な要因があるといっていいだろう。

天才の脳とふつうの脳の違いが何であれ、あらゆる人間は創造性を備えている。だから、訓練と勉強によって、技量と才能を高めることができる。

訓練によって創造性を高めることは可能か？

もちろん。自信を持って保証する。わたしの経験では、問題の解決に役だつ類推の能力は、いくつかの方法で高めることができる。まず、解こうとしている問題に答えがあることを、素直に信じる必要がある。人々はあまりにも簡単にあきらめてしまう。答えは発見されることを待っていると確信し、長期間にわたってしつこく考えつづける必要がある。

つぎに、自由に発想をふくらませる。脳に時間と余裕を与えなければ、答えを見つけることはできない。問題を解くということは、現実世界から手本になる解法を見つけることだ。あるいは、新皮質に蓄えられた記憶から、類似する問題の解答を引き出してもいい。行きづまった場合には、記憶による予測のモデルが示唆するように、問題を異なった視点から眺めれば、過去の経験との類似性を見つけやすくなる。じっと座ったまま、にらみつけているのでは、さほど効果がない。文字どおりにも比喩《ひゆ》的にも、問題を部分に切りわけ、違った順番に並べ直そう。バラバラの文字の駒《こま》を並べて単語をつくるゲームで遊ぶとき、わたしは駒をしきりに並べ換える。これは、文字がたまたま何かの単語のつづりになるのを期待しての行為ではない。文字のいろいろな組みあわせから、単語やその一部を思い出し、それが答えへの手がかりになるかもしれないからだ。絵を見て、何が描かれているのかわからなければ、ひっくり返したり、違う色の照明をあてたり、眺める距離を変えたりしてみよう。わたしの経験を一つ紹介する。V1野のさまざまなパターンがどうやってIT野で普遍の表現になるのかを考えていたとき、まったく行きづまったことがある。そこで、視点を一八〇度変え、IT野の一定のパターンがどうやってV1野で異なる予測を生み出すのかを自問してみた。問題を逆向きに考えることはすぐに役だち、最後には、V1野全体を新皮質の単一の領域とみなすべきではないという確信が得られた。

問題に行きづまったら、しばらく忘れよう。ほかのことをしよう。それから、問題をべつの表現にいい換え、ふたたび取り組もう。この手順をじゅうぶんに繰り返せば、遅かれ早かれ、何かがひらめくはずだ。数日後かも、数週間後かもしれないが、いつかは起こる。そのためには、過去の経験のどこかに現在と類似の状況を見つける必要がある。成功するためには、問題についてあれこれ考えるとともに、ほかのことにも目を向けて、新皮質が類似の記憶を見つける可能性を高めなければならない。

　問題を整理し直して斬新《ざんしん》な解法を見つけた経験は、もう一つある。一九九四年、わたしは同僚とともに、ハンドヘルドコンピューターに文字列を入力する方法を模索していた。候補として着目したのは、手書き文字認識のソフトウェアだ。「ほら、紙切れにメモをとるのと同じように、コンピューターの画面にも書きたいだろう?」と、だれもがいう。困ったことに、これはきわめて難しいということがわかった。これもまた、脳にとってはまったく簡単なのに、コンピューターが苦手とする作業の一つなのだ。その理由は、脳が記憶と現在の文脈を使い、書かれた文字を予測している点にある。単独では識別できない単語や文字も、文脈の中では容易に判読できる。コンピューターのパターン認識では、文脈がうまく扱えない。当時、コンピューターをいくつか設計したとき、従来の文字認識技術を採用したが、まったく使用に耐えなかった。

　文字認識ソフトウェアの性能を改善しようと、数年にわたって悪戦苦闘したあげくに、行きづまってしまった。ある日、この問題と少し距離を置き、べつの視点から眺めることにした。つまり、類似の問題を探すのだ。頭の中で考えた。「デスクトップ型のコンピューターには、どうやって文字を入力しているのか?　キーボードをたたいている。なぜキーボードをたたけるのか?　実際のところ、簡単な操作ではない。近代になって発明された方法で、覚えるには時間がかかる。タイプライター型のキーボードでキーを見ずに入力するのは難しいし、直観的ではない。字を書く作業とまったく違うのに、何百万という人々がやっている。なぜか？　なぜなら、使いものになっているからだ」と思案をめぐらし、こんな類推へといたった。「かならずしも直観的ではなく、操作を覚える必要もあるが、使いものになるから受け入れられる。そんな新しい文字入力システムを考え出せるはずだ」

以上はわたしの思考過程をそのまま再現したものだ。ペン型の装置で画面の上から文字を入力する問題に、キーボードをたたく行為からの類推で答えを出した。キーボードをうつという難しい作業に、人々は不平をもらさない。なぜなら、コンピューターに文字を入力する方法として迅速で確実だからだ。同じように、ペン型の装置で文字を入力する場合にも、迅速で確実な方法を生み出せば、操作を覚える手間をいとうことなく使われるだろう。そこで、手書き文字がコンピューターの入力へと確実に変換されるように、アルファベットにそっくりな記号を設計し、〈グラフィティ〉と名づけた。従来の手書き文字認識システムでは、コンピューターが頻繁に認識を誤り、文字のどこが悪かったのかさえもわからない。しかし、〈グラフィティ〉のシステムでは、書き間違いをしないかぎり、かならず正しい文字に変換される。人間の脳は予測ができないことを嫌う。従来の手書き文字認識システムが嫌われる理由は、まさにその不確実性にある。

多くの人々が、〈グラフィティ〉をきわもの的で愚かな発想とみなした。コンピューターがどうあるべきかという概念に、真っ向から反していたからだ。当時のお題目では、コンピューターこそ人間の都合にあわせるべきであり、その逆など、もってのほかだった。だが、わたしはキーボードとの類推から、文字列の新しい入力方法が受け入れられることを確信していた。やがて、〈グラフィティ〉は利点が認められ、広く採用された。コンピューターが人間の方法にあわせるべきだという主張は、現在でも耳にする。だが、それはかならずしも正しくない。脳は一貫性のある予測可能なシステムを望んでいるし、人間は新しい技能を身につけるのが好きな生き物だ。

自分の創造性にまどわされることはあるか？

誤った類推はどんな場合にもやっかいだ。科学史において、あざやかな類推が間違っていた例は枚挙にいとまがない。たとえば、高名な天文学者のヨハネス・ケプラーは、当時の天文学で知られていた六つの惑星の軌道を、プラトンの立体によって決められたものと信じ込んだ。プラトンの立体とは、正多面体、すなわち、すべての面が同じ正多角形で構成される立体のことだ。五種類しかなく、正四面体（四枚の正三角形からなる）、正六面体（六枚の正方形からなる＝立方体）、正八面体（八枚の正三角形からなる）、正一二面体（一二枚の正五角形からなる）、正二〇面体（二〇枚の正三角形からなる）と呼ばれている。これらの立体を発見した古代ギリシアの人々は、数学と宇宙の関係にとりつかれていた。

ルネサンス期のあらゆる学者の例にもれず、ケプラーは古代ギリシアの思想に大きな影響を受けていた。プラトンの立体が五種類あり、惑星が六個あることは、どうしても偶然と思えなかった。一五九六年に書かれた『宇宙の神秘』では、「力学の世界は、平面で囲まれた立体によって表現される。立体は五個だが、それらが境界を定めるものとみなせば、六個の異なる物体の位置が決まる。すなわち、太陽のまわりを公転する六個の惑星の軌道である。さらに、同じ理由から、惑星は六個しか存在しない」とまで断定している。あざやかな類推だが、見事に間違っている。

ケプラーは太陽を中心にして入れ子になったプラトンの立体を使い、惑星の軌道の説明をつづける。水星の軌道によって決まる球面を基準に選び、それに正八面体を外接させる。正八面体の頂点によって決まる大きな球面に、金星の軌道が載る。新しい球面に正二〇面体を外接させると、その頂点によって地球の軌道がもたらされる。以下、同様の議論がつづき、地球の軌道を囲む正一二面体が火星の軌道を与え、それを囲む正四面体が木星の軌道を、さらにそれを囲む立方体が土星の軌道を定める。当時の天体観測データは精度が低かったので、この説はまったく正しいように思われた。後年、ケプラーは亡き同僚ティコ・ブラーエの正確な観測データを手に入れ、自分の間違いに気づくことになる。そのデータには、惑星の軌道が円ではなく、楕円であることが示されていた。

ケプラーの勇み足は、科学者のみならず、あらゆる研究者にとっての教訓になる。脳はモデルをつくりあげ、創造的な予測をたてる。だが、モデルや予測がいつも妥当とはかぎらず、もっともらしいだけの場合もしょっちゅうある。人間の脳はつねにパターンを探し、類推をする。もしも正しい相関が見つからなければ、間違った関係に喜んで飛びつく。似《え》非《せ》科学や宗教、偏狭な考えや信念への固執などは、しばしば間違った類推にもとづいている。

意識とは何か？

神経科学者が避けたがる質問の一つだが、わたしは嫌わなくていいと思う。クリストフ・コッホのようにすすんで取り組んでいる科学者はべつにして、ほとんどの研究者は意識を哲学の問題と考え、似非科学と隣りあわせの領域にあるものとみなしている。だが、多くの人々が興味を持っているというだけの理由でも、考える価値はある。

意識を生身の脳に振りかける魔法のソースとみなす考えは根強い。脳は細胞のかたまりだが、そこに意識という特製のソースを注いで、ようやく人間のできあがりというわけだ。この観点では、意識は脳から分離できる不思議な存在として扱われる。哲学者が意識について語るとき、肉体的には人間と同じだが意識を持たない生き物を仮定して、よく「ゾンビ」という名前で呼ぶ。ゾンビは脳を持ち、あらゆる物質的な構造、ニューロンとシナプスを備えているが、意識だけがない。魔法のソースがかかっていないからだ。だが、行動に関しては、すべて人間と同じことができる。外見からは、ゾンビと人間は区別がつかない。

意識が特別のものであるという発想は、「生命の躍動《エランヴィタル》」と呼ばれるやや古い概念に由来する。生命の根源には特別の活力があるとする考えだ。岩石と植物、あるいは金属と少女の違いを説明するために、かつてはこのような力の存在が必要と思われていた。だが、もうこれを信じる人はほとんどいない。現代では、無生物と生物の違いがじゅうぶんに解明され、DNA、タンパク質の収縮、遺伝子の転写、新陳代謝などについての豊富な知識があり、特製のソースは存在しないことがわかっている。

それにもかかわらず、多くの人々のあいだには、意識は別物であり、物理学と化学の法則だけでは説明できないとする信念が根強い。ここでもう一度、わたしが意識の研究家でないことを断っておく。すべての哲学者の意見を知っているわけではない。だが、この種の議論を混乱させている原因については、いくらか見当がついている。わたしの考えでは、意識とは、新皮質の存在によってもたらされる作用にすぎない。そのことを、もう少し突っ込んで考えよう。意識の概念は、大きく二つに分類できる。一つは「自覚」と同義であり、日常ではこの意味に使われている。こちらは割合と理解しやすい。もう一つは「クオリア」と呼ばれる概念で、感覚と結びつけられる感情がどういうわけか感覚器官への入力から独立しているというものだ。こちらは難しい。

宣言的記憶としての意識

ほとんどの人々が使う意識《コンシャス》という言葉は、第一の概念を意味している。「あいさつをせずにわたしとすれ違ったことを、きみは意識していたか（気づいていたか）？」「昨夜ベッドから落ちたとき、意識がはっきりしたか（目が覚めたか）？」「眠っているとき、人間には意識がない（周囲のことがわからない）」などなど。わたしはこれを、宣言的記憶がつくられることと同じ意味だと考える。宣言的記憶とは、思い出して他人に話すことができる記憶、つまり、言葉での表現が可能な記憶のことだ。週末に出かけた場所を尋ねられれば、答えることができる。だから、宣言的記憶といえる。自転車でバランスをとる方法を聞かれたら、ハンドルを握り、ペダルをこぐと答えるが、なぜそれでバランスがとれるのか、正確には説明できない。この能力の大部分は旧脳の働きだからだ。したがって、これは宣言的記憶ではない。

意識と宣言的記憶の関係を、ちょっとした思考実験で示そう。すでに述べたように、あらゆる記憶の正体は、ニューロンをつなぐシナプスの変化だと考えられている。すると、この変化をもとに戻す方法があれば、記憶を消すことができる。では、スイッチ一つで、脳を過去のある時点とまったく同じ状態に戻せるものと仮定しよう。一時間前でも、二四時間前でも、いつでもいい。巻き戻し装置のスイッチをぽんと押すだけで、シナプスとニューロンが以前の状態に戻る。すると、それ以降の出来事の記憶が完全に失われる。

今日という一日を過ごし、明日の朝に目覚めたとしよう。だが、まさに目覚めた瞬間、スイッチが押され、二四時間の記憶が消される。前日のことは、もはやまったく覚えていない。脳にとって、昨日という日は存在しない。だれかに今日が水曜日だと教えられても、反論するだろう。「いや、今日は火曜日だ。間違いない。時計の日付けがおかしいぞ。今日が水曜日なんてとんでもない。どうしてこんないたずらをするんだ」と。だが、火曜日に会ったというだれからも、昨日は一日じゅう意識がちゃんとしていたと告げられる。顔を突きあわせて一緒に昼食をとりながら、歓談したという。覚えていないのか？　そう聞かれても、そんなはずはないとしか答えられない。ついに、昼食をとっているところのビデオを見せられて、だんだんと昨日があったことを信じるようになるが、それでも記憶はない。まるで、一日じゅう意識がなく、ゾンビだったようなものだ。しかし、昨日の時点では、たしかに意識は存在していた。いま確信が持てないのは、宣言的記憶が消えたからだ。

この思考実験は、日常に使われる「意識」が宣言的記憶の形成と同じ意味であることを、よくあらわしている。テニスの試合の最中や終了後に、意識があるかと聞かれれば、もちろん、あると答えるはずだ。だが、そのときに過去二時間の記憶が消されたら、自分はさっきまで意識がなかったから、試合の結果には責任がないと主張するだろう。いずれにせよ、テニスの試合そのものは同じだ。唯一の違いは、尋ねられたときに記憶が残っていたかどうかにある。したがって、宣言的記憶としての意識は絶対的なものではない。記憶が消えることで、その有無が変わる。

クオリアとしての意識

もっと難しいのが、クオリアの問題だ。これはよく、禅問答の問いかけのような言葉で表現される。「なぜ赤は赤く、青は青いのか？　わたしに見える赤と、あなたに見える赤は同じか？　なぜ赤にはある種の感情がともなうのか？　わたしは赤を見ると、えもいわれぬ気分や感情を覚えるのだが、あなたにはどんな感情が起こるのか？」

こんな表現では、神経生物学と結びつけて説明しにくい。そこで、質問を書き換えることにしよう。なぜ、異なる感覚は質的に異なって感じられるのか？　だが、表現を変えても本質的に問題は同じで、やはり説明は難しい。なぜ、視覚と聴覚は異質に感じられ、聴覚と触覚は別物に感じられるのか？　新皮質があらゆる場所で均質で、すべて同じ処理をしているだけなら、脳に入るのが光でも音でもなく、パターンだというのなら、なぜ、視覚と聴覚はあれほど異なって感じられるのか？　視覚と聴覚の違いを説明するのは難しいが、違うことはあきらかだ。だれの意見も同じだと思う。ところが、音を伝達する軸索と光を伝達する軸索は、実際のところ、まったく同一だ。感覚器官からの興奮には、「光であること」や「音であること」といった種類の情報は含まれない。

共感覚と呼ばれる現象が起きる人々の脳では、感覚の区別があいまいだ。ある種の音が色をともなっていたり、ある種の手触りから色が感じられたりする。この事実は、感覚の質的な印象が変わりうることを示している。ある種の条件のもとでは、脳は聴覚の入力に視覚のような印象を与えることができる。

では、クオリアはどう説明したらいいのか？　わたしは答えの候補を二つ用意しているが、そのどちらにも完全には納得していない。まず考えられるのは、視覚、聴覚、触覚が新皮質の中では同じ法則に支配されるが、外側で異なる処理がおこなわれている可能性だ。

聴覚には専用の組織がいくつかあり、音のパターンが前処理されてから新皮質に送られる。体性感覚のパターンもまた、特有の組織をいくつかとおってくる。感情と同じように、新皮質以外の部分がクオリアの発生にかかわっているのかもしれない。もしも旧脳がかかわっていて、そこではニューロンのつながりが独特で、ことによると感情の中枢とも結ばれているのなら、感覚の印象が異なっている理由を説明できるかもしれない。

もう一つの考えられる答えは、入力の構造、すなわち、パターンそのものの違いによって、情報の質的な印象が決まる可能性だ。視神経と聴神経では、空間的、時間的なパターンの特性が異なっている。視神経は一〇〇万本の神経線維からなり、きわめてたくさんの空間的な情報を運び込む。聴神経には三万本しか神経線維がなく、むしろ時間的な情報を多く運んでくる。こうした違いが、クオリアと呼ばれる感覚に関係しているのかもしれない。

脳と心

意識に関連した概念に、心と魂がある。

子供のころ、「わたし」がほかの国で、ほかの子供の身体に生まれていたら、いったいどうなっていただろうかと、あれこれ考えるのが好きだった。なんとなく、身体から独立した「わたし」がいるように思っていた。心と身体が別物であるという感覚は、一般的にも珍しいものではなく、新皮質の働きからすれば当然といえる。新皮質は階層的な記憶の中に現実世界のモデルを構築する。このモデルが独自に活動をはじめると、思索が起こる。記憶が呼び覚まされて予測を生み、それが感覚への入力のように働いて、新たな記憶を呼び覚ます。これが何度も繰り返される。もっとも集中的な思索は、現実世界によって引き起こされるものではないばかりか、まったく無関係につづいていく。純粋にモデルの産物なのだ。それどころか、感覚への入力がかえって思考の邪魔になるので、目を閉じたり、静かな場所を探したりすることさえある。もちろん、そもそもモデルがつくられたのは、感覚をとおして現実世界を体験したからだ。だが、計画をたてたり思案をめぐらしたりするときに使うのは、新皮質の中のモデルであって、現実世界そのものではない。

新皮質にとって、身体は外の世界の一部にすぎない。脳がしんとした暗い箱に入っていることを思い出そう。世界のことを知る手段は、感覚神経の軸索を流れてくるパターンだけだ。パターン処理装置としての脳にとって、身体とそれ以外の世界はまったく変わらない。身体の末端とその先の世界の開始点は連続している。ところが、脳の内部には感覚がないので、新皮質は脳そのもののモデルをつくることができない。そのため、思考が身体から独立していて、心や魂が別個に存在するように感じてしまう。新皮質は身体のモデルは構築できるが、脳自身のモデルは構築できない。脳の中に位置する思考は、身体からもその先の世界からも、感覚として切り離されている。心は身体から独立している。だが、脳からは独立していない。

心身の独立性は、精神的外傷《トラウマ》や病気の中にはっきりと見られる。手や足を失ったにもかかわらず、脳にある手足のモデルが変わっていないことがある。その結果、幻肢と呼ばれる症状があらわれ、いまだに切断された手足が存在するように感じてしまう。それとは逆に、新皮質が精神的外傷を受けると、実際に存在する腕がモデルから消えてしまう。この場合、患者には身体の失認が起こり、自分の腕が他人に動かされているように感じて、人によっては耐えられないほどの不快感を覚える。手足を切り落としてほしいと訴える患者もいるほどだ。脳が正常なまま、身体のどこかが病気になると、健康な心が死にゆく肉体にとらわれたように感じる。現実には、健康な脳が死にゆく肉体にとらわれたのだ。肉体の死後も心が生きつづけるように思うのも、無理なことではない。だが、脳が死ねば心も死ぬ。これは、身体よりも先に脳が衰えた場合を考えればあきらかだ。アルツハイマー病や重い脳障害の患者は、身体が健康を保っていても、心を失ってしまう。

想像力とは何か？

想像力の説明は、いくぶん単純だ。新皮質の各領域へは、感覚器官または階層の下位の領域からパターンが流れ込む。各領域は予測をたて、それを下位の階層に送り返す。何かを想像するためには、予測を自身への入力にすればいい。実際に何かの行動をしなくても、予測の結果をつぎつぎとたどっていける。「これが起きると、それが起きて、だから、あれが起きる」という具合だ。人間はこれを、商談の準備、チェスの試合、運動競技の練習など、さまざまな場面でおこなっている。

チェスのとき、たとえば、ナイトの駒をある場所に動かすと仮定して、それを指したあとの盤面の様子を思い浮かべる。この像を心にとどめたまま、今度は対戦相手の指し手と、それによって盤面がどう変わるかを予測する。つぎに、それに対抗する自分の指し手を考える。このように、駒の動きとその結果を想像して、勝負の予行をするわけだ。最後には、想像した指し手のシーケンスにもとづき、最初の一手が好手であるかどうかを判断する。あるいは、ある種の運動選手、たとえば、スキーの滑降競技の選手は、コースを滑り降りる練習を頭の中で繰り返すことで、実際に成果をあげることができる。目を閉じ、すべてのターン、あらゆる障害物を想像する。表彰台にたつ姿を思い浮かべることさえ、勝利の可能性を高める。想像とは、計画をいい換えたものにすぎない。新皮質の予測能力が、まさにここで発揮される。だからこそ、人間は行為の結果を前もって知ることができる。

脳神経が想像をおこなうためには、予測を入力に変える機構が必要だ。第6章で、正確な予測が第六層のニューロンでたてられているという理論を提案した。この層の細胞は下位の階層に興奮を伝えるが、同時に第四層の入力細胞にも軸索を伸ばしている。つまり、領域の出力が自身の入力となりえるわけだ。目を閉じてカバを想像すると、視覚野が、実際にカバを見ているときとまったく同じように興奮する。まさに、想像したものが見えているのだ。

現実とは何か？

不安と驚きの表情を浮かべて、こう聞かれることがある。「脳の中に現実世界のモデルがあるというのか？　そして、現実よりもモデルが重要視される場合があるというのか？」

「まあ、そうだね。ある程度はそのとおりだ」と、わたしが答える。

「それなら、頭の外の世界は本当に存在するのか？」

もちろん存在する。人々が本物なら、樹木も本物、わたしの飼いネコも、あなたが置かれている社会的立場も実在する。だが、現実世界をどう理解し、それにどう対処していくかは、脳内のモデルからつくられた予測にもとづいている。いかなる時点においても、人間が直接に感じているのは、世界のごく一部にすぎない。その断片はどの記憶を呼び覚ますかを決定するものの、それ自身だけでは、現在の認識のすべてを構築するにはじゅうぶんでない。たとえば、現在のわたしが書斎で執筆をしていて、玄関のドアがノックされる音を聞いたとする。母がくることを知っているので、いま到着したのだと想像するが、実際には姿を見ていないし、声を聞いてもいない。感覚の入力には、特別に母と結びつくものは何もない。現実世界の記憶のモデルが、過去の経験からの類推で、母がきたことを予測したのだ。このように、人間の認識の大部分は感覚から得られるのではなく、脳に記憶されたモデルからつくられる。

したがって、「現実とは何か?」という質問の大部分は、新皮質のモデルには現実世界の本質がどれくらい正確に反映されるのかという問題に帰着する。

自然界の数多くの特徴はかなり安定しているので、ほとんどすべての人間が同じ内部モデルを持っている。赤ん坊のとき、丸いものはどこから見ても同じかたちをしていることや、ほとんどの物体は方向によって見え方が変わることを学習する。カップを子供用食事椅子《いす》のテーブルから押し出せば、重力によってかならず床に落ちることを知る。触感、形状、色彩、昼と夜の周期などを学ぶ。現実世界の単純な物理法則は、あらゆる人々に等しく理解される。

しかし、脳の中のモデルには、習慣、文化、親からの教えによって形成される部分も多い。そのため、これらの部分は安定しておらず、人によってまったく違うこともある。子供が愛情に満ちた家庭でじゅうぶんに思いやられ、不安な感情をきちんと受けとめてくれる親に育てられれば、おそらく大人になったとき、世界は安全で愛にあふれていると予測するだろう。親に虐待された子供は、危険で残酷な未来を予測しがちだ。のちにどれほど優しくされても、だれも信用できないという思いは消えない。心理学で幼少時の経験、愛着、親からのいつくしみがよく問題にされるのは、脳がこの時期に現実世界の最初のモデルを描くからだ。

文化が現実世界のモデルに与える影響は、生半可なものではない。たとえば、研究の結果によると、東洋人と西洋人では空間と物体の認識方法が異なっている。東洋人は物体のあいだの空間に注目する傾向があるのに対して、西洋人はほとんど物体だけに注目する。この違いが、異なる美学や、問題の解き方の差になってあらわれる。また、アフガニスタンの部族やアメリカ合衆国南部のいくつかの地域のように、名誉をもっとも重んじる文化がある。この場合、暴力があたり前のこととして受け入れられやすい。若いころに学んだ宗教上の信念の違いによって、道徳観、男女の権利と役割、さらには人生そのものの価値についてさえ、まったく異なるモデルがつくられる。これらのさまざまなモデルが共通の絶対的な尺度のもとにすべて正しいことは、あきらかにありえない。それでも、個人にとっては自分のモデルだけが正しいように思える。道徳的な判断というのは、善の基準にしろ悪の基準にしろ、学習されたものなのだ。

文化と家庭での体験は、人間に固定観念《ステレオタイプ》を植えつけるが、残念なことに、これは人生の宿命だ。この本の全体をとおして、「普遍的な記憶」あるいは「普遍の表現」という言葉を「固定観念」に置き換えても、大きく意味が変わることはない。類推による予測は、固定観念による判断とほとんど同じだ。誤った固定観念は、社会的にとんでもない結果を引き起こす。知能についてのわたしの理論が正しいなら、人間に固定観念を捨てさせることはできない。固定観念をつくることが新皮質の機能であり、脳の生来の性質なのだ。

固定観念がもたらす害悪を排除するためには、誤った固定観念に気づき、他者に共感し、権威を疑うことを子供に教える必要がある。考えられる最善の価値を教え込むとともに、批判的に考えることを身につけさせなければならない。懐疑的な態度は科学的手法の真髄であり、虚構と事実を区別する唯一の方法だ。

これまでの説明で、「心」が脳の活動の呼び名であることを理解してもらえたと思う。心は別個の存在として脳の細胞を支配するものでも、それと共存するものでもない。ニューロンはあくまでもニューロンであり、魔法の力で個別に、あるいは集団として神秘的な活動をしているわけではない。この事実をもとに、つぎは脳細胞の能力を人工的に実現する方法を考えよう。記憶による予測という新皮質のアルゴリズムを、半導体の上で実行するために。

第8章　知能の未来

新しい技術の究極の応用を予想することは難しい。この本をとおして述べてきたように、脳は過去からの類推で予測をたてる。だから、新しい技術も以前の技術と同じような目的で使われると考えがちだ。新しい道具の想像できる用途はありふれたものばかりで、単に以前よりも速く、効率的に、安く実現するというだけだ。

実例には事欠かない。鉄道は「鉄の馬」と呼ばれ、自動車は「馬なしの馬車」と呼ばれた。電話は何十年にもわたって電報と同類にみなされ、重要なニュースを送るときや緊急の場合だけに使うものと考えられていた。日常的に使われはじめたのは、ようやく一九二〇年代になってからだ。写真は最初のうち、肖像画の新しいかたちとして使われていた。映画は、舞台劇の変形とみなされた。だから、二〇世紀の長いあいだ、映画館のスクリーンには幕がかかっていた。

だが、新しい技術の最終的な用途は意外なものであることが多く、想像力が最初におよぶ範囲を大きく超えている。電話は音声とデータの無線通信ネットワークに進化し、二人の人間が地球上のどこにいようと、音と文字と画像を使って会話することが可能になった。トランジスターは一九四七年にベル研究所で発明された。この電子部品が大発明であることは当初からあきらかだったが、最初の応用は古い応用の改良にすぎなかった。つまり、真空管のかわりだ。小型で故障の少ないラジオやコンピューターがつくられ、当時としては有意義で画期的な出来事だったが、おもな違いは装置の大きさと信頼性にかぎられていた。トランジスターのもっとも革新的な応用の数々が見つかるのは、もっと後年になる。歳月とともに徐々に工夫が加えられ、ようやく、集積回路、マイクロプロセッサー、デジタルシグナルプロセッサー、メモリーチップなどを思いつく人物があらわれた。マイクロプロセッサーがはじめて開発されたのは一九七〇年だが、当初の目的は卓上型の計算装置をつくることにあった。これもまた、最初の応用は既存の技術のかわりをするだけのものだった。そして、機械式の卓上計算機が電卓にかわった。マイクロプロセッサーはほかにも、交通信号機の切り換えなどに使われていたソレノイドと呼ばれる産業用スイッチのかわりに使えるはずだと考えられた。しかし、その本当の威力があきらかになりはじめるのは、何年もあとのことだ。当時のだれも、パーソナルコンピューター、携帯電話、インターネット、ＧＰＳ（全地球測位システム）など、現代生活には欠かせない情報技術を一つも予測できなかった。

こう考えると、脳をまねた記憶システムの革命的な応用を予想しようというのは、ばかげているかもしれない。知能を備えた機械があらゆる方法で生活を向上させることは断言できる。それは間違いない。だが、技術が数年以上先にどうなるかを知ることは、たぶん不可能だ。数十年前の未来学者が自信を持って予言した途方もない未来像を読めば、そのことがよくわかる。一九五〇年代の予想では、二〇〇〇年までに、すべての住宅が地下に原子炉を備え、ふつうの人々が休暇で月旅行を楽しむようになるはずだった。しかし、大きく外れる可能性を承知の上で、知能を備えた機械がどのようなものかを推測すれば、多くの知見が得られる。少なくとも、未来について大まかながら有用な予想をいくつかたてることはできる。

この章でとりあげる問題は、興味をそそられるものばかりだ。知能を備えた機械は実現できるのか？　実現できるのなら、それはどんな姿をしているのか？　たとえるなら、人気映画に登場する人間のようなロボットなのか、黒やベージュのパソコンの箱なのか、そのどちらでもないのか？　それはどのように使われるのか？　危険な技術として、人類に危害を加えたり、個人の自由を脅かしたりするのか？　あきらかにわかっている応用は何か？　奇抜な応用を予想する手段はあるのか？　究極的には、人間の生活はどのように変わるのか？

知能を備えた機械は実現できるのか？

知能を備えた機械の姿

もちろん、知能を備えた機械は実現できる。だが、その姿は大方の期待を裏切るものかもしれない。知能を備えた機械が人間のように振る舞う、あるいは、少なくとも人間が使う方法で対話すると考えるのも無理のないことかもしれないが、わたしの見解とは違っている。

知能を備えた機械の一般的なイメージは、映画や小説からきたものだ。多くのＳＦに登場する、魅力的な、あるいは邪悪な、ときにはまぬけな人間型のロボットは、わたしたちと感情、思想、事件などを話題に意見を交わす。一世紀にわたるＳＦの影響で、ロボットとアンドロイドは、人類の未来には欠かせない魅力ある要素とみなされるようになった。親の世代も子の世代も、『禁断の惑星』のロビー、『スター・ウォーズ』のＲ２－Ｄ２とＣ－３ＰＯ、『スタートレック』シリーズのデータ少佐を見て育った。『二〇〇一年宇宙の旅』のＨＡＬ《ハル》でさえ、身体こそ持たないものの、かなり人間的だ。長期間の宇宙旅行のために、副操縦士であると同時に、話し相手にもなるように設計されている。用途のかぎられたロボット、たとえば、自律走行自動車《スマートカー》、深海を探査する無人小型潜水艦、自己誘導式の電気掃除機や芝刈り機などは、すでに実現可能で、おそらく近いうちに普及する。だが、C-3POやデータ少佐のようなロボットやアンドロイドは、今後もかなりのあいだ架空の存在だろう。その理由は二つある。

第一の理由は、人間の心には新皮質だけでなく、旧脳の感情システムや複雑な肉体もかかわっていることだ。人間らしさには生体としてのあらゆる機構が必要であり、新皮質だけでは事足りない。すべての状況で人間のように対話する、すなわち、チューリング・テストに合格することは、現実の人間と同じ経験と感情のほとんどを持ち、人間のように暮らさないかぎり不可能だ。知能を備えた機械は、新皮質と何種類かの感覚器官に相当する部分を持つだろうが、それ以外は必須《ひっす》ではない。機械が二本足でぎこちなく歩きまわる姿は愉快だが、人間のような心をほんのわずかでも持たせるためには、同じ経験を与え、同じ感情を起こさせなければならない。これはきわめて難しいばかりか、わたしの考えでは、まったく意味がない。

第二の理由として、人間型のロボットを開発し、維持するためにかかる費用と努力を考えると、とても実用的とは思えない。ロボットの執事は人間の助手よりも費用がかかるばかりか、役にたたないだろう。この執事には「知能」があるかもしれないが、人間同士のような親近感や心安さは期待できない。

蒸気機関とデジタル式のコンピューターは、どちらもロボットへの夢をかきたてたが、まったく実現しなかった。同じように、知能を備えた機械を考えるとき、多くの人々は自然に人間型のロボットを想像するが、その実現は疑わしい。ロボットの概念は産業革命とともに生まれ、SFによって磨きをかけられたものだ。真の知能を備えた機械の開発では、これを着想の前提にするべきではない。

歩きまわるおしゃべりロボットでなければ、知能を備えた機械はどんな姿になるのだろうか？　生物の進化からわかるように、階層的な記憶システムが感覚とつながると、現実世界のモデルがつくられ、未来が予測される。大自然の知恵を借りるなら、知能を備えた機械は同じ方針で実現するべきだ。まず、現実世界からパターンを抽出するために、何種類かのセンサーを用意する。知能を備えた機械は人間と異なる感覚を持っていてもよいし、そもそも、あとで例をあげるように、人間と異なる世界に「存在」することも可能だ。したがって、両目と両耳が必要などと決めてかかってはいけない。つぎに、新皮質と同じ原理で動作する階層的な記憶システムを、これらのセンサーにつなげる。さらに、子供を教育するときと同じくらい、この記憶システムを訓練してやらなければならない。訓練が何度も繰り返されるうちに、知能を持った機械は「自分の感覚《センサー》」をとおして理解した「自分の世界」のモデルを構築していく。このとき、人工知能の失敗の原因ともなった、現実世界の事実、規則、データベースなどの高レベルの概念をプログラムする必要はないし、その手段もない。知能を備えた機械は、場合によってはインストラクターから特定の入力を与えられることがあっても、自分で観察して学習しなければならない。そして、いったん世界のモデルができあがれば、過去の経験から類推して将来の出来事を予測し、新しい問題の解き方を提案して、さらには、これらの知識を人間が利用できるかたちで提示することもできる。

実際の姿としては、飛行機や自動車に組み込んでもいいし、コンピューター室の収納棚にじっと座っていてもいい。人間の脳は身体から離れることができないが、知能を備えた機械の記憶システムは、センサーから、さらに、もしも「身体」があるなら、それからも遠く離れた場所に置くことができる。たとえば、知能を備えた防犯システムのセンサーは工場じゅう、あるいは街のあちらこちらに設置されるだろうが、それにつながった階層的な記憶システムのほうは、どこかの建物の地下室にしまい込めばいい。このように、知能を備えた機械の具体的な姿は、さまざまな形態をとるだろう。

知能を備えた機械が人間と同じ姿、振る舞い、感覚を持つ必然性はない。知能とは、階層的な記憶の中のモデルをとおして世界を理解し、それに働きかける能力だ。人間が現実世界について考えるのと同じように、自分の世界について考える能力だけが求められる。これから述べるように、思考と行動が人間とまったく違っていても、なおかつ知能は備えられる。知能を判定する基準は、階層的な記憶の予測をたてる能力であり、人間的な振舞いではないのだ。

記憶システムの実現

つぎに、知能を備えた機械をつくるときの技術的な最大の難関、すなわち、記憶システムの製作に議論を進めよう。必要となるのは、階層構造を持ち、新皮質のように働く巨大な記憶システムだ。このとき、記憶容量と接続方法が課題になる。

まず、「記憶容量」を考えよう。新皮質が三二兆個のシナプスを持つとする。それぞれのシナプスがわずか二ビットであらわされる、すなわち、四種類の状態しかとらないと制限すれば、一バイトを構成する八ビットで四個のシナプスを表現できる。そうすると、必要な記憶容量は八兆バイトになる。現代のパソコンのハードディスク装置は一〇〇〇億バイトの容量を持つから、これを八〇台使えば、人間の新皮質と同じ記憶容量が実現できる。この計画はきわめて大まかな概算だから、正確な数字にはこだわらないでほしい。重要な点は、この記憶容量なら確実に研究室で試作できることだ。もちろん、服のポケットや家電製品に組み込むには、まだ一〇〇〇分の一近くに小型化する必要がある。だが、実現不可能な容量ではないという点は重要で、わずか一〇年前には考えられなかったことだ。さらにありがたいことに、人間の新皮質全体を再現する必要はない。多くの用途にとっては、はるかに少ない容量でじゅうぶんだろう。

それでも、知能を備えた機械には大量の記憶が必要だ。たぶん最初はハードディスク装置や光ディスク装置を使って実現されるだろうが、いずれは半導体を使いたくなる。半導体のチップは小さく、低消費電力で、故障が少ない。さらに、半導体のメモリーチップが知能を備えた機械の実現にじゅうぶんな容量を持つようになるのも、単に時間の問題といえる。なぜなら、従来のコンピューター用の記憶装置に比べ、有利な特徴があるからだ。

半導体産業の採算は、製造工程での不良品の割合に左右される。多くのチップは、一つでも欠陥があれば使いものにならない。良品の率は「歩留まり」と呼ばれ、そのチップが製品として利益をあげるかどうかを決定する。欠陥が生じる可能性は加工する面積に比例して高まるので、現在のチップのほとんどは小型の郵便切手の大きさしかない。記憶容量を増やすためには、チップを大きくするのではなく、主として個々の回路を小さくする方法がとられてきた。

しかし、知能用のメモリーチップでは、本質的に欠陥が許容される。脳には絶対不可欠なデータを保持している細胞が一つもないことを思い出そう。毎日、脳は何千というニューロンを失っていくが、成人の知能はゆるやかにしか衰えない。知能用のメモリーチップは新皮質と同じ原理で動作するから、記憶回路の一部に欠陥が生じても、実質上の使用に問題はなく、商品として流通する。このような特徴から、ほぼ間違いなく、知能用のメモリーチップは現代のコンピューター用のメモリーチップに比べて、はるかに大型で高密度につくることができる。その結果、半導体を使った脳の機能の実現は、集積回路技術の現在の進歩から予想される時期よりも早まるだろう。

第二に解決しなければならない課題は「接続方法」だ。実際の脳では、新皮質の内側に白質の層が広がっている。白質はあちらこちらに伸びた何百万本という軸索からなり、薄い新皮質のすぐ下で、階層構造のそれぞれの領域を結んでいる。一個の細胞とつながっている細胞の数は、五〇〇〇個から一万個にもおよぶ。これほど大規模な並列の配線は、従来の半導体製造技術では難しいというよりも、まったく不可能だ。半導体チップの表面には、金属の層と絶縁体の層が交互にいくつか重ねられる。この層は、新皮質の六つの層とはまったくの別物だ。金属の層には「配線」が含まれるが、層の内部では配線を交差させられないので、全体の本数には限界がある。脳のような何百万という接続は、とてもつくりようがない。半導体チップによる白質の実現は一筋縄ではいかない。

この課題の解決には数多くの技術開発と実験が必要になるだろうが、基本的な糸口はわかっている。電気配線はニューロンの軸索よりもはるかに高速の信号を送る。脳ではそれぞれの軸索が一個のニューロンだけに属しているが、半導体チップの一本の配線は共有が可能で、多数の異なる接続として使用できる。

現実世界の例として、電話網があげられる。あらゆる電話機同士を専用の回線で結んだなら、地球の表面は銅線の網で覆い尽くされるだろう。そうするかわりに採用されたのは、比較的少数の大容量回線を共有する技術だ。それぞれの回線の容量が個別の会話に必要な容量よりもはるかに大きいかぎり、この方法はうまくいく。電話網はまさにこの条件を満たしていて、一本の光ファイバーケーブルで一〇〇万人同士の会話が同時に伝達できる。

実際の脳では、会話をする細胞のあいだがすべて専用の軸索で結ばれている。だが、知能を備えた機械では、電話網のように接続を共有すればいい。驚くことに、脳が半導体で実現されるときの接続の問題を解決しようと、すでに何年も研究をつづけている科学者もいる。新皮質の働きはまだ謎に包まれたままなのに、いつかはベールがはがされ、そのあとに接続の問題が顕在化すると予想しているのだ。提案されているさまざまな解決策を、ここでまとめる必要はないだろう。知能を備えた機械の実現において、接続の問題は技術的に最大の課題かもしれないが、かならず解決されるといっておけばじゅうぶんだ。

以上の技術的な要求が満たされれば、もはや真の知能を備えた機械をつくるにあたっての根本的な障害は存在しない。もちろん、数多くの課題を解決しなければ、小型で安価で低消費電力のシステムにならないだろうが、どれも行く手にたちふさがるような問題ではない。部屋いっぱいの大きさのコンピューターがポケットにおさまるまで、五〇年が必要だった。だが、いまは昔よりも技術が進歩しているので、知能を備えた機械はずっと早く小さくなるに違いない。

知能を備えた機械をつくっていいのか？

二一世紀いっぱいをかけて、知能を備えた機械はSFの世界から現実へと躍り出るだろう。そのときがくる前に、倫理的な問題を考えておく必要がある。知能を備えた機械がはらんでいる危険は、得られるであろう便益よりも大きいのだろうか？

自分で考え、行動する機械が出現するという予想に、人々は長いあいだ懸念をいだいてきた。無理もないことだ。新しい学問の知識や新しい技術は、最初にかならず恐怖をもって迎えられる。人間が身体を乗っとられたり、役たたずの用済みにされたり、生きる価値そのものを消し去られたりするという、恐ろしい想像がかけめぐる。だが、このような暗い予想がほとんど現実にならないことは、歴史が保証している。産業革命が起きたとき、人々は電気と蒸気機関を恐れた。フランケンシュタインの怪物が好例だ。自分でエネルギーを持ち、複雑な動きをする機械装置は、奇跡的であると同時に、災いのたねになりそうに思われた。しかし、電気と内燃機関は、いまや異様でも不気味でもない。空気や水のように、周囲にあたり前のように存在している。

情報革命がはじまったとき、人々はすぐにコンピューターを恐れた。数え切れないほどのSFで、強力なコンピューターやそのネットワークが自我に目覚め、主人であるはずの人間に襲いかかる物語が描かれた。だが、コンピューターが日常生活に組み込まれてしまった現在では、そんな恐れはこっけいですらある。自宅のパソコンやインターネットが自我を持つなんて、スーパーのレジが自我を持つくらいありえないことだ。

どんな技術にも当然、最良と最悪の応用があるが、中にはほかと比べて悪用や大惨事を招きやすい性質の技術もある。たとえば、原子エネルギーが核弾頭や発電所に応用されると、一回の悪用や事故で何百万人もの死傷者が出るかもしれない。原子エネルギーは有用だが、それを代替する手段も存在する。一方、交通輸送技術の場合、戦車や戦闘機、乗用車や旅客機に応用されていて、悪用や事故で数多くの人々に危害をもたらすこともある。だが、乗り物は原子エネルギーに比べれば、ほぼ間違いなく現代の生活に不可欠で、危険も少ない。航空機の一回の誤用がもたらす損害は、核爆弾の場合に比べれば、はるかに小さい。また、ほぼ完全に利益だけをもたらす技術もたくさんある。たとえば電話だ。離れた人々が連絡をとりあい、共通の目的で行動できる利点は、あらゆる否定的な影響を圧倒的に凌駕《りょうが》している。電気と公衆衛生にも同じことがいえる。知能を備えた機械は、わたしの考えでは、人類が開発してきた技術の中で、もっとも危険が少なく、もっとも利益が多い部類に属するものだろう。

自己増殖と心の複製

それでも、知識人の中には、サンマイクロシステムズ社の創立者の一人ビル・ジョイのように、知能を備えたナノロボットの開発をあやぶむ意見がある。もしも人間の制御がきかなくなれば、与えられた手順にしたがって自身を複製し、地球上にあふれるほど増殖するかもしれないというのだ。この考えは、『魔法使いの弟子』の魔法で動くほうきを彷彿《ほうふつ》とさせる。柄の破片からどんどん増殖し、疲れることなく掃きつづけて、かえって災いをもたらすからだ。似たような発想として、人工知能の楽観論者が予言する人騒がせな延命の技術がある。たとえば、レイ・カーツワイルが語る未来では、ナノロボットが脳の中をはいまわり、あらゆるニューロンとシナプスを記録して、すべての情報をスーパーコンピューターに送ると、そこで人格が再構成されてしまう。人間は自身の「ソフトウェア」に生まれ変わり、実質的に不死身となる。知能を備えた機械にかかわるこの二種類の恐怖、すなわち、「暴れ狂うロボット！」と「脳をコンピューターに転送！」という筋書きは、何度も改作されて再登場する。

知能を備えた機械をつくることは、自己増殖する機械をつくることとは違う。両者を結びつける必然性は、いっさい存在しない。脳もコンピューターも自己増殖する能力を持たないし、それは脳をまねた記憶システムも同じだ。知能を備えた機械の利点の一つは、人間によって大量生産できることだが、細菌やウイルスのように自己増殖するのとは、天と地ほどもかけ離れた話だ。自己増殖には知能を必要としないし、知能には自己増殖を必要としない。

さらに、人間の心がコンピューターにコピーできるという考えは、かなり疑わしい。現時点において、わたしの知るかぎり、「あなた」をつくりあげている何兆個ものデータを記録する方法は、実際にも架空にも存在しない。記録し、再現する必要があるのは神経系と身体のすべてであり、新皮質だけではない。しかも、その全体の働きが解明されていなければならない。いつの日か、そんなことが可能になることもあるだろうが、そこまでの道のりは、新皮質の働きの解明とは比べものにならないほど遠い。知能を備えた機械をつくるためには、新皮質のアルゴリズムを突き止め、それだけを機械で実行すればいい。だが、生きている脳のおびただしい数の機能的な特徴を読みとり、機械の上に複写するというのは、これとはまったくべつの問題だ。

邪悪な機械

自己増殖と心の複製のほかにも、人々が知能を備えた機械にいだく懸念がある。核爆弾のように、人口の大部分を危険にさらす恐れはないのか？　その存在によって、小人数の集団や一部の悪人に権力が集中しないのか？　あるいは、機械自身が邪悪な存在となり、『ターミネーター』や『マトリックス』のように、情け容赦なく人間を攻撃することはないのか？

これらの質問に対する答えは、すべてノーだ。脳をまねた記憶システムは情報処理装置として、人間が開発したもっとも有用な技術の一つになる。だが、車やコンピューターと同じように、それは単なる道具にすぎない。知能を備えるという理由だけでは、建物を破壊したり、人間を操ったりといった特殊な能力は生まれない。もちろん、世界じゅうの核兵器を一人の人間や一台のコンピューターの支配下に置いてはいけないのと同じように、知能を備えた機械だけに頼るのは禁物だ。どんな技術にも、思わぬ欠陥がつきものだ。

そうすると、悪意という問題が持ちあがる。知能を備えることが、人間の精神構造を持つことと基本的に同じだと考える人がいる。そして、知能を備えた機械が「こき使われる」ことを恨むのではないかと、人間がこき使われるのを嫌うことから類推する。知能を備えた機械が世界征服をたくらむのではないかと、知能を持った人間たちが征服をたくらんできた歴史から類推する。しかし、こうした類推は誤っている。知能、すなわち新皮質のアルゴリズムと、旧脳の感情的な衝動、つまり恐怖、妄想、欲望などとが混同されている。知能を備えた機械は、このような感情を持っていない。個人的な野望をいだくことがない。財産も、社会的な評価も、肉体的な満足も望まない。欲張ったり、悪癖を身につけたり、機嫌が悪くなったりすることもない。辛抱強く訓練をすれば、人間の感情をまねた反応ができないことはないだろう。だが、知能を備えた機械がもっとも効果的に活用される分野は、生身の人間が知性を発揮しにくい領域、すなわち、特殊なセンサーが必要とされる活動や、退屈に感じられるような活動だ。一般的に、これらの活動には感情の入り込む余地がほとんどない。

知能を備えた機械は単一用途の地味なシステムから、きわめて強力で超人間的な知能システムまで、多岐にわたることだろう。だが、わざわざそのようにつくらないかぎり、人間くさいシステムになることはない。おそらく、いつの日にか、知能を持った機械の用途を倫理的に制限しなければならない時代がくるだろう。しかし、まだ遠い未来のことだし、そうなったとしても、現代を取り巻く遺伝技術や核技術の倫理問題と比べれば、比較的簡単なものになるはずだ。

知能を備えた機械をなぜつくるのか？

では、知能を備えた機械は何をするのだろうか？

わたしはよく、モバイルコンピューティングの将来についての講演を頼まれる。主催者からは、ハンドヘルドコンピューターや携帯電話の五年後、あるいは二〇年後の姿を語ってほしいと依頼される。聴衆はわたしから未来の予想を聞きたがる。だが、それは不可能だ。予想の「よ」の字さえ、わたしは口にしないことにしている。その意志を明確に示すために、魔法使いの帽子をかぶり、水晶球を持って登壇したこともある。そして、未来を詳細に予測することなどだれにもできない、と力説した。水晶球に未来が映るはずはなく、何年も先の技術が正確にわかるふりをしたところで、外れて大恥をかくのが落ちだ。せいぜいできることは、大まかな動向を把握するくらいだろう。だいたいの見当さえつけておけば、詳細があきらかになるにしたがい、技術がどこに向かおうとも追随していける。

技術の大まかな動向を示したもっとも有名な例は、ムーアの法則だ。半導体チップに実装される回路の数が一年半ごとに二倍になるだろうと、ゴードン・ムーアは正しく予想した。だが、このチップがメモリーチップなのか、CPUなのか、何かほかの回路なのかは述べていない。どんな製品で使われるチップなのかも示していない。プラスチックに封入されるのか、セラミックに封入されるのか、あるいは回路基板に接着されるのかの判断もない。チップを製造する過程でのさまざまな手法について、何も言及していない。ムーアは可能な範囲でもっとも大まかな動向を押さえ、予想を的中させた。

現時点では、知能を備えた機械の究極の用途はわからない。ただ単純に、細部がどうなるかを正しく知る手段がないからだ。もしもわたしが、あるいはほかのだれかが、用途を詳細に予想しても、いずれは間違いとわかるだけだ。それでも、肩をすくめるしか方法がないわけではない。有益と思われる二通りの考察ができる。一つは、きわめて近い将来での使いみちを思い浮かべることだ。さほど面白くはないが、脳をまねた記憶システムがあきらかに最初に使われるであろう用途を考えればいい。もう一つは、ムーアの法則のような、長期にわたる動向を考察することだ。そうすれば、未来の応用が想像しやすくなる。

近い将来の実用可能性

まず、近い将来について考えよう。ラジオの真空管がトランジスターに置き換えられ、マイクロプロセッサーで電卓がつくられたように、あきらかと思われる応用がいくつかある。それらは、これまで人工知能が挑戦し、解決できなかった問題、すなわち、音声認識、視覚情報処理《コンピュータービジョン》、自律走行自動車だ。

・音声認識

一度でも音声認識ソフトウェアを使ってパソコンに文章を入力した経験があれば、それがいかに間の抜けた作業かがわかるだろう。サールが提案した中国語の部屋のように、コンピューターは話されている内容をまったく理解していない。わたしも何回か市販の製品を試し、失望した。部屋で何かの雑音が起これば、すなわち、ペンが落ちたときも、だれかに話しかけられたときも、画面に余計な文字があらわれる。認識を誤る率は高い。わたしの話として記録された言葉が、まったく意味をなさないことも多い。同じように、いわゆる自然言語インターフェースも、長年にわたるコンピューター科学の目標だった。これは、コンピューターか付属の装置にふつうの言葉で命令し、望みの作業を実行させようというものだ。たとえば、スケジュール管理機能を持つPDA（携帯情報端末）にこういえばいい。「日曜日の娘のバスケットボールの試合を朝一〇時に変更しろ」と。この種の処理をうまくやることは、従来の人工知能では不可能だ。コンピューターがそれぞれの単語を正しく認識できたとしても、それだけでは作業が進まない。娘が通う学校の場所、おそらく今度の日曜日の予定であること、あるいは、そもそもバスケットボールの試合がどういうものかを知らないと、「メンロー対セントジョー」としか記録されていない予定は見つからない。もしくは、コンピューターにラジオ放送の音声を聞かせ、特定の商品の話題をつかまえたいとする。だが、アナウンサーは商品名をいわずに説明するかもしれない。人間ならその話題に気づくだろうが、コンピューターには無理だ。

こうした応用をはじめ、音声を認識できれば便利な場合は数多い。だが、コンピューターはこの役にたたない。なぜなら、話されている内容を理解しないからだ。聞こえてくる音のパターンを単語のテンプレートと突きあわせているだけで、単語の意味を知らない。たとえば、外国語の個々の単語を発音だけ学習して、その意味をまったく知らない状態で会話の書きとりを命じられたとしよう。しゃべっているのを聞いても、何が話題なのかさっぱりわからない。それでも、単語を一つずつ書きとろうとする。しかし、発音はつながったり、あいまいになったり、雑音で一部が聞こえなかったりする。話し言葉を単語に分割し、識別するのはきわめて難しい作業だとわかる。こうした障害こそ、現在の音声認識ソフトウェアが悪戦苦闘している相手だ。単語同士がつながる確率を導入することで、正しく認識される率はいくらか向上することがわかっている。たとえば、同じ発音を持つ異なる単語を区別するために、文法規則を使うことができる。これはきわめて単純な予測といっていいが、それでもこうしたソフトウェアはまだまだ間が抜けている。現在の音声認識ソフトウェアが使い物になるのは、指定されたタイミングでかぎられた数の単語が話されるという、きわめて制約された状況においてのみだ。その一方で、人間が言葉を使ったさまざまな作業を難なくこなすのは、新皮質が単語だけでなく、文章や話されたときの状況まで理解することによる。話の内容から句や個別の単語まで、すべてが予測されている。

新皮質は現実世界のモデルを使い、これを自動的におこなうのだ。

そこで、新皮質をまねた記憶システムによって、あてにならない音声「認識」システムを確固たる音声「理解」システムに一変させることが期待できる。単語同士がつながる確率をプログラムで与えるかわりに、階層構造の記憶がアクセントを、単語を、句を、そして「意味」を記録し、それらを使って話の内容を解釈する。人間と同じように、知能を備えた機械はさまざまな話し言葉の種類を区別できるだろう。たとえば、部屋の中での同僚との議論なのか、電話での会話なのか、あるいはコンピューターへの文書の編集を指示する命令なのか、というような違いだ。このような機械をつくるのは簡単なことではない。言葉を完全に理解するためには、人間とまったく同じ経験と学習が必要になる。だから、そこまでの知能を備えた機械が実現できるのは何年も先かもしれないが、現在の音声認識システムの性能を新皮質型の記憶を使って改善するだけなら、近い将来に可能だろう。

・視覚情報処理

視覚情報処理を使ったいくつかの応用も、人工知能では解決できず、真の知能を備えたシステムによって実現されるべきものだろう。現在のコンピューターは、自然の光景、すなわち人間の眼前に広がる世界や、あるいはカメラで撮った写真を見て、何が存在するかを説明することはできない。視覚情報処理にはきわめてかぎられた分野で成功した応用がいくつかあり、回路基板でチップの位置をそろえることや、顔の特徴をデータベースの写真と突きあわせることはできる。しかし、さまざまな物体を識別したり、画像をもっと一般的に分析したりすることは、いまのところ不可能だ。人間は部屋を眺め、座る場所を苦もなく見つけるが、同じことをコンピューターに要求してはいけない。あるいは、監視カメラの映像を見ているものとしよう。贈り物を持ってドアをノックしている人と、くぎ抜きを持ってドアを壊している人は、区別できるだろうか？　もちろん、人間には簡単だが、この識別は現在のソフトウェアの能力をはるかに超えている。そのため、警備員が雇われ、監視カメラの映像に不審な状況が映っていないかと、昼も夜も目を光らせている。人間がずっと警戒を保っているのは難しいが、知能を備えた機械なら、そんな仕事も飽くことなくつづけてくれるだろう。

・自律走行自動車

最後に、交通輸送に目を向けてみよう。自動車はきわめて精巧になってきた。カーナビゲーションシステムが目的地までの経路を地図上に表示し、暗くなると感光センサーが照明を点灯し、衝突すると加速度計がエアバッグをふくらませ、バックしたとき何かをひきそうになれば対物センサーが警告する。市販はされていないが、特別な高速道路や理想的な状況なら、自動運転が可能な車さえ存在する。だが、あらゆる種類の道路において、いかなる交通の状況でも安全かつ円滑に車を運転するためには、少数のセンサーや自動制御回路だけでは事足りない。優良なドライバーになるためには、交通量、ほかのドライバーや車の動き、信号をはじめ、さまざまな状況を理解しておく必要がある。ハザードランプの意味を理解し、ほかの車の危険な動きを察知しなければならない。ウィンカーを点滅させた車を見たら車線変更を予測するが、一分以上もついたままだったら、おそらくドライバーが消し忘れているだけで、車線変更はないだろうと考える。前方の遠くに煙があがっていれば、事故が起きているのかもしれないから、速度を落とそうと思う。転がるボールが目の前を横切れば、あとを追いかけて子供が飛び出してくることを直感し、瞬間的にブレーキを踏む。

真の賢い車《スマートカー》をつくるものとしよう。最初の作業は、車が現実世界を認識するためのセンサーを選ぶことだ。まず、カメラを前方と後方におそらく何台かと、音をひろうマイクを設置する。だがさらにレーダーか超音波センサーも用意して、ほかの車や建築物の位置と距離を、明るくても暗くても正確に測定できるようにしたくなる。重要な点は、人間の感覚と同じ種類のセンサーをすべて使う必要も、それだけに制限して使う必要もないことだ。新皮質のアルゴリズムには順応性があり、階層構造の記憶システムが適切に設計されているかぎり、どのような種類のセンサーが設置されても機能する。車の運転に適したセンサーを自由に選べるので、理論的には、道路の状況を人間よりも正しく認識できる。つぎに、これらのセンサーをじゅうぶんに大きな階層構造の記憶システムに接続する。そして、車を世界の状況にさらすことで、記憶を訓練する。その結果、現実世界のモデルが、人間の学習と同じ方法で、ただし、もっとかぎられた範囲で構築される。たとえば、車は道路について知る必要があるが、エレベーターや飛行機のことは知らなくていい。車の記憶システムは、交通と道路の階層構造を学習する。動きまわる自動車と道路標識と障害物と交差点の世界で、何が起きているのかを理解し、何が起ころうとしているのかを予測する。記憶システムは実際に車を運転してもいいし、人間の運転を監視するだけでもいい。助言を与えることもできるし、非常事態には緊急停止もできる。後部座席のおせっかい焼きといった存在だが、腹がたつことはない。いったん記憶が完全に訓練され、車があらゆる状況を理解し、それに対処できるようになったら、二つの選択肢がある。記憶の状態を固定し、同じ振る舞いをする車を大量生産するか、あるいは、車の販売後も学習をつづけるようにするかだ。さらに、必要になった場合には、人間と違い、記憶システムは訓練のやり直しがおこなえる。

自律走行自動車とか、言葉や光景を理解する機械とかが、かならず実現できると断言するつもりはない。だが、この種類の装置は、おそらく研究開発されるだろうし、実現できると思われる応用の好例だ。

長期的に見て有用な性質

あきらかな応用には、個人的には、あまり興味がない。わたしが新しい技術に価値を見出し、興奮を覚えるのは、以前には考えもつかなかった用途を発見したときだ。知能を備えた機械はどうやってわたしたちを驚かせてくれるのか？　やがてどんな夢のような応用があらわれるのか？　階層構造の記憶システムによって、トランジスターやマイクロプロセッサーのときのように、人間の生活が信じられないほどすばらしく変わることは確実だが、具体的にどう変わるのか？　知能を備えた機械の将来をかいま見る一つの方法は、技術の中でいちじるしく向上する特徴に着目することだ。つまり、どのような点でどんどん安価に、どんどん高速に、どんどん小型になっていくのかを考える。幾何級数的に成長するものごとはすぐに人間の想像力を超え、未来の技術にもっとも過激な改革をもたらす中心的な役割を果たすことが多い。

そこで、脳をまねた記憶システムが備える特徴のうち、生体としての脳よりも劇的にすぐれている性質を考えてみよう。そうした性質から、技術の最終的な到達点を推測することができる。人間の能力をはるかに凌駕する点は四つある。スピードの速さ、容量の大きさ、複製のしやすさ、感覚の多様性だ。

・スピードの速さ

ニューロンの反応時間はミリ秒の単位だが、半導体の動作時間はナノ秒の単位であり、今後も速くなっていく。現在でも一〇〇万倍、すなわち一〇の六乗の開きがある。生体と半導体で知的活動の速さが違うことは、大きな意味を持つ。知能を備えた機械は、脳の一〇〇万倍の速さで考えることが可能だ。そのような知能は、図書館の蔵書をすべて読んだり、大量で複雑なデータを分析したりという、人間には何年もかかる作業をわずか数分で終えながら、まったく同じ知識や解釈を得る。これは魔術でもなんでもない。生体の脳の進化には、スピードに関する二種類の制約がある。一つは細胞が反応する速さ、もう一つは現実世界が変化する速さだ。人間の脳がいまの一〇〇万倍の速さで考えたとしても、周囲の世界が本質的にゆっくりと変わるのなら、それほど役にたたない。しかし、新皮質のアルゴリズムには、つねにゆっくりと動作しなければならない理由がまったくない。知能を備えた機械が人間と会話したり、協力しあったりするときは、相手にあわせて速度を落とす必要があるだろう。ページをめくって本を読むときは、めくる速さに制約される。だが、電子の世界とつながれたときは、はるかに高速に動作していい。知能を備えた二台の機械は、人間同士の一〇〇万倍の速さで語りあえる。数学や科学の問題が、進歩した機械によって一〇〇万倍の速さで解かれると考えてみよう。一〇秒間におこなわれる問題の考察は、人間なら一か月かかる作業に相当する。電光のような速さで考えることができ、疲れることも飽きることもない頭脳は、想像もつかない働きをすることが確実だ。

・容量の大きさ

人間の新皮質の記憶容量は驚くほど大きいが、知能を備えた機械は、それをはるかにしのぐようにつくってもいい。脳の大きさは、生物学的ないくつかの要因によって制約を受ける。たとえば、母体の骨盤の内側に占める胎児の頭蓋骨《ずがいこつ》の大きさ、ニューロンの反応の遅さ、脳の活動を維持するために供給する栄養物質の量などだ。人間の脳は重さが体重の約二パーセントしかないが、呼吸した酸素の約二〇パーセントを消費する。しかし、人工の記憶システムは、どれほど大きくてもかまわない。また、進化のようにいきあたりばったりの結果をまねる必要はなく、特定の応用に適するように細かな構造を最適化できる。人間の新皮質の容量は、いまから数十年もたてば、さほど大きくないとみなされるようになるかもしれない。

知能を備えた機械の記憶容量を増やすときには、いくつかの戦略がとれる。階層を高く積めば理解が深まり、より高次のパターンに気づく能力が生まれるだろう。領域ごとの容量を大きくすれば、より多くの詳細が記憶できるようになる。あるいは、視覚障害者の触覚や聴覚が研ぎ澄まされるように、より鋭い認識も可能になる。さらに、新しい感覚やそ

きる。の階層を追加することで、あとで例をあげるように、現実世界のよりよいモデルが構築で

脳をまねた記憶システムの大きさに限界があるのか、何が限界になるのか、という点は興味深い。考えられる限界の一つは、不要な知識がつめ込まれすぎて、役にたたなくなることだ。あるいは、何かの理論的な上限に近づくにつれ、動作しなくなるかもしれない。生体としての脳がすでに理論的な大きさの限界に達しつつあるという考えもできるが、わたしには異論がある。人間の脳は進化の過程できわめて最近に大きくなったもので、いまの状態が安定的であることを示す証拠はどこにもない。記憶システムの理論的な最大容量がどのくらいだとしても、ほぼ間違いなく、人間の脳はそこまで達していないだろう。はるかにおよばないかもしれない。

大容量の記憶システムで何ができるかを予想する方法の一つは、人間について知られている最大の能力に目を向けることだ。アインシュタインは疑いもなく大天才だったが、その脳も脳であることに変わりはない。たとえば、その並外れた知性を、脳の構造が典型的な人間とは異なっていたことから生み出されたものだとみなそう。同じような天才がなかなかあらわれないのは、同じような脳を人間の遺伝子がめったにつくらないからだ。だが、半導体で脳を設計するときには、好きなようにつくればいい。アインシュタインの高レベ

ルの思考を備える構造も、さらに賢さを追求する構造も可能だ。べつの極端な例として、「サヴァン症候群」と呼ばれる症状を示す人々の存在が、知能の一つの側面に可能性を与える。この人々は発達障害をかかえているが、特異な才能も持っていて、見たものの記憶が写真のように精密だったり、暗算が電卓並みにすばやかったりする。その脳は典型的なものとは異なっているが、やはり脳であることに変わりはなく、新皮質のアルゴリズムによって働いている。ある種の脳が驚くほどの記憶力を示すのなら、理論的には、その能力を人工の脳に加えることができる。人間の知能のこのような極端な例は、どんな能力が半導体で再現できるかを示すだけでなく、人間の最大の能力を超えるためにとるべき戦略にもなる。

・複製のしやすさ

生体の新しい脳はどれも最初から育て、訓練しなければならず、人間では何十年もかかる作業となる。幼児は自分自身で、四肢と筋肉群を連係させ、身体の平衡を保ち、動くための基本を覚え、おびただしい数の物体や動物、ほかの人間の特徴を知り、ものごとの名前や言葉の構造、家族や社会の規則を学んでいく。ようやくこれらの基礎が身につくと、何年にもわたる正式の学校教育がはじまる。あらゆる個人が同じ学習曲線をたどりながら、ゆっくりと人生を歩んでいく。数え切れないほどの人間がこの作業を繰り返しているのは、すべて新皮質に現実世界のモデルをつくるためだ。

知能を備えた機械は、この長い学習曲線をたどる必要がない。チップもほかの記憶装置も無数に複製でき、内容が簡単に転写できるからだ。この意味で、知能を備えた機械はソフトウェアのように複製できる。いったん原型となるシステムが訓練され、満足に仕上がれば、同じものを好きなだけつくればいい。自律走行自動車の記憶システムを完成させるためには、チップの設計からセンサーの選択、訓練から試行錯誤まで何年もかかるかもしれないが、いったん最終的な製品ができあがれば、大量生産が可能になる。すでに述べたように、複製したものには学習をつづけさせるかどうかが選択できる。知能を備えた機械は、用途によっては、試験済みの決まった動作しかしないことが望ましい。いったん自律走行自動車があらゆる必要な運転を覚えたら、悪癖を身につけたり、何かの場面で間違った類推をしたりしてほしくない。いずれにせよ、同じ型の車はすべて同じように動いたほうが、人間の予測を裏切らないので好都合だ。だが、べつの用途では、学習をつづける能力をそのまま残しておきたい場合もある。たとえば、脳をまねた記憶システムで数学の証明を発見しようとするときには、経験から学んだり、古い洞察を新しい問題に適用したりという、一般的に順応性があって枠にはまらない能力がずっと必要になる。

ソフトウェアの構成要素を共有するように、学習した内容を共有することもできるだろう。知能を備えた機械をうまく設計すれば、記憶の設定を入れ換えることで、異なる行動をとらせることが可能になる。脳に記憶をダウンロードするような手軽さで、すぐさま母語が英語からフランス語に変わり、職業が政治学教授から音楽学者に変わる。他人と成果を交換し、記憶を増強してもいい。たとえば、わたしが視覚にすぐれたシステムを開発し、ほかの人が聴覚にすぐれたシステムを訓練したとしよう。設計が適切であれば、両方のシステムの長所だけを組みあわせることができ、再訓練の必要はない。このような方法での経験の共有は、人間にはまったく不可能だ。知能を備えた機械をつくるビジネスは、コンピューター産業と同じ道筋をたどって発展するだろう。専門の知識や能力を与えるために機械を訓練する人々や、できあがった記憶の設定を販売したり、交換しあったりする人々があらわれる。知能を備えた機械の設定を入れ換えることは、新しいテレビゲームを動かしたり、ソフトウェアを組み込んだりすることと、大きな違いはないはずだ。

・感覚の多様性

人間には五感がある。これらの感覚は遺伝子、身体、新皮質下の神経網と深く結びついている。人間の感覚は交換できない。ときには、暗視眼鏡、レーダー、ハッブル宇宙望遠鏡など、新たな感覚を提供する技術があらわれる。だが、こうしたハイテク装置は巧妙な方法でデータを変換しているだけで、まったく新たな認識の手段ではない。もともとは人間に感知できない情報が、映像や音として表示されるので、解釈できるだけだ。それでも、レーダーの画面を見て何が起きているのかわかるのだから、脳の驚くべき柔軟性は賞賛に値する。だが、多くの種類の動物には本当に人間とは違う感覚が備わっている。たとえば、コウモリやイルカの反響定位、ハチの偏光や紫外線の感知、魚類の一部の電場を感じる能力などだ。

知能を備えた機械は現実世界を認識するために、自然界に存在するあらゆる感覚に加え、純粋に人工の新しい感覚を利用できる。ソナー、レーダー、赤外線カメラなどは、人間が持たない感覚をとらえるために、当然とりつけたい装置だ。だが、それはほんの手始めにすぎない。

はるかに興味深いのは、知能を備えた機械がまったく新しい、異質な感覚の世界を経験する方法だ。すでに述べたように、新皮質のアルゴリズムの基本は、現実世界のパターンを見つけることにある。そうしたパターンはどのように入力してもかまわない。新皮質への入力がランダムではなく、ある程度の豊富な量が提供されるかぎり、脳は普遍の表現を形成し、予測をおこなう。入力パターンが人間の感覚に類似している必要も、そもそも現実世界からとりだされている必要もない。わたしの考えでは、知能を備えた機械の革命的な応用は、いままでにない種類の感覚の世界にある。

たとえば、地球全体に広がるセンサー網を設計できる。気象観測装置を一〇〇キロかそこらの間隔で、大陸じゅうに設置したと考えよう。これらのセンサーは、網膜の細胞と同じものとみなせばいい。隣りあう観測装置は、網膜上に並んだ二つの細胞のように、どの時点にも相関の高いデータを検出するだろう。暴風雨や前線といった大型の観測対象が時間とともに移動しながら変化していくのは、まさに目に見える物体が動くのと同じだ。ずらりと並んだ観測装置に新皮質をまねた巨大な記憶システムをつなげれば、人間が目で物体を認識して今後どのように動くかを予測するように、天気を予報する能力が学習できる。天候の局地的なパターンも、広域のパターンも、何時間、何年間、何十年間にわたるパターンも見つかるだろう。ある地域に配置される観測装置の密度を高めることによって、中心窩《か》に相当するものをつくり、せまい地域の気候を理解させ、予測させてもいい。知能を備えた天気予報の機械は、人間が物体や他人について考え、理解するように、地球の気象状況について考え、理解する。現代の気象学者も同じようなことを目指している。さまざまな場所から観測データを集め、スーパーコンピューターを使って気候をシミュレーションし、将来を予想する。だが、この方法は、脳をまねた記憶システムの動作と根本的に異なる。コンピューターがチェスをする場合と同じように、間が抜けていて、何も理解していない。それに対して、知能を備えた天気予報の機械は、人間がチェスをするように思慮深く、きちんと対象を理解する。だから、人間がまだ気づいていないパターンの発見も可能になる。エルニーニョと呼ばれる気象パターンが発見されたのは、ようやく一九六〇年代になってのことだ。新しいパターンはもっと見つかるだろうし、竜巻や豪雨を人間よりもはるかに正確に予測する方法も学習できるだろう。大量の気象データを人間が容易に理解できるかたちに変えるのは難しい。だが、そんなことをしなくても、知能を備えた天気予報の機械は気象をじかに感じとり、考えをめぐらす。

これ以外にも、さまざまなセンサーを広域に配置することで、動物の移動、人口の変化、病気の流行などを理解し、予測する機械をつくれるだろう。国内の高圧送電線網のあらゆる場所にセンサーを置いて、知能を備えた機械につなげれば、消費電力の増減が観測できる。ちょうど、道路の交通量の変化や、空港での人の動きを見るようなものだ。こうしたパターンを繰り返し見ていると、その予測が可能になることとは、車で通勤する人や空港の警備員に聞いてみればわかる。同じように、知能を備えた送電モニターも、電力の需要や、停電にいたるような危険な状況を、人間よりも正確に予測するだろう。天候と人口統計のセンサーを組みあわせれば、政情不安、飢饉《ききん》、伝染病の発生がわかるかもしれない。優秀な外交官のように、戦争を回避して国民の受難を防ぐことも考えられる。人間の行動にかかわるパターンは感情がないと予測できないとは、わたしは思わない。文化も価値観も宗教も生まれつきのものではなく、学習されたものだ。異なる価値観にもとづく他人の動機を理解しようと思えばできるように、知能を備えた機械はそれ自身が感情を持たなくても、人間の動機や感情を認識できる。

微細な対象を認識する感覚も考えられる。理論的には、細胞や高分子からパターンを読みとるセンサーが開発できる。たとえば、現在の重要な課題の一つは、タンパク質を構成するアミノ酸の配列を分析し、分子の形状を予測する方法の確立だ。タンパク質がどのように折り重なり、相互作用するかが予測できれば、多くの病気の新薬と治療法の開発が加速するだろう。技術者と科学者は複雑な分子の振る舞いをなんとか予測しようと、タンパク質の三次元視覚モデルを考え出した。だが、どれほど努力しても、予測は難しすぎるということがわかるばかりだ。それでも、この問題にふさわしい特別のセンサーを高度な知能を備えた機械につなげれば、答えが見つかる可能性もある。荒唐無稽な考えと思ってはならない。この種類の問題が人間に解けない最大の理由は、対象とする現象の認識に人間の感覚が適さないからだ。知能を備えた機械には、特殊な感覚と巨大な記憶容量を与えて、人間には苦手な問題を解かせるべきだろう。

適切な感覚を与えるとともに、記憶の構成をわずかに変えれば、数学や物理学で使われる仮想的な世界に送り込み、考えさせることも可能だろう。たとえば、数学や科学の多くの研究では、三を超える次元の世界で物体がどう振る舞うかを解明する必要がある。ひも理論学者は空間そのものの特質を研究し、宇宙は一〇以上の次元を持つものと考えている。四次元以上の数学の問題を考えることに、人間は大きな困難を感じる。知能を備えた機械を適切に設計すれば、おそらく、人間が三次元を認識するように、高次元の空間を理解し、その振る舞いを予測できるだろう。

最後に、人間の新皮質が上位の階層で視覚、聴覚、触覚を結びつけるように、知能を備えた複数の機械を一つの巨大な階層に組みあげてもいい。そのようなシステムは、個々の機械の思考パターンをモデル化して予測する方法を、自動的に学習するだろう。インターネットのように広範囲を結ぶ通信媒体を使えば、地球全体に広がったシステムを構築できる。階層が高くなるほど、パターンの深い学習が可能になり、より複雑な類推ができるようになる。

知能を備えた機械はさまざまな応用において、劇的なまでに人間自身の能力を超える。一〇〇万倍の速さで学習と思考をおこない、膨大な量の情報を詳細に記憶して、信じられないほど抽象的なパターンを予測する。感覚は人間よりも鋭く、地球全体から刺激を受けることも、きわめて小さな現象を検知することもできる。このような興味深い可能性のどこにも、人間をまねて同じように振る舞うコンピューターや、複雑な動きをプログラムされたロボットの出る幕はない。

いまや、知能を人間の行動になぞらえたチューリング・テストの概念が弊害になり、未来の可能性がいかに制限されてきたかがよくわかる。知能とは何かをはじめに解明することで、人間の行動を再現するだけの場合に比べて、はるかに有意義なことが実現できる。知能を備えた機械は画期的な道具となり、人類の知識は森羅万象にわたって劇的に拡大するだろう。

知能を備えた機械はいつできるのか？

知能を備えた機械が一台でも実現されるまでに、どれくらいの時間がかかるだろうか？　それは五〇年後か、二〇年後か、あるいは五年後だろうか？　ハイテクの世界の格言に、変化は短期的には予想より時間がかかり、長期的には予想より早く訪れる、というものがある。わたしはこれを何回も見てきた。だれかが会議の席上でたちあがり、新しい技術を発表して、四年後には各家庭に普及しているだろうと主張する。やがて、その意見は間違っていたことがわかる。四年が八年になり、人々はけっして実現しないと考えはじめる。まさにそのころ、すべてが行きづまったように見えたとき、突如として普及しだし、大ブームになる。知能を備えた機械にも、同じようなことが起こるだろう。進歩は最初のうちは遅く感じられるが、やがて一気に加速する。

神経科学者の会合では、わたしは好んで会場を歩きまわり、だれかれとなくつかまえて、新皮質の基礎理論が見つかるのは何年後になると思うかと尋ねている。五パーセント以下の少数の人々は、「永久に無理」あるいは「すでに見つかっている」と答える。本当にそう思っているのなら、絶対に解けないような、あるいはすでに解かれているような謎に挑戦している科学者の気がしれない。べつの五パーセントからは、五年から一〇年後という予想が返ってくる。残りの半分は、一〇年から五〇年後、あるいは「自分の寿命があるうちに」と考えている。最後に残った人々は、五〇年から二〇〇年後、あるいは「自分の寿命が尽きてから」と回答する。わたしは楽観論者の味方だ。現在までの何十年かは進歩の「遅い」期間であり、多くの人々は計算理論的神経科学と知能を備えた機械がすっかり行きづまったものと考えている。過去三〇年の成果から判断すれば、答えにまったく近づいていないと推測するのも当然だ。だが、わたしはいまに転機が訪れ、この分野がまさに飛躍するものと信じている。

転機を現在にたぐり寄せ、未来の訪れを早めることもできる。この本を書いた目的の一つは、正しい理論の枠組みを使えば新皮質の解明が一気に進むことを示したかったからだ。

記憶による予測の枠組みを道しるべとして、脳がどのように働き、人間がどのように考えているのかが、一部始終あきらかになると思っている。その知識こそが、知能を備えた機械の実現に求められるものだ。記憶による予測のモデルが正しいなら、進歩は一気に加速する。

知能を備えた機械が実現する時期を予想するのは気が進まないが、じゅうぶんな数の研究者がこの問題にいまから専念すれば、実用に耐える試作品を開発して新皮質のシミュレーションをすることは、わずか数年で可能になるだろう。一〇年とかからずに、科学技術のもっとも注目を集める分野の一つになることが期待される。重要な変化を起こすのに必要な時間の予想は過小になりやすいので、これ以上の詳しい予想は遠慮しておく。それでも、脳の働きが解明され、知能を備えた機械がつくられることに、なぜこれほど楽観的なのかは説明しておきたい。わたしの自信の根拠は、主として、知能の問題に長いあいだ取り組んできたことにある。一九七九年、あらためて脳の魅力にとりつかれたとき、知能の謎を解くことは寿命があるうちに可能だと思った。何年にもわたり、人工知能の衰退、ニューラルネットワークの興亡、脳の一〇年と呼ばれた一九九〇年代の研究活動を注意深く観察してきた。理論生物学と、とりわけ計算理論的神経科学が好意的に扱われるようになるのを眺めてきた。予測、階層的な表現、時間といった概念がじわじわと神経科学の世界に浸透していくのを見守ってきた。自分自身の理解や同僚の考察が進展するのを体験してきた。一八年前、予測の役割に気づいて興奮し、それ以来、いくつかの方法で検証をつづけてきた。二〇年以上も神経科学とコンピューターの世界にどっぷりとつかってきたから、おそらく、わたしの脳には技術や科学の変化がどのように起きるかについて高レベルのモデルが構築されている。そして、そのモデルが急速な進展を予測している。いまこそ転機だと。

あとがき

天文学者のカール・セーガンは、宇宙の謎を解明してもその驚異と神秘性が損なわれることはないと、つねづね発言していた。多くの人々は、科学と驚異が二律背反の関係にあると思い込み、知識によって人生が味も素っ気もないものになってしまうのを恐れる。だが、セーガンは正しかった。実際のところ、宇宙を理解することによって、人間はますます宇宙の中での自分の立場に満足し、宇宙はさらに輝きと神秘性を増した。無限の宇宙のちっぽけな存在として、生を受け、意識を持ち、知能を備え、創造性を発揮することは、小さな世界の中心にある水平で有限の地上で暮らすよりも、はるかにすばらしい。脳の働きを解明しても、宇宙の驚異と神秘性が減ることはなく、人間の生命や未来の価値がさがるものでもない。その知識を使って自分自身を理解し、知能を備えた機械をつくって、さらに知識を獲得することで、人類は一段と大きな驚嘆を覚えるだろう。

したがって、脳の働きを解明し、知能を備えた機械をつくろうという挑戦は、人間がつぎの段階へと進歩するための、合理的で価値のある努力なのだ。

わたしの本によって若い技術者や科学者が興味を持ち、新皮質を研究するとともに、記憶による予測の枠組みを採用して、知能を備えた機械をつくりはじめることを期待している。人工知能は、その絶頂期には時代に大きな流れを引き起こした。数多くの雑誌、学位研究、書籍、事業計画、起業家が生まれた。ニューラルネットワークが一九八〇年代に花を咲かせたときも、同じように途方もない反響を呼んだ。だが、これらの研究を支えていた科学的な枠組みは、知能を備えた機械の実現に適切ではなかった。

いまや、より見込みのある新しい道が開けている。あなたが高校生か大学生で、この本に触発され、仕事として取り組んでみたい、真の知能を備えた最初の機械をつくりたい、ビジネスを起こす手助けをしたいと思ったなら、ぜひとも実行に移すことを勧める。やるしかない。起業家として成功するには、一〇〇パーセントの確証が得られる前に、真っ先に新しい分野に飛び込む必要がある。タイミングが重要だ。早すぎれば悪戦苦闘する。不確実性が消えるまで待ったのでは遅すぎる。いまが新皮質をまねた記憶システムを設計し、つくりはじめる時期だと、わたしは強く確信している。この分野には、科学的にも商業的にも、はかりしれない可能性がある。階層的な記憶システムの上に新しい産業が築かれ、インテル社やマイクロソフト社にあたる会社が産声をあげるのは、これから一〇年以内だろう。これだけの規模の事業に着手することは、財政的な危険をともなうか、多大な知性を要求される。だが、つねに挑戦する価値はある。あなたが仲間に加わり、すでに挑戦をはじめたほかの人々とともに、歴史上でもっとも偉大な技術の一つを生み出すことを、わたしは願っている。

謝辞

「あなたの職業はなんですか？」と聞かれるたびに、わたしは返答に困る。というのも、自分ではほとんど実務をしていないからだ。だが、周囲の仲間が多大な成果をあげてくれる。わたしの役割は、その仲間をときどきつついてやり、必要に応じて全体の方向づけを変えることだけだ。わたしのこれまでの成功は、ひとえに同僚の努力と知能のたまものだ。

これまでに数多くの科学者と出会う機会があり、ほとんど全員から何かを教えられた。そのすべてのおかげで、この本に書いた考えが生まれた。全員に感謝するとともに、ここにほんの一部の名前をあげておく。レッドウッド神経科学研究所とカリフォルニア大学デーヴィス校の両方に籍を置くブルーノ・オルスハウゼンは、神経科学の歩く百科事典だ。わたしの知らない情報があることをたびたび指摘し、その調べ方を教えてくれた。こういう人物の存在は、じつにありがたい。やはりレッドウッド神経科学研究所の同僚であるビル・ソフトキーは、細い樹状突起の特性をはじめて教えてくれた。カリフォルニア大学アーヴァイン校のリック・グレーンジャーは、シーケンスの記憶と視床の役割に目を向けるきっかけを与えてくれた。カリフォルニア大学バークレー校のボブ・ナイトとカリフォルニア工科大学のクリストフ・コッホからは、レットウッド神経科学研究所の設立や、科学のさまざまな問題の解決において援助を受けた。研究所のすべての同僚から不備を指摘されることで、わたしの理論はどんどん完成されていった。この本に書いた提案の多くは、研究所での会合や議論の場で生まれたものだ。みんな、ありがとう。

ドナ・ダビンスキーとエド・コリガンは、ビジネスでの一〇年来の相棒だ。二人の激務と援助のおかげで、わたしは起業家であると同時にパートタイムで脳を研究するという、異色の兼業をつづけてこられた。ドナは口癖のように、事業を軌道に乗せて、わたしが脳の研究にもっと時間をさけるようにしたいといっていた。ドナとエドがいなければ、この本は存在していない。

多くの人々の助けがなければ、この本は書けなかった。出版エージェントのジム・レヴィンは、わたしが何を書くかも決めないうちから、この本が世に出ることを信じていた。こんな頼れるエージェントなしに、本を書こうと思ってはいけない。ジムの紹介で、サンドラ・ブレイクスリーという共著者を得た。この本を読みやすく、幅広い層の読者が理解できるものにしたいと思ったとき、サンドラはうってつけの人物だった。それでも難解な部分が残っていれば、すべてわたしに責任がある。サンドラの息子で、同じくサイエンスライターのマシュー・ブレイクスリーは、この本で使ったいくつかの例の提供者で、「記憶による予測の枠組み」という言葉の提案者だ。ヘンリー・ホルト社の面々とは、素晴らしい仕事ができた。とくに、社長で発行人のジョン・スターリングに感謝する。顔をあわせたのは一回だけで、電話でも数回しか話していない。それにもかかわらず、ジョンはこの本の構成に大きな示唆を与えてくれた。知能の理論を提案するときにわたしが直面する問題をたちどころに察知して、この本をどのような形式と位置づけで書けばよいかを助言してくれた。

二人の娘アンとケイトには、パパが多くの週末をコンピューターのキーボードに向かって過ごしても、不平をいわなかったことに感謝する。そして、最後になるが、妻のジャネットに礼をいいたい。わたしとの結婚生活は、けっして平坦《へいたん》な道のりではなかったはずだ。きみのことは脳よりも愛している。

訳者あとがき

コンピューター科学には「人工知能」と呼ばれる研究分野がある。人工知能（ＡＩ）という言葉自体は、二〇〇一年にスティーヴン・スピルバーグの映画の題名になったこともあり、いまやだれもが知っていると思う。映画の主人公のロボットは人間のように身体を動かすが、それはロボット工学の仕事だ。人工知能の役割は、人間のように周囲の状況を理解し、考えて、行動の命令をくだすことにある。つまり、ロボットの脳に相当する機能を果たすのだ。

初期の人工知能の研究は、人間の知能のモデルを機械装置で再現し、その正当性を評価するという、現在では「認知科学」と呼ばれる学問の色彩が強かった。だが、コンピューター技術の急激な発展と普及にともない、人間をまねるのではなく、独自の方法で知能を生み出す「知識工学」が主流になっていった。そのような立場の研究者の極論は、「ジェット機を見ろ。鳥のまねをしていないが、鳥よりもずっと速い」というものだ。

人工知能の成果そのものは、ちまたにあふれている。郵便番号をはじめ、通信販売の注文から役所に提出する書類にいたるまで、ＯＣＲ（光学式文字読み取り装置）が文字を識別する。新交通システムの電車は、ほとんどが自動運転だ。あなたのパソコンには、英語のホームページを日本語に翻訳するソフトウェアが組み込まれているかもしれない。これらの技術は用途がかぎられているが、いずれも人工知能の研究の成果といえる。

ところが、一般的な知能をコンピューターに持たせようとすると、人工知能はまったくお手上げの状態になる。その理由は、著者の主張によれば、知能とは何かという本質が無視されているからだ。先ほどの例でいうなら、飛ぶことの原理を無視したまま、飛行機をつくりはじめたようなものだろう。人間を大砲の弾のように飛ばしても、飛行機は生まれない。

一方、脳科学の分野では、近年の研究の進展がいちじるしい。一九九〇年代にはアメリカ合衆国で政府による大規模な資金援助がおこなわれ、「脳の一〇年」と呼ばれる一時代を築いた。ＭＲＩなどの断層撮影技術が開発され、頭を切り開かなくても、中をのぞけるようになった。被験者にさまざまな活動をおこなわせたとき、脳のニューロンがどこで活発に興奮するかが、コンピューターの画面に表示される。このような実験が繰り返されて、脳の各部分が果たす機能について、詳細な地図がつくられていった。

ところが、このような低いレベルでのニューロンの興奮が、どうやって人間の複雑な思考を生み出すのかということになると、まったくわかっていない。見る、考える、行動を起こすなど、高いレベルでの人間の知性は、心理学や行動科学からある程度は解明されている。だが、高低の両レベルの橋渡しは、現状では適当な実験の方法がなく、手がけようとする神経科学者すら少ない。

このような状況に、人工知能と脳科学の両者の課題を一気に解決すると豪語する人物があらわれた。この本の著者ジェフ・ホーキンスだ。しかも、本職はハイテク産業の都のシリコンバレーで大成功をおさめた起業家だという。たしかにアメリカでは学術とビジネスの交流が盛んで、大学教授が会社を起こし、ビジネスの成功者が大学で教えることも珍しくない。だが、まったく異なる二つの研究領域で長年にわたって取り組まれてきた難題が、それほど簡単に博士でもない起業家に解けるのだろうか？　著者は自社製品を宣伝するために、あやしげな似《え》非《せ》科学を駆使しているだけではないのか？

だが、この本を少しでも読めば、そのような先入観が大きな間違いであることに気づく。そして、本題へと読み進むころには、れっきとした脳科学の新説が展開されていることに驚きさえ覚える。すると、新たな疑問もわいてくる。なぜ科学論文や学術書としてではなく、こんな一般書の形式で発表するのか？　その疑問も、最後の第8章を読むことで氷解する。著者の目的は学術界で認められることではない。この本で提案した理論を半導体のチップで実際に再現して、真の知能を備えた機械をつくることなのだ。そのための同好の士をつのるためには、人工知能や脳科学の研究者しか読まない専門の出版物では意味がない。コンピューターや半導体の技術者、あるいは、自分の将来をこれから決めようという中高生や大学生の目に触れる一般書のほうが適している。

ここで、ホーキンスの経歴を簡単に紹介しておこう。一九五七年、ニューヨーク州ロングアイランドの生まれ。父親は技術者だが、アマチュアの発明家でもある。著者の創意工夫のたくみさは、そんなおいたちにも一因があるのだろう。一九七九年にコーネル大学を卒業してから一九八六年にカリフォルニア大学バークレー校の大学院に入学するまでは、この本に書かれているとおりだ。

大学院で勉強をはじめたホーキンスは、二年ほどでこの本に提案されている理論の骨格をつくりあげる。だが、そこで障害にぶちあたった。大学で自分の好きな研究をはじめるためには、まず大学院の標準の課程を終える必要がある。それには、大学教授のだれかに師事し、面白くもない研究を何年か手伝わなければならない。学術界の閉鎖的な雰囲気も肌にあわなかった。それならば、ビジネスで金をもうけて、自分の研究所をつくって好きなことをすればいい。一九八八年、ホーキンスは大学院を中退し、グリッド・システムズ社に研究担当副社長として復職した。

その後のホーキンスは、多少の紆余曲折《うよきょくせつ》はあったものの、コンピューター業界で大成功をおさめていく。技術者としてハンドヘルドコンピューターや携帯電話のヒット商品を設計し、起業家としてつぎつぎと自分の会社を設立した。商品はソニーや日本アイ・ビー・エムにもライセンスされ、日本でも販売されている。最大のヒットといえる携帯情報端末〈パームパイロット〉の市場占有率は、一時期に全米で七〇パーセント、全世界で五〇パーセントを誇った。ホーキンスは「ハンドヘルドコンピューターの父」の異名をとり、世界じゅうのファンから製品への熱烈な支持を受けている。

ホーキンスが技術者として成功をおさめた理由の一つは、携帯機器の設計において機能を本当に必要なものだけに絞り込み、小さく軽量で、使いやすい製品を実現したからだ。

「複雑なものは気に入らない」と、みずからもこの本の中で述べている。同じ思想は、提案されている理論はもとより、それを紹介する書き方にもうかがえる。「記憶による予測の枠組み」という単純明快な理論が、生物学の難解な知識を持っていなくても、だれにでも理解できるように説明されているのだ。

そして、二〇〇二年、ホーキンスはビジネスで築いた資産を投じ、レッドウッド神経科学研究所を設立した。念願の自分自身の研究所を持ったわけで、まさにアメリカンドリームの鑑《かがみ》だ。もちろん、会社の取締役兼最高技術責任者としてビジネスもつづけていて、究極の二足のわらじともいえる。

また、同研究所ではすでに視覚情報処理に応用できるような成果も生まれている。はたして、「記憶による予測の枠組み」は正しいことが検証されるのだろうか？　本文に書かれているように、知能を備えた機械のプロトタイプは数年以内に登場し、新皮質の基礎理論は「現在の研究者の寿命があるうちに」見つかるのだろうか？　もしもそうならば、今後のホーキンスの活動からは目が離せない。

この本は、Jeff Hawkins with Sandra Blakeslee, *On Intelligence* の邦訳である。日本の読

者向けに、構成には若干の手が加えてあることをお断りしておく。最後に、ランダムハウス講談社の遠山美智子さんに感謝する。原書は二人の著者の協力によって生まれたが、邦訳書も訳者と編集者の共同作業のたまものだ。また、本文にもあるように、個人の脳の発達にとっては、現実世界の最初のモデルを描く幼少時の体験がもっとも重要と考えられている。その意味でも、わたしの脳をはぐくんでいただいた両親に感謝したい。

二〇〇五年二月

文庫版　訳者あとがき

「この本からすべてがはじまった」と、一〇〇年後にいわれているのではないか？

原書をはじめて読んだときに、そう思った。つまり、いずれ脳の仕組みが解明され、人工知能が真の知能を備えたときに、進化論における『種の起源』のような存在になる、と。脳科学や人工知能の研究者でもない身分としては、かなり生意気な感想だ。

だが、しろうと目にも面白い説が展開されていたし、自分の経験にも思い当たる節があった。たとえば、人間の脳はシーケンスを記憶するのだという。なるほど、だから、アルファベットを「ＡＢＣ……」とすらすら暗唱できても、逆順になると頭の中で並べ換える必要があるので、「Ｚ……Ｙ……Ｘ……」のように言葉がつかえてしまうのか。あるいは、人間の脳は感じる前に予測しているという。なるほど。そういえば、住み慣れた部屋なら真っ暗でも、ドアのノブが触れる直前に「見える」気がする。

原書の *On Intelligence: How a New Understanding of the Brain Will Lead to the Creation of Truly Intelligent Machines* は二〇〇四年に出版された。著者のジェフ・ホーキンスが二〇〇二年にレッドウッド神経科学研究所を設立し、脳科学の研究に専念しはじめた頃だ。研究は成果が出はじめていたが、研究所に集まっていた神経科学者の興味はかならずしも著者と一致しなかった。そこで、二〇〇五年に研究所はカリフォルニア大学バークレー校に移管され、著者は自分の目標だけを追求するためにヌメンタ社を共同で創業し、いまも研究をつづけている。

ヌメンタ社の研究では、この本で提唱されている理論が検証、拡張され、新しい理論へと発展している。代表的な成果として、実際のニューロンが予測をする機構や、新皮質があらゆる概念を「座標系」にもとづいて記憶するというモデルがある。詳しくは、著者が二〇二一年に出版した『脳は世界をどう見ているのか　知能の謎を解く「1000の脳」理論』（大田直子訳、早川書房）を参照されたい。

人工知能（AI）の分野においても、研究は着実に進んでいる。人間のチャンピオンにクイズ番組で勝ったとか、碁で勝ったとかと喧伝《けんでん》されるように、特殊な問題を解決する能力では多くが人間を超えている。だが、ほとんど何にでも対応できる人間の柔軟性とは、まだ大きな開きがあり、深層学習《ディープラーニング》や汎用人工知能（ＡＧＩ）などとして取り組まれている最中だ。ヌメンタ社でも汎用人工知能が開発され、脳の新しいモデルが機械学習に応用されている。ひょっとすると、「この本からすべてがはじまった」可能性は高まっているのではないか？　一八年前にも思ったが、相変わらず、ホーキンスの活動からは目が離せない。

日本語版の『考える脳　考えるコンピューター』は、初刊が二〇〇五年にランダムハウス講談社から出版された。このたび早川書房からハヤカワ・ノンフィクション文庫として再刊されるにあたり、訳文を全般的に見直すとともに、初刊において専門的すぎるなどの理由で割愛した部分を追加している。そのような箇所は、付録と参考文献の全体のほか、第5章と第6章に含まれる。

最後に、この本にふたたびかかわる機会をいただくとともに、新しい読者に読みやすい文章を届けるために尽力していただいた早川書房編集部の一ノ瀬翔太さん、田坂毅さん、石川大我さんに感謝する。また、訳者校正を手伝いながら訳文のわかりにくい箇所を指摘してくれた妻の千絵美に感謝する。

二〇二三年五月

付録「記憶による予測の枠組み」を検証するための予想

いかなる自然科学の理論も、検証が可能な予想を導かなくてはならない。なぜなら、新しい考えが正しいかどうかは、実験による検証でしか決まらないからだ。幸運なことに、この本で提案した「記憶による予測の枠組み」は、生物学に基礎を置いているので、検証のできる具体的で斬新な予想をいくつか提示できる。これから列挙する予想によって、わたしの考えは立証されたり反証されたりするだろう。いくつかの予想は、ニューロンが興奮することを予測するものなので、意識のある状態の動物や人間で実験する必要がある。なお、念のために、予想は重要な順に並んでいるわけではないことを断っておく。

予想1

一次感覚野を含めて、新皮質のあらゆる領域には、感覚の入力に反応してではなく、その予測によって強い興奮を示すニューロンが存在する。

たとえば、コールドスプリングハーバー研究所のアンソニー・サドルの研究室では、ネズミのA1野（一次聴覚野）のニューロンで、あたりが静まり返っていても音の発生を予測して興奮するものが発見された（未発表の私信による）。このようなニューロンの存在は、新皮質の一般的な特徴と考えるべきだ。予測にもとづいた同様の興奮は、視覚野や体性感覚野でも観察されるだろう。感覚の入力を予測して興奮するニューロンの存在は、まさに予測がおこなわれている明白な証拠であり、記憶による予測の枠組みの大前提となる。

予想2

予測の空間的なパターンが具体的になるほど、それを予測して興奮するニューロンが見つかる領域は一次感覚野に近づいていく。

サルが視覚のパターンの時間的なシーケンスを繰り返し見せられ、ある特定のパターンを正確なタイミングで予測できるようになれば、そのパターンを予測するのと同時に強く興奮するニューロンが見つかるはずだ（予想1の言い換え）。顔を見ることが予測できるようになったものの、正確にどんな顔で、どのようにあらわれるかまではわかっていないとすれば、予測によって興奮するニューロンは顔を認識する領域で見つかり、低次の視覚野では見つからないだろう。しかし、サルが顔の見える方向に視線を向け、視野の決まった位置に具体的なパターンを予測するようになれば、予測によって興奮するニューロンは、V1野（一次視覚野）かそれに近い領域で見つかるはずだ。予測にもとづく興奮は、それ以上の具体的なパターンが予測できなくなるまで、新皮質の階層をどんどんくだっていく。一次感覚野までくだることもあれば、もっと高次の領域で止まることもある。このような性質は視覚の予測にかぎらず、ほかの感覚でも見られるはずだ。

予想3

感覚の入力を予測して興奮するニューロンのほとんどは、新皮質の第二、三、六層に存在する。予測にもとづいて階層をくだっていく興奮は、第二層と第三層のニューロンで止まる。

予測にもとづいて新皮質の階層をくだっていく興奮は、第二層と第三層のニューロンに到着し、そこから第六層に伝達される。第六層のニューロンは一つ下位の領域の第一層全体に興奮を伝え、それによって下位の領域でも第二層と第三層のニューロンの一群が興奮する。階層を一段くだるたびに、同じことが繰り返される。したがって、予測によって興奮するニューロンは、第二、三、六層で見つかるはずだ。さらに、第二層と第三層のニューロンが興奮しても、第六層のニューロンが興奮するとはかぎらないことを思い出そう。第二層と第三層のニューロンの興奮は、あくまで予測の候補であり、その領域が具体的な予測をたてたときに、はじめて一部の柱状構造において第六層のニューロンが興奮する。このため、予測が階層をくだっていくと、最後には第二層と第三層のニューロンで興奮が止まる。たとえば、ネズミが学習して、二つの異なる音のどちらかが聞こえることを予測できるようになったとする。外界からの情報によって、音を聞くことはわかるが、どちらの音かはわからない。この場合、それぞれの音に対応する二つの柱状構造の両方において、第二層と第三層のニューロンが予測にもとづいて興奮するはずだ。だが、いずれの柱状構造においても、第六層のニューロンは興奮しない。どちらの音かが予測できないからだ。ネズミがさらに学習を繰り返し、どちらの音かまで正確に予測できるようになれば、その音に反応する柱状構造のほうだけで、第六層のニューロンが興奮しはじめる。

第四層と第五層に予測をおこなうニューロンが見つかる可能性は、完全には否定できない。これらの層の何種類かのニューロンは、機能が解明されていないからだ。したがって、この予想は、記憶による予測の枠組みのあまり強い証拠にはならないが、それでも、提示しておく意義はあると思う。

予想4

第二層と第三層のニューロンの中に、上位の領域の第六層に存在するニューロンからの入力を優先的に受けとるものがある。

記憶による予測の枠組みの重要な特徴として、パターンの時間的なシーケンスが学習されると、そのシーケンスのあいだは一定に保たれる状態が出現する。この本の中で、わたしが「名前」と呼んでいるものだ。この名前の実体が、一つの領域に散在する複数の柱状構造の第二層と第三層のニューロンの集まりであることも、第6章において提案した。これらのニューロンは、シーケンスを構成するパターンが起こっているかぎり、興奮状態を保っている。たとえば、あるメロディーが聞こえているあいだは興奮しつづけるような場合だ。シーケンスの名前をあらわすニューロンの集まりは、一つ上位の領域の第六層にあるニューロンから伝えられる予測によって興奮する。わたしはこの「名前細胞」が第二層にあると推測しているが、それは第一層に近いという理由による。だが、第二層と第三層のいかなる種類のニューロンでも、第一層に樹状突起を伸ばしているなら、名前細胞の可能性がある。名前づけの機構が働くためには、第一層に伸びた樹状突起がシナプスを形成する相手として、一つ上位の領域の第六層から伸びてくる軸索を優先しなければならない。同じ軸索でも、視床から伸びてくるものは避ける必要がある。よって、わたしの提案が正しいなら、第二層と第三層のニューロンの中には、樹状突起を第一層に伸ばし、上位の領域の第六層にあるニューロンの軸索とのあいだで、ほとんどのシナプスを形成するものがあるはずだ。第一層にシナプスを持つほかのニューロンには、このような偏りがあってはならない。この予想は、記憶による予測の枠組みを強く裏づけるものだ。わたしが知るかぎりでは、まだ提唱されたことはない。

付随する予想として、第二層と第三層のべつのニューロンには、樹状突起がシナプスを形成する相手として、視床の非特殊核から伸びてくる軸索がほとんどのものもあるはずだ。これらのニューロンは、シーケンスのつぎのパターンを予測する。

予想5

予想4で説明した名前細胞の集まりは、学習されたシーケンスがつづくかぎり、ある種の興奮状態を保つ。

予測できるシーケンスの「名前」の実体は、学習されたシーケンスがつづくあいだ興奮状態を保つ第二層と第三層のニューロンの集まりだ。このような名前細胞は、シーケンスが予測できるようになると、柱状構造のほかのニューロン、つまり、第四、五、六層のニューロンが興奮したりしなかったりするあいだも、ある種の興奮状態を保つようになる。残念なことに、名前細胞の具体的な興奮状態はわからない。たとえば、名前細胞の集まり全体が同時に一瞬の興奮をするような、目立たない状態の可能性もある。そのため、興奮するニューロンの集まりを発見するのは困難かもしれない。

予想6

第二層と第三層のニューロンには、予想4と予想5で提唱した名前細胞とはべつに、予測されなかった入力には興奮し、予測された入力には興奮しないものが存在する。

この予想を提示する理由は、ある領域で出来事が予測されなかった場合に、そのことを新皮質の上位の階層に伝える必要があるからだ。予測された場合には、いちいち知らせなくてかまわない。そこで、第二層と第三層のニューロンには、予想4と予想5で提唱した名前細胞とはべつに、軸索を一つ上位の領域に伸ばしているものがあるはずだ。このニューロンは予測されなかった出来事が起こると興奮するが、予測されたときには興奮しない。このような興奮状態を実現するメカニズムの一つを、わたしは第6章で提案した。つまり、抑制性ニューロンを介在させることで、名前細胞の興奮状態を反転させて伝えるのだ。現時点では、この予想は確実なものではない。だが、少なくとも、ほかとは異なるメカニズムで興奮するニューロンが存在するはずだ。この予想も、記憶による予測の枠組みの強い裏づけになり、やはり、わたしの知るかぎりでは、まだ提唱されたことはない。

予想7

予想6でも述べたように、予測されなかった出来事は、新皮質の階層を上向きに伝わっていく。この伝達は、出来事が新奇なほど、高い階層まであがる。まったく新しい出来事は海馬まで到達する。

じゅうぶんに学習されたパターンは、新皮質の下位の階層で予測される。逆にいえば、入力が新奇なほど、高い階層まで伝わっていくはずだ。この現象は、実験によってとらえることが可能だろう。たとえば、人間に本人の知らない単純なメロディーを聴かせる。このとき、被験者はつぎに聞く音を予測できないが、それが音楽の形式にのっとっているかぎりは、予測できなかった入力を伝える興奮が聴覚野のある階層で止まるはずだ。だが、メロディーが音楽の形式ではなく、意味のない大音響のようなときは、興奮はさらに高い階層までのぼるだろう。しかし、被験者がでたらめな音を聞くと予測しているときは、べつの結果になる。この予想を検証する一つの方法は、人間を被験者にしてｆＭＲＩ（核磁気共鳴機能画像法）で測定することだ。

予想8

何かをぱっと理解した瞬間には、予測の興奮が一気に新皮質の階層をなだれ落ちていく。

第6章の図12でダルメシアンが「見えた」ときのように、わけのわからない入力パターンがようやく理解される瞬間は、新皮質のどこかの領域が記憶との新しい照合を試みることで開始される。その領域での照合がうまくいくと、ただちに予測が下位のすべての領域へと階層をくだっていく。入力パターンの新しい解釈が正しければ、どの領域もつぎつぎと正しい予測をたてた状態に落ち着く。同じ現象は、複数の解釈が可能な絵を眺めていても起こるはずだ。たとえば、輪郭が向きあった顔に見える花瓶や、上から眺めたようにも下から眺めたようにも見えるネッカーの立方体を想像してほしい。その絵の解釈が変わるたびに、新しい予測が新皮質の階層をくだっていく。もっとも下位の階層、すなわちV1野では、目が動かないと仮定すれば、線分に対応する柱状構造がどちらの解釈でも興奮を保つ。だが、その柱状構造に含まれる個別のニューロンのいくつかは、興奮したり、しなかったりするかもしれない。すなわち、絵の低レベルの特徴が同じでも、柱状構造のなかで興奮するニューロンは、解釈によって異なることがある。ただし、重要な点は、高レベルの解釈が変わるたびに、新しい予測が階層を下向きに広がっていくことだ。

予測の同様の伝達は、よく知っているものを見ている場合でも、眼球を動かせば起こるはずだ。

予想9

細長い樹状突起が複数のシナプスから同時に興奮を受けとるとき、ニューロンはどのシナプスから受けたかを正確に識別する。

長年にわたって、ニューロンは単純な足し算をしているだけで、それが興奮するかどうかは、何個のシナプスから興奮を受けたかによって決まると考えられていた。現在の神経科学では、ニューロンの振る舞いがはるかに複雑であることがわかってきた。それでも、単純な積算計とみなす考えはまだ残っている。ニューラルネットワークの多くのモデルは、そのように働くニューロンにもとづいて構築されている。だが、樹状突起ごとに異なる影響をニューロンにおよぼすと仮定したモデルも数多い。記憶による予測の枠組みでは、少数のシナプスだけが短時間に同時に興奮することを、ニューロンが正確に検知しなければならない。そのようなシナプスは単独でニューロンに影響を与えるほど強力なものかもしれないが、一本の樹状突起に近接する複数のシナプスと考えるほうが妥当だろう。この場合のニューロンは、興奮するための複雑な入力パターンを学習するために、何千というシナプスからの入力を個々に識別しなければならない。この考えは新しいものではないし、裏づけとなる証拠もある。だが、長年の標準的なモデルからは大きく逸脱している。もしもこの予想が間違っている、つまり、ニューロンの興奮が少数のシナプスからの正確な入力パターンにもとづくものではないと示されたら、もはや記憶による予測の枠組みを主張するのは難しいだろう。ただし、細胞体のすぐ近くで太い樹状突起がつくるシナプスは、除外してかまわない。細長い樹状突起がつくる数多くのシナプスだけに、この機能が求められる。

予想10

シーケンスが記憶される領域は、学習によって新皮質の階層をくだっていく。

わたしの主張では、学習が進むにつれて、新皮質の下位の領域でシーケンスが記憶されるようになる。すると、当然ながら、上位の領域の入力パターンが変わる。この変化は、いくつかの現象として検出できる。まず、複雑な刺激に反応して興奮するニューロンは、学習をはじめたばかりのときには上位のほうの、徹底的な学習のあとでは下位のほうの階層の領域で見つかる。たとえば、人間の場合、印刷された文字に反応するニューロンは、個々の文字を識別する学習をしただけでは、IT野（下側頭野）のような領域で見つかるものと思われる。だが、文字の並びが単語として読めるようになると、IT野にくわえて、V4野（四次視覚野）のさまざまな領域でも見つかるだろう。同様の結果は、ほかの動物や、ほかの感覚や、ほかの刺激においてもあらわれる。学習がもたらすもう一つの現象として、記憶が想起される領域や、予測の誤りが検出される領域が変わるはずだ。すなわち、じゅうぶんに学習されたシーケンスは、新皮質の階層をそれほどのぼっていかない。このような現象なら、最新の断層撮影技術によって観察されるかもしれない。あるいは、入力パターンが解釈され、想起されるまでに新皮質を伝わる距離が短くてすむようになるので、特定の刺激に対する反応時間の変化として検出することもできるだろう。

予想11
記憶の普遍の表現は、新皮質のあらゆる領域で見つかる。

数多くの異なる入力パターンに共通するきわめて特異な属性に反応するニューロンの存在は、よく知られている。これまでに観察されたのは、顔、手、ビル・クリントンなどに反応するものだ。記憶による予測の枠組みでは、新皮質のすべての領域が普遍の表現を形成しなければならない。ある領域の普遍の表現は、その下位にあるすべての感覚からつくられる。たとえば、ビル・クリントンに反応するニューロンを考えよう。それが視覚野にあれば、ビル・クリントンの姿を見るたびに興奮するだろう。聴覚野にあれば、「ビル・クリントン」という名前を聞くたびに興奮する。さらに、視覚と聴覚の両方の入力を受ける連合野なら、映像と音声のいずれにも反応するニューロンになる。普遍の表現は、感覚野のみでなく、運動野でも見つかるはずだ。運動野のニューロンは、複雑な動作のシーケンスを表現することもある。運動野の階層をのぼるほど、普遍の表現は複雑な動作をあらわすようになる。最近の研究によれば、食べ物を手で口に持っていくという一連の動作に反応するニューロンが、サルの脳で見つかったようだ。以上のように、この予想はまったく新しいものではない。新皮質全体の多くの領域で普遍の表現が形成されるという一般的な考えは、ほとんどの研究者が支持している。わたしの議論では、この考えが事実のように扱われているが、じつのところ、まだ完全に実証されているわけではない。記憶による予測の枠組みが正しければ、ニューロンによる普遍の表現の形成は、新皮質のあらゆる領域で見つかることになる。

ここに列挙した予想は、この本で提案した理論の試金石だ。ほかの予想も考えられるだろう。だが、理論がいかなるものであっても、それが正しいことは証明できない。理論というものは、間違っていることだけが証明できる。したがって、わたしの予想がすべて実証されても、記憶による予測の枠組みが正しいことは保証されない。それでも、理論を支持する強力な証拠は得たことになる。また、逆もいえる。予想のいくつかが反証されても、記憶による予測の枠組みの全体が否定されるとはかぎらない。予想によっては、要求される振る舞いをべつの方法で実現できる。たとえば、シーケンスに名前をつける方法は、ほかにも考えられる。この付録で強調しておきたいのは、記憶による予測の枠組みはいくつかの予想を提示できるので、実験による検証が可能なことだ。もっとも、実験の具体的な方法を考えるのはやっかいな作業で、この本にふさわしいレベルをはるかに超える議論が必要になる。ｆＭＲＩのような断層撮影技術を使って理論を検証する方法が見つかれば、きわめて好都合だ。そのような画像を撮影する専門機関は数多く存在するし、ニューロンの興奮をじかに測定する方法と比べれば、実験の手間はさほどかからない。

解説

東京大学大学院工学系研究科教授
松尾 豊

この本は私の人工知能研究者としてのキャリアとともにある本である。二〇〇二年に大学院の博士課程を修了し、新米の研究者としてＡＩの活動を始めてすぐ、先輩の研究者から勧められて読んだ。そして、衝撃を受けた。何度も繰り返し読んだ。これほど繰り返し読んだ本は後にも先にもないというくらい精読した。その後の私の研究者としての考えを形作った本である。

この本の最も重要なメッセージは、知能の本質は予測である、ということである。大脳新皮質は予測のための生体組織であり、知的な能力はここに起因している。予測が重要であるという説はそれまでにもあったわけだが、本書では、それを大胆に言い切っている。あるときはＡＩの技術から、あるときは脳にひもづけて、分かりやすく解説している。随所に技術者らしい本質をついた説明や実装のヒントが散りばめられている。知能の本質が予測であるという、シンプルで正しいメッセージを、二〇〇四年という早い時期に見抜いていたホーキンスには驚嘆の念を禁じ得ない。

この重要なメッセージを人工知能研究者としてのキャリアの初期に理解していたからこそ、その後、私は予測についてずっと考え続けることになった。それまで人工知能の分野で推論やデータマイニングといった研究をしていたが、いまひとつ知能に近づけない気がしていた。予測をするための教師なし学習（今日では、自己教師あり学習と呼ばれることが多い）に何かヒントがあるはずだと思っていた。そして、ホーキンスが提唱するモデルとは異なってはいたが、二〇一二年、ジェフリー・ヒントンらによって深層学習が目覚ましい成果を挙げたときも（最初は教師なし学習の活用からであった）、これは相当なインパクトをもたらすとすぐに直観することができた。

この本が書かれた当時のことを、想像していただきたい。二〇〇四年は深層学習の登場以前であり、画像認識でネコを分類することもできなかったし、まともな音声認識もなかった。チェスでようやくAIが人間に勝ったくらいで、将棋や囲碁などは全く相手にならなかった。しかし、本書では、視覚野の仕組みについて、CNN（畳み込みニューラルネットワーク）の仕組みとほぼ同じようなことが書かれている。さらには、今日、生成AI

として注目されているような深層生成モデル（エンコーダとデコーダの組み合わせ）と同じことが書かれている（例えば、五六ページは自己符号化器）。また、一九〇ページで述べられる「シーケンスのシーケンス」が蓄えられるという仕組みは、今でいうトランスフォーマーの仕組みに近い。トランスフォーマーは、ＣｈａｔＧＰＴ等に使われる大規模言語モデル（あるいは基盤モデル）のベースとなる技術であり、自己注意という機構を使って、ニューラルネットワークを上がってくる情報（Ｑｕｅｒｙとよぶ）に対して、その分類基準（ｋｅｙ）の近さが計算され、それに応じて異なる処理（Ｖａｌｕｅ）が行なわれるという仕組みになっている。本書では、二〇〇ページから二〇一ページに、色の異なる紙を分類するという説明があるが、まさに、トランスフォーマーでは分類がされるし、分類の基準自体も学習がされる。そして、こうした処理が階層的に行なわれることで、「シーケンス」の「シーケンス」が蓄えられる。そういう意味では、ホーキンスが描いたアーキテクチャが見事に実現されている。

また、大規模言語モデルを構築する際、自己教師あり学習という方法を用いる。例えば、文を途中まで読み込ませて、次の単語を当てるｎｅｘｔ　ｗｏｒｄ　ｐｒｅｄｉｃｔｉｏｎ（次の単語予測）という学習方法が一般的である。一四一ページから一四二ページの、「酒は百薬の…」ときて「長」と予測する部分などは、まさに、ｎｅｘｔ　ｗｏｒｄ　ｐ redictionそのものである。一一六ページでは画像に関して、入力の一部からほかを復元（予測）すること、一四三ページでは視野の充塡についても語られている。これも、自己教師あり学習としての画像のinpainting（修復）として知られる処理に該当し、当時はほぼ誰も指摘していなかったが、現在のAIでは基本となっている技術である。

このように、本書は、多分に予言的な本であり、二〇〇四年からの約二〇年間で、AI技術の進展によって多くの予言が現実のものになった。とはいえ、未だに実現できていない部分もまだまだ多い。一五四ページに書かれているように、何かを予測し、運動の命令が発せられて、結果的に行動が実現されるという仕組みは、まだ実現されていない。時間の扱いに関してもまだうまく扱えていない。それが証拠に、人間のように柔軟に習熟して動くロボットはまだできていない。映像や音声、ロボットの制御など、すべてを同一アルゴリズムで扱うという、マウントキャッスルの法則にかなうような技術はまだできていない。結果として、大域的な脳の仕組みの解明には今のところ至っていない。ただ、本書の主張が根本的に間違っているとは考えにくく、おそらく本書が予言するようなことは数年から十数年のうちに実現してくるのではないかと思う。

今回、解説を書くにあたって、久しぶりにこの本を最初から読み直した。改めての発見も多かった。二〇年前に初めて読んだときは、脳についてはよく分かっていなかった。その後、私なりに、いろいろと脳についても勉強をした。今から読むと、本書全体の構成もよく分かるし、各所で出てくる例え話も、脳の独り言も、本当に分かりやすく書かれていると思う。この本の内容自体は、ホーキンスが述べる通り、多くの文献や知見をもとに組み立てられており（例えば、脳の予測機能や階層性に関しては予測符号化という有力な説がある）、本書に書かれていないことや今となっては違うのではと感じる部分もあるが、それでもAIと脳をつなぐものとして今でも秀逸な出来の本だと思う。私自身の研究者としてのキャリアと重なっているという想いのせいかもしれないが、ホーキンスの近著『脳は世界をどう見ているのか　知能の謎を解く「1000の脳」理論』よりも、こちらのほうが名著ではないかと思う。なぜなら、知能の本質が予測であるというひとつのメッセージを、あの時代に見事に言い当てているからである。

本書第8章「知能の未来」に書かれた、産業や社会への影響の予測も秀逸である。発刊から二〇年近くたって、我々は答え合わせをすることができるのだが、三一〇ページに将来の実用可能性として挙げられた三つの応用のうち、実際に、音声認識と視覚情報処理（画像認識）は実現した。音声認識や顔認証はスマホに普通に搭載されている。もうひとつの自動運転はまだ普及していないが、実用化に向けて着々と進んでいる。つまり、三つとも見事に当たっているのだ。その他、書かれていることのなかでは、天気を予報するAIはできているし、タンパク質の折りたたみ問題を解くAIもできた。さすがに、ChatGPTのような「会話をする」AIが一気に広まるとは予想できなかったようだが、それでも、二〇〇四年の時点でここまで未来を予測しているとは驚異的である。

生成AIが大きく話題になっているこの時代、知能という観点から、脳とAIを見比べることはとても重要だ。端的に言えば、新皮質は予測のための器官であり、AIによって実現し得る。一方で、本能や感情を司る旧脳、身体やさまざまな感覚は人間に特有のもので、コンピュータで実現することは不可能か、あるいは無意味だ。この違いをしっかり理解することは重要であり、人工知能に関する懸念やリスクを議論する上でも、議論の土台となる。AIの進展が世界全体で注目される今だからこそ、二〇〇四年発刊の、このホーキンスのシンプルで力強いメッセージをぜひ読んで欲しいと思う。そして、コンピュータの、そして人間の知能とは何か、そして我々がどういう社会を作っていくのか、ぜひ考えを巡らせて欲しい。

二〇二三年六月

参考文献

科学の専門書や雑誌記事のほとんどには、参考文献が長々と掲げられ、読者の便をはかるとともに、先達の業績を列挙する。この本はさまざまな読者を想定しているので、神経科学の知識を前提にしていないし、専門書の体裁もとっていない。同じように、この参考文献リストのおもな目的は、専門家ではない読者がさらに理解を深めたい場合の助けになることだ。したがって、関連する研究の出版物をすべて列挙することも、この領域で基礎的な発見をした個人に敬意を表することもしない。そのかわりに、脳に興味を覚えた読者のために、さらに読めば役だつと思われる文献を精選した。ただし、わたしが有用であると判断したものについては、おもに専門家向きであっても紹介している。この本でとりあげた話題の多くは、ウェブ上でも詳細に議論されている。

残念なことに、脳全体の理論をとりあげた文献は少ない。まえがきで述べたように、そもそも書かれたものが少ないからだ。この本で概説した具体的な提案に関するものとなると、さらに数が減る。

人工知能とニューラルネットワークの歴史

Baumgartner, Peter, and Sabine Payr, eds., *Speaking Minds: Interviews with Twenty Eminent Cognitive Scientists*, Princeton University Press, 1995.

この本では、人工知能、ニューラルネットワーク、認知科学の分野を代表する学者の多くに、興味深いインタビューがおこなわれている。知能の研究における最近の動向と意気込みが要約されており、手軽に楽しく読める。

Dreyfus, Hubert L., *What Computers Still Can't Do: A Critique of Artificial Reason*, MIT Press, 1992.

人工知能を手厳しく批判し、もともとは *What Computers Can't Do*（邦訳は、ヒューバート・L・ドレイファス著、黒崎政男・村若修訳『コンピュータには何ができないか　哲学的人工知能批判』、産業図書、1992年）として出版され、のちに改訂されたもの。人工知能の歴史が、もっとも批判的な立場から詳しく語られている。

Anderson, James A., and Edward Rosenfeld, eds.,*Neurocomputing, Foundations of Research*, MIT Press, 1988.

ニューラルネットワークと脳科学の重要な論文を集め、注釈をつけた大冊。1890年から1987年までのものが、年代順に収録されている。原論文はW・S・マカロックとW・ピッツ、ドナルド・ヘッブ、スティーヴン・グロスバーグなど、多数の学者によって書かれていて、それぞれに編者による導入部がつけられている。この分野で歴史的に重要な論文の多くが、この一冊でまとめて読める。

Searle, J. R., Minds, Brains, and Programs, *The Behavioral and Brain Sciences*, vol. 3, pp. 417-424, 1980.

〔邦訳は、ジョン・サール著、久慈要・守屋唱進訳「心・脳・プログラム」、D・R・ホフスタッター、D・C・デネット編著、坂本百大監訳『マインズ・アイ　コンピュータ時代の「心」と「私」（下)』ティビーエス・ブリタニカ、1992年などに所収〕

有名な「中国語の部屋」の思考実験を提案し、コンピューターによる心のモデル化に異議を唱えた論文。中国語の部屋についての解説と考察は、ウェブ上に数多く見つかる。

Turing, A. M., Computing Machinery and Intelligence, *Mind*, vol. 59, pp. 433-460, 1950.

〔邦訳は、アラン・テューリング著、藤村龍雄訳「計算機械と知能」、D・R・ホフスタッター、D・C・デネット編著、坂本百大監訳『マインズ・アイ　コンピュータ時代の「心」と「私」（上)』ティビー

エス・ブリタニカ、1992年などに所収〕
知能の有無を判断する方法として有名な「チューリング・テスト」を提案した論文。チューリング・テストについても、やはりウェブ上にたくさんの紹介と考察がある。

Palm, Günther, *Neural Assemblies: An Alternative Approach to Artificial Intelligence*, Springer Verlag, 1982.
新皮質の働きや、シーケンスが記憶される方法を理解するためには、自己連想記憶に精通しておくことが望ましい。この記憶をとりあげている本は数多いが、わたしが重要と考える点を要約して平易に解説したものは見つからない。この本は、研究の先駆者の一人によって書かれたものだ。入手は難しく、読みやすい本でもないが、自己連想記憶の基礎が、シーケンスを格納する機能も含めて述べられている。

新皮質と神経科学全般

神経生物学と新皮質についてさらに知りたい読者には、ここで紹介する本を勧める。

Crick, Francis H. C., Thinking about the Brain, *Scientific American*, vol. 241, pp. 181-188, 1979.
つぎの本にも収録されている。
The Brain: A Scientific American Book, W. H. Freeman, 1979.
〔邦訳は、F・H・C・クリック「脳を考える」、サイエンス1979年11月号に所収〕
わたしが脳への興味を呼び覚まされた論文。かなり前に書かれたものだが、読むといまだに刺激を受ける。

Koch, Christof, *Quest for Consciousness: A Neurobiological Approach*, Roberts and Co., 2004.
〔邦訳は、クリストフ・コッホ著、土谷尚嗣・金井良太訳『意識の探求　神経科学からのアプローチ』上下、岩波書店、2006年〕
脳を一般的な興味の対象として扱った本は、毎年、何冊か出版され

る。この本は意識について書かれているが、脳、神経解剖学、神経生理学の関連する話題も含んでいる。神経生物学や脳科学への入門書として読みやすい一冊を求めるなら、この本がぴったりだ。

Mountcastle, Vernon B., *Perceptual Neuroscience: The Cerebral Cortex*, Harvard University Press, 1998.

新皮質について、ありとあらゆる話題をとりあげた名著。すっきりした構成でしっかりと書かれていて、専門性は高いが楽しく読める。新皮質への入門書として最良の一冊。

Kandel, Eric R., James H. Schwartz, Thomas M. Jessell, eds., *Principles of Neural Science*, 4th ed., McGraw-Hill, 2000.
〔原書の第5版と第6版に邦訳がある。第6版の邦訳は、Eric R. Kandel、John D. Koester、Sarah H. Mack、Steven A. Siegelbaum 編、宮下保司監修、岡野栄之ほか監訳『カンデル神経科学』第2版、メディカル・サイエンス・インターナショナル、2022年〕

一巻で神経科学を網羅した百科事典。大冊で、寝る前にちょっと読むような本ではないが、座右に置けば調べものに好適だ。ニューロン、感覚器官、神経伝達物質など、神経系のあらゆる構成要素が、初歩のレベルからていねいに説明されている。

Shepherd, Gordon M., ed., *The Synaptic Organization of the Brain*, 5th ed., Oxford University Press, 2004.

わたしは事典としてずっと愛用しているが、どちらかといえば、単独の著者によって書かれた初期の版のほうが好きだ。脳のあらゆる部分が専門的なレベルで解説されていて、とりわけシナプスの記述に詳しい。

Koch, Christof, and Joel L. Davis, eds., *Large-scale Neuronal Theories of the Brain*, MIT Press, 1994.

脳全体の理論について書かれたものは、きわめて少ない。この本には、まさにそのような希有《けう》な論文が集められている。だが、ほとんど

は、書名が意図したほどの広範な理論を提示できていない。それでも、脳全体の働きを解明しようとするさまざまな研究が概観できる。記憶による予測の枠組みの断片は、この本のいたるところに見受けられる。

Braitenberg, Valentino, and Almut Schüz, *Cortex: Statistics and Geometry of Neuronal Connectivity*, 2nd ed., Springer Verlag, 1998.

この本では、ネズミの脳の特性が統計的に分析されている。あまり興味をそそられる話題ではないかもしれないが、新鮮で有用な報告といえる。なぜなら、新皮質が定量的に考察されているからだ。

神経科学の専門的な論文

ここで紹介する論文は、この本に記述されている重要な概念のいくつかが、はじめて提案されたものだ。ほとんどは、大学の図書館で見つけるか、インターネット経由で入手するしかない。

Mountcastle, Vernon B., An Organizing Principle for Cerebral Function: The Unit Model and the Distributed System, in Gerald M. Edelman and Vernon B. Mountcastle, eds., *The Mindful Brain*, MIT Press, 1978.

新皮質全体が共通のアルゴリズムにもとづいて機能しているという理論を、わたしはこの論文によって知った。また、新皮質の処理の基本単位が柱状構造であることも、著者によって提案されている。これら二つの考えは、この本で述べた着想の前提であるとともに、それが生まれるきっかけともなった。

Creutzfeldt, Otto D., Generality of the Functional Structure of the Neocortex, *Naturwissenschaften*, vol. 64, pp. 507-517, 1977.

この本の原稿を書いたあとで存在に気づいた論文で、マウントキャッスルと同様に、新皮質に共通のアルゴリズムを提示している。出版はこちらのほうが少し早く、両方を読むと、主張がよりよく理解できる。

Felleman, D. J., and D. C. Van Essen, Distributed Hierarchical

Processing in the Primate Cerebral Cortex, *Cerebral Cortex*, vol. 1, pp. 1-47, 1991.

視覚野の階層構造を記述した、いまや古典ともいえる論文。わたしが提案した記憶による予測の枠組みは、視覚野だけでなく、新皮質全体が階層構造であるという仮定にもとづいている。

なお、この論文は、ニューヨーク大学のウェブサイト（https://www.cns.nyu.edu/~tony/vns/readings/felleman-vanessen-1991.pdf）で閲覧できる。

Sherman, S. Murray, and R. W. Guillery, The Role of the Thalamus in the Flow of Information to the Cortex,*Philosophical Transactions of the Royal Society of London*, vol. 357, no. 1428, pp. 1695-1708, 2002.

視床の全体像を提示し、新皮質の二つの領域を短絡して情報がそのまま流れるようにする機能を、仮説として展開する。この考えは、第６章の「階層をのぼる第二の経路」の節で詳述した。

なお、この論文は、アメリカ国立衛生研究所の傘下にあるアメリカ国立医学図書館のウェブサイト（https://www.ncbi.nlm.nih.gov/pmc/articles/PMC1693087/pdf/12626004.pdf）で閲覧できる。

Rao, R. P., and D. H. Ballard, Predictive Coding in the Visual Cortex: A Functional Interpretation of Some Extra-Classical Receptive-field Effects, *Nature Neuroscience*, vol. 2, no. 1, pp. 79-87, 1999.

予測と階層構造を主題にした最近の研究の一例。この論文では、新皮質の階層を逆向きに流れる情報にもとづき、上位の領域のニューロンが下位の興奮のパターンを予測するモデルが提示されている。

Guillery, R. W., Branching Thalamic Afferents Link Action and Perception, *Journal of Neurophysiology*, vol. 90, pp. 539-548, 2003.

Young, M. P., The Organization of Neural Systems in the Primate Cerebral Cortex, *Proceedings of the Royal Society: Biological Sciences*, vol. 252, pp. 13-18, 1993.

どちらの論文も、感覚の認識と運動の生成が密接にかかわっていて、

全体として一つの処理になっていることを、うまく証拠をあげて説明している。前者では、運動の生成には新皮質のあらゆる感覚野が関与していることが主張される。後者では、運動野と体性感覚野の結びつきがきわめて緊密で、単一の組織とみなすべきであることが示される。これらの考えは、第6章で簡単に触れたものだ。

なお、前者の論文は、アメリカ生理学会のウェブサイト（https://journals.physiology.org/doi/epdf/10.1152/jn.00337.200/3）で閲覧できる。

本書は二〇〇五年三月にランダムハウス講談社より単行本
として刊行された『考える脳 考えるコンピューター』に
新たな序文と解説を付し新版として文庫化したものです。

訳者略歴　翻訳家　1958年生　大阪大学大学院基礎工学研究科物理系専攻博士前期（修士）課程修了　訳書にボダニス『E = mc^2』（共訳、早川書房刊），コックス＆フォーショー『クオンタムユニバース　量子』，ムラー『〈いま〉とは何か』など多数

HM=Hayakawa Mystery
SF=Science Fiction
JA=Japanese Author
NV=Novel
NF=Nonfiction
FT=Fantasy

考《かんが》える脳《のう》　考《かんが》えるコンピューター
〔新版〕

〈NF601〉

二〇二三年七月二十日　印刷
二〇二三年七月二十五日　発行
（定価はカバーに表示してあります）

著者　ジェフ・ホーキンス　サンドラ・ブレイクスリー
訳者　伊《い》藤《とう》文《ふみ》英《ひで》
発行者　早川　浩
発行所　株式会社　早川書房
郵便番号　一〇一‐〇〇四六
東京都千代田区神田多町二ノ二
電話　〇三‐三二五二‐三一一一
振替　〇〇一六〇‐三‐四七七九九
https://www.hayakawa-online.co.jp

乱丁・落丁本は小社制作部宛お送り下さい。
送料小社負担にてお取りかえいたします。

印刷・星野精版印刷株式会社　製本・株式会社フォーネット社
Printed and bound in Japan
ISBN978-4-15-050601-8 C0140

本書は活字が大きく読みやすい〈トールサイズ〉です。